LE TRÔNE DE FER **11**

Les sables de Dorne

Du même auteur
aux Éditions J'ai lu

Chanson pour Lya, *J'ai lu* 1380
Des astres et des ombres, *J'ai lu* 1462
L'agonie de la lumière, *J'ai lu* 2692
Les sables des sables, *J'ai lu* 8494

Le trône de fer :
1 - Le trône de fer, *J'ai lu* 5591
2 - Le donjon rouge, *J'ai lu* 6037
3 - La bataille des rois, *J'ai lu* 6090
4 - L'ombre maléfique, *J'ai lu* 6263
5 - L'invincible forteresse, *J'ai lu* 6335
6 - Intrigues à Port-Réal, *J'ai lu* 6513
7 - L'épée de feu, *J'ai lu* 6709
8 - Les noces pourpres, *J'ai lu* 6894
9 - La loi du régicide, *J'ai lu* 7339
10 - Le chaos, *J'ai lu* 8398
11 - Les sables de Dorne, *J'ai lu* 8495
12 - Un festin pour les corbeaux, *(à paraître)*

GEORGES MARTIN

LE TRÔNE DE FER 11

Les sables de Dorne

Traduit de l'américain
par Jean Sola

Pour Stephen Boucher, magicien de Windows,
dragon de DOS, *sans lequel ce livre*
aurait été écrit à la craie.

Titre original :

A SONG OF ICE AND FIRE
A FEAST FOR CROWS
(deuxième partie)

PRINCIPAUX PERSONNAGES

Maison Targaryen (le dragon)

Le prince Viserys, héritier « légitime » des Sept Couronnes, tué par le *khal* dothraki Drogo, son beau-frère

La princesse Daenerys, sa sœur, veuve de Drogo, « mère des Dragons », prétendante au Trône de Fer

Maison Baratheon (le cerf couronné)

Le roi Robert, dit l'Usurpateur, mort d'un « accident de chasse » organisé par sa femme, Cersei Lannister

Le roi Joffrey, leur fils putatif, issu comme ses deux puînés de l'inceste de Cersei avec son jumeau Jaime. Assassiné lors de ses noces avec Margaery Tyrell

Le roi Tommen, huit ans, successeur de son frère tant sur le trône qu'en qualité de « promis » auprès de la veuve

La princesse Myrcella, envoyée à Dorne comme fiancée du jeune prince Trystan, dans le but de resserrer l'alliance avec les Lannister

Lord Stannis, seigneur de Peyredragon, et lord Renly, seigneur d'Accalmie, tous deux frères de Robert et prétendants au trône, le second assassiné par l'intermédiaire de la prêtresse rouge Mélisandre d'Asshaï, âme damnée du premier ; lequel, après sa défaite sur la Néra, s'est décidé à gagner le Mur pour y combattre les sauvageons, les Autres et reconquérir le royaume grâce à cette politique

Maison Stark (le loup-garou)

Lord Eddard (Ned), seigneur de Winterfell, ami personnel et Main du roi Robert, décapité sous l'inculpation de félonie par le roi Joffrey

Lady Catelyn (Cat), née Tully de Vivesaigues, sa femme, assassinée lors des « noces pourpres » de son frère avec Roslin Frey. « Ressuscitée » à l'insu de tous par le prêtre rouge Thoros de Myr, féal de lord Béric Dondarrion et de ses prétendus « brigands »

Robb, leur fils aîné, devenu, du fait de la guerre civile, roi du Nord et du Conflans, assassiné comme sa mère aux Jumeaux par leurs hôtes à la veille de la reconquête de Winterfell sur les envahisseurs fer-nés

Brandon (Bran) et Rickard (Rickon), ses cadets, présumés avoir péri assassinés de la main de Theon Greyjoy

Sansa, sa sœur, retenue en otage à Port-Réal comme « fiancée » du roi Joffrey puis mariée de force à Tyrion Lannister. Mêlée à son insu au régicide (dont on la soupçonne à tort, comme son mari), s'est enfuie la nuit même du Donjon Rouge pour le Val d'Arryn, grâce à lord Petyr Baelish, dit Littlefinger, également instigateur du meurtre

Arya, son autre sœur, qui n'est parvenue à s'échapper, le jour de l'exécution de lord Eddard, que pour courir depuis désespérément les routes du royaume, tour à tour captive des Braves Compaings, des « brigands », de Sandor Clegane qui n'aspire à son tour qu'à la rançonner, puis pour s'embarquer à destination de Braavos, sur l'autre rive du détroit

Benjen (Ben), chef des patrouilles de la Garde de Nuit, réputé disparu au-delà du Mur, frère d'Eddard

Jon le Bâtard (Snow), fils illégitime, officiellement, de lord Stark et d'une inconnue ; expédié au Mur et devenu là aide de camp du lord Commandant Mormont. Passé sur ordre aux sauvageons, leur a finalement faussé compagnie pour prévenir la Garde de Nuit et prendre part à la défense de Châteaunoir. Élu depuis lord Commandant, se trouve en tant que tel harcelé par les exigences inacceptables de Stannis et menacé de voir ses rares concessions passer à Port-Réal pour autant de preuves de complicité

Maison Lannister (le lion)

Lord Tywin, seigneur de Castrai Roc, Main du roi Joffrey. Assassiné par son propre fils, Tyrion

Kevan, son frère (et acolyte en toutes choses)

Jaime, son fils, dit le Régicide pour avoir tué le roi Aerys Targaryen le Fol, membre puis lord Commandant de la Garde Royale et amant de sa sœur, la reine Cersei. Fait prisonnier par Robb Stark lors de la bataille du Bois-aux-Murmures, n'a été élargi de son cachot de Vivesaigues par lady Catelyn que contre la promesse qu'il lui ferait restituer ses filles, Sansa et Arya

Tyrion le nain, dit le Lutin, son second fils, ex-Main du Roi, Grand Argentier pour l'heure et mari malgré lui de Sansa Stark. Inculpé de régicide et de parricide, en dépit de son innocence, et condamné à mort pour le meurtre de son neveu Joffrey. Délivré par son frère, a tué leur père avant de s'enfuir

Maison Tully (la truite)

Lord Hoster, seigneur de Vivesaigues. A fini par mourir après une interminable agonie

Edmure, son fils, retenu captif aux Jumeaux par son beau-père Frey depuis les « noces pourpres »
Catelyn (Stark), sa fille aînée
Lysa, sa cadette, meurtrière de son premier mari, Jon Arryn, puis épouse en secondes noces de son amour de jeunesse et complice Littlefinger, qui l'a assassinée à son tour
Brynden, dit le Silure, oncle des trois précédents. Assiégé pour l'heure dans Vivesaigues

Maison Tyrell (la rose)

Lady Olenna Tyrell, dite la reine des Épines, meurtrière « directe » du roi Joffrey
Lord Mace Tyrell, son fils, sire de Hautjardin, passé dans le camp Lannister après la mort de Renly Baratheon
Lady Alerie, sa femme
Willos, Garlan (dit le Preux), Loras (dit le chevalier des Fleurs, et membre de la Garde Royale), leurs fils
Margaery, veuve successivement de Renly Baratheon puis du roi Joffrey, leur fille, désormais promise à Tommen Baratheon

Maison Greyjoy (la seiche)

Lord Balon Greyjoy, sire de Pyk, autoproclamé roi des îles de Fer et du Nord après la chute de Winterfell. Victime d'une tornade on ne peut moins naturelle. Mort qui ouvre une succession houleuse entre :
— Euron (dit le Choucas), inopinément reparu après une longue absence ; Victarion, amiral de la Flotte de Fer ; Aeron (dit Tifs-Trempes), ses frères
— Asha, sa fille, qui s'est emparée de Motte-la-Forêt
— et Theon, son fils, ancien pupille de lord Eddard, preneur de Winterfell et « meurtrier » de Bran et Rickon

Stark, réputé mort mais à présent captif du bâtard Bolton

Maison Martell (le soleil transpercé d'une lance)

Le prince Doran, dont la sœur Elia, femme de Rhaegar Targaryen, fut assassinée avec ses enfants par les sbires des Lannister lors du sac de Port-Réal, dix-sept ans plus tôt
Arianne, héritière présomptive de la principauté, sa fille aînée
Quentyn et Trystan, ses fils
Le prince Oberyn, son frère, dit la Vipère Rouge, récemment tué en duel par Gregor Clegane, alias la Montagne
Les « Aspics des Sables », notamment Tyerne, Obara, Nyméria, filles bâtardes du précédent

Maison Bolton (l'écorché)

Lord Roose Bolton, sire de Fort-Terreur, vassal de Winterfell, veuf sans descendance légitime et remarié récemment à une Frey, Walda la Grosse
Ramsay, son bâtard, alias Schlingue, responsable, entre autres forfaits, de l'incendie de Winterfell, promis à la pseudo-Arya Stark inventée par Tywin Lannister

Maison Mervault

Davos Mervault, dit le chevalier Oignon, ancien contrebandier repenti passé au service de Stannis Baratheon et devenu son homme de confiance, sa « conscience » et son conseiller officieux. Désormais sa Main, contrebalance de toutes ses forces l'influence « démoniaque » de Mélisandre et de son Maître de la Lumière

Dale, Blurd, Matthos et Maric (disparus durant la bataille de la Néra), Devan, écuyer de Stannis, les petits Stannis et Steffon, ses fils

Maison Tarly

Lord Randyll Tarly, sire de Corcolline, vassal de Hautjardin, allié de lord Renly puis des Lannister
Samwell, dit Sam, son fils aîné, froussard et obèse, déshérité en faveur du cadet, Dickon, et expédié à la Garde de Nuit, où il est devenu l'adjoint de mestre Aemon (Targaryen), avant de suivre l'expédition de lord Mormont contre les sauvageons. « Passeur » au-delà du Mur de Bran Stark parti pour le nord avec ses compagnons Reed et Hodor en quête de la corneille à trois yeux

Maison Torth

Essentiellement illustrée par Brienne, « la Pucelle de Torth », fille unique de lord Selwyn, l'Étoile du Soir. Amoureuse du roi Renly, au meurtre magique duquel elle a assisté, impuissante, ce qui ne l'en a pas moins fait accuser, soupçonner au mieux. Sauvée par lady Catelyn Stark qui lui a confié la tâche de ramener Jaime Lannister à Port-Réal, sous condition qu'il lui fasse restituer ses filles. La force des choses l'empêchant de tenir sa promesse, Jaime a confié à Brienne le soin de rechercher Sansa (Arya passe pour morte) et de la protéger coûte que coûte contre la vindicte de Cersei.

JAIME

C'est revêtu d'une éblouissante armure écarlate d'émail poli niellé d'or et rehaussé de pierres précieuses que lord Tywin Lannister avait fait son entrée dans la ville, monté sur un étalon. Sa sortie, c'est à bord d'un impressionnant fourgon drapé de bannières écarlates qu'il l'opéra, ses restes étant accompagnés par six sœurs silencieuses.

Le convoi funéraire quitta Port-Réal par la porte des Dieux, plus imposante et plus magnifique que celle du Lion. Jaime trouva ce choix malencontreux. Que son père eût été un lion, nul ne pouvait en disconvenir, mais qu'il eût jamais prétendu se faire prendre pour un dieu, cela, certes non.

Une garde d'honneur de cinquante chevaliers entourait le corbillard ; des oriflammes écarlates flottaient à la pointe de leur lance. Les seigneurs de l'Ouest talonnaient le cortège. Les sautes de vent qui les flagellaient faisaient danser et virevolter les emblèmes de leurs bannières respectives. Comme il remontait au petit trot la colonne, Jaime dépassa des sangliers, des blaireaux et des scarabées, une flèche verte et un bœuf rouge, des hallebardes croisées, des piques croisées, un chat sauvage, une fraise, une mailloche, quatre échappées de soleil échiquetées.

Lord Brax portait un doublet gris clair à crevés de brocart d'argent sur le sein duquel était épinglée une licorne d'améthyste. Lord Jast avait revêtu une armure d'acier noir, avec trois têtes de lion d'or serties sur son corselet. À en juger d'après son aspect, les rumeurs qui avaient couru sur sa mort ne laissaient pas que d'avoir eu de sérieux fondements ; suite à ses blessures et à sa captivité, il n'était plus que l'ombre de lui-même. Lord Fléaufort avait mieux supporté le choc des batailles, et il semblait prêt à repartir guerroyer sur-le-champ. Quetsch était pour sa part habillé de prune, Prestre d'hermine, Moreland de vert et de brun-roux, mais un manteau de soie écarlate les enveloppait tous, en l'honneur de l'homme qu'ils reconduisaient chez lui.

Derrière ces hauts et puissants seigneurs marchaient une centaine d'arbalétriers et trois cents hommes d'armes, les épaules drapées d'écarlate, eux aussi. Ces ruissellements de rouge éclatant donnèrent à Jaime le sentiment qu'il ne se trouvait pas à sa place, là, dans sa blanche armure à écailles et son blanc manteau.

Au demeurant, s'il avait compté sur son oncle pour alléger le malaise qu'il éprouvait, force lui fut de déchanter. « Messire Commandant, lui lança ser Kevan quand il vint chevaucher près de lui à la tête de la colonne. Sa Grâce a-t-elle quelque ultime consigne à me faire signifier ?

— Cersei n'a rien à voir dans ma présence ici. » Un tambour commença à battre dans leur dos, sur un rythme lent, solennel, lugubre. *Mort*, semblait-il déclarer, *mort, mort*. « Je suis venu lui faire mes adieux. Il était mon père.

— Et son père à elle.

— Je ne suis pas Cersei. Moi, j'ai de la barbe, elle des nichons. Si vous persistez à nous confondre encore, Oncle, comptez nos mains. Cersei en a deux.

— Vous avez un fieffé penchant pour la dérision, tous les deux, riposta Kevan. Épargnez-moi vos plaisanteries, ser, elles ne sont pas de mon goût.

— Comme il vous plaira. » *Les choses ne marchent pas aussi bien que j'aurais pu l'espérer.* « Cersei aurait souhaité assister à votre départ, mais elle a des quantités d'obligations pressantes. »

Son oncle renifla. « Nous en sommes tous là. Comment se porte votre roi ? » L'intonation levait toute équivoque : la question était un reproche.

« Plutôt bien, répondit Jaime, sur la défensive. C'est Balon Swann qui se tient auprès de lui, tous les matins. Un honnête et vaillant chevalier.

— Ce qui allait sans dire, autrefois, dès lors qu'on parlait des hommes arborant le blanc. »

Nul n'est maître de choisir ses frères, songea Jaime. *Accordez-moi la permission de sélectionner mes hommes personnellement, et la Garde Royale recouvrera sa grandeur passée.* Exprimée hardiment, pareille assertion présentait néanmoins le fâcheux inconvénient de ressembler à une rodomontade creuse, de la part de quelqu'un que tout le royaume affublait du sobriquet de Régicide. *Je suis censé n'avoir que de la merde en guise d'honneur.* Jaime préféra changer de sujet. Il n'était pas non plus venu là pour se disputer avec son oncle. « Ser, dit-il, vous devriez faire votre paix avec Cersei.

— Sommes-nous en guerre, elle et moi ? Nul n'a songé à m'en aviser. »

Jaime passa outre sans commentaires. « Des querelles intestines entre Lannister ne peuvent profiter qu'aux ennemis de notre maison.

— Si querelles il y a, ce n'est toujours pas de mon fait. Cersei veut gouverner. Voilà qui est bel et bien. Le royaume lui appartient. Tout ce que je demande, c'est qu'on me laisse tranquille. Ma place est à Darry, auprès de mon fils. Le château réclame sûrement des réparations, les terres avoisinantes doivent être ensemencées et protégées. » Il fit retentir un ricanement plein d'amertume. « Et votre sœur ne m'a pas laissé grand-chose d'autre à faire pour occuper mes loisirs. Mieux vaut que je les consacre à veiller au mariage de Lancel. Sa future s'impatiente de plus en plus d'attendre que nous nous décidions à nous mettre en route pour aller la rejoindre là-bas. »

Sa veuve des Jumeaux. Le cousin Lancel chevauchait trois longueurs derrière eux. Ses orbites caves et ses cheveux blancs cassants le faisaient paraître plus vieux que lord Jast. Sa seule vue donnait à la main fantôme de Jaime d'épouvantables démangeaisons... *s'est baisé Lancel et Osmund Potaunoir et probablement Lunarion, pour autant que je sache...* Il avait essayé, et plutôt dix fois qu'une, d'avoir un petit entretien avec lui, mais il n'était jamais parvenu à le trouver seul. Lorsque ce n'était pas son père qui lui tenait compagnie, c'était tel ou tel septon. *Tout fils de ser Kevan qu'il puisse être, n'empêche qu'il a du lait dans les veines. Tyrion m'en a menti. Ses propos se voulaient blessants, voilà tout.*

Évacuant Lancel de ses pensées, Jaime en revint à son oncle. « Les noces achevées, vous comptez rester à Darry ?

— Quelque temps, peut-être. À ce qu'il paraîtrait, Sandor Clegane multiplie les razzias dans les parages du Trident. Votre sœur veut sa tête. Il n'est pas impossible qu'il ait rallié Dondarrion. »

Jaime avait eu vent des événements de Salins. Tout comme la moitié du royaume, à présent, d'ailleurs. Une férocité peu commune s'y était débridée. Femmes violées et mutilées, enfants massacrés dans les bras de leurs mères, la majeure partie de la ville passée à la torche. « Randyll Tarly se trouve à Viergétang. Laissez-le régler leur compte aux hors-la-loi. J'aimerais mieux vous voir vous rendre à Vivesaigues.

— Ser Daven y exerce le commandement. En sa qualité de Gouverneur de l'Ouest. Il n'a aucun besoin de ma personne. Lancel, lui, si.

— À votre aise, Oncle. » Les élancements qui lui martelaient le crâne battaient au même rythme obsédant que les tambours. *Mort, mort, mort.* « Alors, vous feriez bien de garder vos chevaliers autour de vous. »

Ser Kevan lui décocha un coup d'œil glacial. « Est-ce une menace, ser ? »

Une menace ? L'insinuation le suffoqua. « Une mise en garde. Je voulais juste dire… Sandor est un individu dangereux.

— Je pendais déjà des bandits et des chevaliers pillards quand vous étiez encore en train de conchier vos langes. Je ne suis pas du genre à courir affronter Clegane et Dondarrion tout seul, si c'est là ce que vous redoutez, ser. Les Lannister ne sont pas tous des cervelles brûlées par gloriole. »

Holà, m'n onc', m'est avis que c'est une pierre dans mon jardin ! « Addam Marpheux pourrait faire leur affaire à ces malandrins tout autant que vous. Brax de même, et Fléaufort, Quetsch, ou n'importe lequel des autres ici présents. Mais aucun d'entre eux ne saurait assumer comme il faut le rôle de Main du Roi.

— Votre sœur connaît mes conditions. Elles n'ont pas varié d'une virgule. Dites-le-lui, la prochaine fois que vous vous trouverez dans sa chambre à coucher. » Sur ces mots, ser Kevan mit brusquement un terme à la conversation en plantant ses éperons dans les flancs de son coursier qui détala au triple galop.

Sa main d'épée perdue le lancinant de crispations, Jaime le laissa s'éloigner. Il avait espéré contre tout espoir en une méprise quelconque de la part de Cersei, mais tel n'était manifestement pas le cas. *Il sait à quoi s'en tenir sur nous deux. Et sur Tommen comme sur Myrcella. Et Cersei sait qu'il sait.* Ser Kevan étant un Lannister de Castral Roc, comment croire une seule seconde qu'elle lui voudrait jamais male mort ? Et pourtant… *Je m'étais trompé sur Tyrion, pourquoi pas sur elle ?* Quand des fils assassinaient leurs pères, qu'est-ce qui pouvait bien retenir une nièce d'ordonner le meurtre d'un oncle ? *Un oncle embarrassant, qui sait trop de choses.* Mais peut-être Cersei se flattait-elle, somme toute, que le Limier ferait cette sale besogne à sa place. Si ser Kevan tombait sous les coups de Sandor Clegane, elle verrait ses propres mains dispensées de tremper dans son sang. *Et il ne manquera pas de tomber, si jamais la rencontre a lieu.* Kevan Lannister avait eu beau être une fine lame, il n'était plus, tant s'en fallait, de première jeunesse, alors que le Limier…

Jaime s'était entre-temps quelque peu laissé remonter par la colonne. Comme son cousin le dépassait, flanqué de ses deux septons, il le héla : « Lancel. Cousinet. Je désirais te féliciter pour ton mariage. Je déplore seulement que mes obligations m'interdisent d'y assister.

— Sa Majesté doit être protégée.

— Et le sera. Il m'est néanmoins odieux de manquer ton coucher. C'est ton premier mariage et son deuxième à elle, à ce que j'ai appris. Je suis convaincu que ma dame sera charmée de te faire voir où s'ajuste quoi. »

La salacité de la remarque provoqua les rires de plusieurs seigneurs de leur entourage immédiat mais la mine réprobatrice des religieux. Quant au cousin, il se trémoussa en selle d'un air gêné. « J'en sais suffisamment pour accomplir mes devoirs conjugaux, ser.

— C'est exactement la chose qu'une épousée désire pour sa nuit de noces, lui repartit Jaime. Un mari qui sache comment procéder pour accomplir ses *devoirs.* »

Le rouge monta aux joues de Lancel. « Je prie pour vous, cousin. Et pour Sa Grâce la reine. Puissent l'Aïeule la guider dans les voies de la sagesse et le Guerrier prendre sa défense.

— Pourquoi diantre aurait-elle besoin du Guerrier ? Elle m'a, moi. » Jaime fit là-dessus vivement volter sa monture, son blanc manteau claquant au vent. *Le Lutin mentait. Cersei aimerait mieux avoir le cadavre de Robert entre les cuisses qu'une imbécile de chaisière comme Lancel. Espèce de vil salopard que tu es, Tyrion, tu aurais dû faire porter tes sordides calomnies sur un candidat plus plausible*. Et c'est en trombe qu'il croisa le char funèbre du seigneur son père pour regagner au plus vite la ville, dans le lointain.

Les rues de Port-Réal présentaient un aspect quasiment désert quand Jaime Lannister remonta les pentes escarpées de la colline d'Aegon vers le Donjon Rouge. La plupart de la soldatesque qui y fourmillait jusqu'à ces derniers temps, hantant les tavernes et jouant aux dés, s'en était finalement allée. Accompagné de mesdames ses mère et grand-mère, Garlan le Preux avait remmené la moitié des forces Tyrell à Hautjardin. L'autre moitié s'était portée vers le sud, sous la conduite de Mace Tyrell et de Mathis Rowan, afin d'investir Accalmie.

Pour ce qui était de l'armée Lannister, deux milliers de vieux briscards aguerris continuaient à camper hors les murs, attendant l'arrivée de la flotte de Paxter Redwyne qui devait leur faire traverser la baie de la Néra à destination de Peyre-dragon. Selon toute apparence, lord Stannis n'y avait laissé qu'une garnison modeste lorsqu'il avait fait voile en direction du nord, de sorte que deux mille hommes, avait estimé Cersei, seraient plus que suffisants pour s'emparer de l'île.

Le reste des gens de l'ouest étaient partis retrouver leurs femmes et leurs enfants, reconstruire leurs demeures, ensemencer leurs champs et engranger une dernière moisson. Cersei avait emmené Tommen faire la tournée de leurs campements avant le départ, de manière à leur faire ovationner le petit souverain. Jamais sa beauté n'avait paru plus éclatante que ce jour-là, tant elle souriait de bonne grâce et tant le soleil d'automne se complaisait à faire miroiter les ors de sa chevelure. Malgré tout ce qu'on pouvait trouver à redire sur elle, son frère devait lui reconnaître au moins ce mérite qu'elle savait s'y prendre pour se faire aimer des hommes, à condition du moins qu'elle condescendît à bien vouloir s'en donner la peine.

Comme il franchissait au petit trot les portes du château, Jaime découvrit deux douzaines de chevaliers qui couraient la quintaine dans le poste extérieur. *Encore une chose que je ne puis plus faire*, songea-t-il. Les lances étaient plus lourdes et plus encombrantes que les épées, et le maniement d'une épée se révélait déjà bien assez éprouvant pour lui. Il présuma qu'il lui serait à la rigueur possible de tenir la lance avec sa main gauche, mais cela impliquerait qu'il transfère à son bras droit le port du bouclier. Or, en joute, l'adversaire se trouvait toujours à votre gauche. Un bouclier placé du côté droit se montrerait dès lors à peu près aussi efficace que les tétons décoratifs de son corselet de plates. *Non, le temps des lices est bel et bien révolu pour moi...* s'avoua-t-il tout en mettant pied à terre. Mais cette réflexion morose ne l'empêcha pas pour autant de rester planté là pour s'offrir un brin de spectacle.

Ser Tallad le Grand vida les étriers lorsque le faquin de sable lui heurta le crâne en pivotant. Le Sanglier frappa si violemment l'écu qu'il le défonça. Kennos de Kayce acheva de le démantibuler. On installa un nouvel écu pour ser Dermot de Bois-la-Pluie. Lambert Tournebaie ne lui infligea qu'une estocade oblique, mais John Bettley l'Imberbe, Humfrey Swyft et Alyn Gerblance réussirent tous des frappes de plein fouet, cependant que la lance de Ronnet Connington le Rouge, elle, se brisait net. Sur ce, le Chevalier des Fleurs se mit en selle et, par sa dextérité, mortifia chacun de ses prédécesseurs.

Depuis toujours, aux yeux de Jaime, jouter faisait les trois quarts de l'art de l'équitation. Ser Loras montait de façon superbe, et il maniait la lance comme s'il était né une lance au poing, ce qui justifiait sans l'ombre d'un doute les mines pincées de sa mère. *Il place la pointe juste à l'endroit où il entend la placer, et l'équilibre qu'il possède a quelque chose de félin. Ce n'était peut-être pas au fond grâce à un coup de veine inouï qu'il avait réussi à me désarçonner.* Hélas, il n'aurait plus jamais l'occasion d'en tâter contre ce garçon-là… Dans sa nostalgie, Jaime aima mieux abandonner tout ce petit monde à ses divertissements.

Cersei se trouvait dans sa loggia de la Citadelle de Maegor, en compagnie de Tommen et de la Myrienne à cheveux noirs, épouse de lord Merryweather. Le Grand Mestre Pycelle était en train de faire les frais de leur hilarité commune. « Aurais-je raté quelque bonne blague ? demanda Jaime en franchissant le seuil.

— Oh, regardez ! Votre Grâce…, ronronna lady Merryweather, votre vaillant frère est de retour.

— Presque entier. » La reine était passablement éméchée, se rendit-il compte. On aurait dit, ces derniers temps, qu'elle tenait en permanence une carafe de vin à la main, elle qui marquait autrefois le plus profond mépris pour les biberonnages intempérants de Robert Baratheon. Qu'elle se soit mise à boire était bien fait pour révulser Jaime, mais il semblait que chacun des agissements de sa sœur n'arrivait ces jours-ci qu'à le dégoûter. « Grand Mestre, dit-elle, faites donc partager les nouvelles au lord Commandant, s'il vous plaît. »

Pycelle eut l'air épouvantablement gêné. « Il est arrivé un oiseau, bafouilla-t-il. En provenance de Castelfoyer. Lady Tanda tient à nous annoncer que sa fille Lollys est accouchée d'un fils robuste et vigoureux.

— Et vous ne devinerez jamais de quel nom ils ont attifé ce brin de bâtard, frère.

— Ils souhaitaient l'appeler Tywin, ça, je m'en souviens.

— En effet, mais je le leur ai interdit. J'ai averti Falyse que je ne tolérerais pas de voir octroyer le noble nom de notre père à l'ignominieuse portée d'une truie débile saillie par quelque gardeur de pourceaux.

— Lady Castelfoyer se défend d'être pour quoi que ce soit dans le choix du nom de l'enfant », spécifia le Grand Mestre. La sueur perlait sur son front ridé. « La faute en incombe au mari de Lollys, écrit-elle. C'est cette saleté de Bronn qui… Tout semblerait indiquer que ce soit lui qui…

— Tyrion, hasarda Jaime. Il a baptisé le moutard *Tyrion.* »

Le vieillard esquissa un hochement tremblant, tout en s'épongeant le front avec la manche de sa robe.

Jaime ne put s'empêcher d'éclater de rire. « Eh bien, vous voilà finalement comblée, sœur de mon cœur. Pendant tout ce temps où vous vous acharniez à faire rechercher Tyrion de tous les côtés, lui se cachait benoîtement dans les entrailles de Lollys !

— Très spirituel. Ce que vous pouvez être spirituels tous les deux, vous et Bronn. Sans doute le bâtard est-il en train de pomper l'une des mamelles de Lollys l'Andouille au moment même où nous parlons, sous l'œil goguenard de ce maudit reître, enchanté de son insolence au rabais.

— Peut-être cet enfant présente-t-il quelque ressemblance avec votre petit frère, suggéra lady Merryweather. Qui sait s'il n'est pas né difforme ou privé de nez ? roucoula-t-elle avec un rire de gorge.

— Nous allons devoir envoyer un cadeau à ce mignon chéri, déclara la reine. N'est-ce pas, Tommen ?

— Nous pourrions lui offrir un chaton.

— Un lionceau », susurra lady Merryweather, avec un sourire qui insinuait : *pour lui déchirer son gosier mignon*.

« J'avais en tête une tout autre sorte de présent », dit Cersei.

Un nouveau parâtre, je parierais. L'expression qu'il lisait dans les yeux de sa sœur, Jaime la connaissait. Il avait déjà eu par le passé maintes occasions de la remarquer, la plus récente datant du soir même des noces de Tommen, tandis qu'elle faisait incendier la tour de la Main. Si le flamboiement vert du feu grégeois qui se reflétait alors sur leurs figures donnait un air de quelque chose à tous les assistants, c'était à s'y méprendre l'air de cadavres en putréfaction, l'air jubilant d'une meute macabre de goules, mais il y avait au sein de ce charnier des charognes plus appétissantes que d'autres. De quelque manière lugubre qu'en fût illuminée sa beauté, Cersei resplendissait comme jamais peut-être. Elle se tenait là, debout, une main plaquée sur son sein, les lèvres entrebâillées, ses prunelles vertes brillant d'un éclat inouï. *Mais elle est en train de pleurer !* s'était brusquement avisé Jaime, quitte à se trouver fort en peine de dire en l'occurrence s'il s'agissait là de larmes de deuil ou de jouissance.

En tout cas, leur vue l'avait singulièrement bouleversé en lui rappelant Aerys Targaryen et l'état de surexcitation dans lequel le plongeait le spectacle d'une crémation. Un roi n'a pas de secrets pour sa Garde Royale. Les relations entre celui-ci et sa reine avaient été des plus tendues durant les dernières années du règne. Ils faisaient chambre à part et s'évitaient l'un l'autre de leur mieux pendant les heures de veille. Mais, chaque fois qu'Aerys livrait un homme aux flammes, la reine Rhaella était assurée d'avoir une visite au cours de la nuit suivante. Le soir même du jour où il avait brûlé sa Main masse-et-poignard, Jaime montait la garde avec Jon Darry devant la chambre à coucher de cette dernière pendant qu'à l'intérieur son royal époux prenait son plaisir. « Vous me faites mal ! avaient-ils entendu Rhaella crier à travers les vantaux de chêne. Vous me faites *mal* ! » Et, chose assez étrange, il en avait été plus terriblement affecté que par les hurlements de lord Chelsted. Tant et si bien qu'à la longue il n'avait pu se retenir de souffler : « Notre serment nous engage à la protéger, elle aussi…

— Certes », était convenu Darry, sauf à ajouter : « Mais pas contre lui. »

Jaime n'avait plus aperçu la reine qu'une seule fois après cette scène, le matin du jour où elle était partie se réfugier à Peyredragon. Il l'avait en fait tout juste entrevue, à l'instant où, soigneusement emmitouflée dans un manteau, la tête enfouie sous un capuchon, elle grimpait dans le carrosse royal qui devait la mener des hauteurs de la colline d'Aegon jusqu'au vaisseau qui l'attendait, prêt à appareiller. Mais il avait ensuite surpris les chuchotements des femmes de chambre. Avec ses cuisses lacérées de griffures et ses seins meurtris de morsures, leur maîtresse paraissait avoir été la proie d'un fauve déchaîné. *D'un fauve couronné*, Jaime ne le savait que trop.

Vers la fin, le souverain, dans sa démence, avait une barbe hirsute et crasseuse, une monstrueuse tignasse dont l'argent doré l'embroussaillait jusqu'à la ceinture, des ongles longs de neuf pouces et crevassés, jaunes comme des serres, et il était devenu trouillard au point de prohiber la moindre lame en sa présence, à l'exception des épées que portaient les membres de sa propre Garde. Et cependant, les lames n'en persistaient pas moins à le martyriser, celles auxquelles il lui serait de toute manière à jamais impossible de se soustraire, les lames du Trône de Fer. Ses bras et ses jambes étaient inexorablement tapissés de croûtes et de plaies sans cesse suintantes.

Libre à lui de régner sur de la chair cuite et des os carbonisés, se ressouvint Jaime, fasciné par le sourire de sa sœur. *Libre à lui de régner sur des cendres.* « Votre Grâce, dit-il, nous serait-il loisible d'avoir un petit entretien privé ?

— Puisque vous le souhaitez. Il est plus que temps, Tommen, que tu partes recevoir ta leçon du jour. Le Grand Mestre va t'emmener.

— Oui, Mère. Nous en sommes à Baelor le Bienheureux. »

Lady Merryweather prit également congé, non sans embrasser la reine sur les deux joues. « Reviendrai-je souper, Votre Grâce ?

— Je vous en voudrai mortellement si vous ne le faites pas. »

Comment qu'il s'y prît, force fut à Jaime de remarquer la manière dont la femme de Myr chaloupait des hanches. *Chacun des pas qu'elle fait est un appeau.* Il attendit que la porte se fût refermée derrière elle pour s'éclaircir la gorge et déclarer : « D'abord ces Potaunoir, ensuite Qyburn, elle maintenant. Tu entretiens une drôle de ménagerie, sœur de mon cœur, ces derniers temps.

— Je suis de plus en plus entichée de lady Taena. Elle est distrayante.

— Elle fait partie de la société intime de Margaery Tyrell, lui remémora-t-il. Elle abreuve la petite reine d'informations sur ton compte.

— Évidemment qu'elle le fait. » Cersei se rapprocha du buffet pour se remplir une nouvelle coupe. « Margaery a été aux anges quand je lui ai demandé la permission de prendre lady Taena pour compagne. Tu aurais dû l'entendre ! "*Elle sera une sœur pour Votre Grâce comme elle l'a été pour moi. Bien entendu, qu'il vous la faut ! Moi, j'ai mes cousines et mes autres dames.*" Notre petite reine ne tient pas du tout à me voir solitaire.

— Pourquoi t'embarrasser de cette moucharde, puisque tu sais que c'en est une ?

— Margaery est loin d'être aussi futée qu'elle se l'imagine. Elle n'a pas la moindre idée du serpent confit qu'elle possède en cette traînée de Myr. J'utilise Taena pour gaver la petite reine de ce que je souhaite lui faire assavoir. Je lui mets même un peu de vrai dans sa pâtée. » Les yeux de Cersei étincelaient de malignité. « Et Taena me déballe dans le plus grand détail chacun des faits et gestes de Margaery la Pucelle.

— Tiens, tiens... Jusqu'à quel point connais-tu cette femme, au juste ?

— Je sais qu'elle est mère, avec un mioche de fils qu'elle veut faire monter haut dans ce monde-ci. Elle ne renâclera devant rien, quoi qu'il en coûte, pour y parvenir. Les mères sont toutes les mêmes. Lady Merryweather a beau être un serpent, la stupidité n'est pas spécialement son fort. Comme elle sait que ma faveur lui sera plus profitable que celle de Margaery, c'est à moi qu'elle rend service. Tu n'en reviendrais pas d'apprendre toutes les choses intéressantes qu'elle m'a rapportées.

— Quel genre de choses ? »

Cersei s'assit sous la fenêtre. « Savais-tu que la Reine des Épines conservait dans son carrosse un coffret de pièces anciennes ? De pièces d'or antérieures à la Conquête ? Si d'aventure un négociant manque de jugeote au point de déclarer les prix de sa marchandise en or tout court, la voilà qui le paie en mains de Hautjardin, soit en espèces deux fois plus légères que nos dragons. Et qui oserait se plaindre d'avoir été blousé par madame la mère de Mace Tyrell ? » Elle sirota quelque temps son vin puis reprit : « Ta petite cavalcade t'a fait plaisir ?

— Ton absence m'a valu des réflexions acides de notre oncle.

— Acides ou pas, les réflexions de notre oncle me sont complètement indifférentes.

— Mieux vaudrait pas. Tu pourrais trouver à l'utiliser avantageusement. Si ce n'est pas à Vivesaigues ou au Roc, alors dans le Nord contre lord Stannis. Père s'en est toujours reposé sur Kevan, lorsque…

— Roose Bolton est notre Gouverneur du Nord. C'est lui qui va s'occuper de Stannis.

— Lord Bolton est bloqué au bas du Neck. L'occupation de Moat Cailin par les Fer-nés le coupe du Nord.

— Pas pour longtemps. Son bâtard aura tôt fait de supprimer cet obstacle dérisoire. Bolton va disposer de deux mille Frey placés sous les ordres des fils de lord Walder, Aenys et Hosteen, pour augmenter ses forces personnelles. Cela devrait être plus que suffisant pour liquider Stannis et quelques milliers d'hommes en rupture de ban.

— Ser Kevan…

— … aura les mains bien assez occupées à Darry. Il faut qu'il apprenne à Lancel à se torcher le cul. La mort de Père l'a d'ailleurs châtré. C'est un vieillard foutu. Daven et Damion nous serviront mieux.

— Ils suffiront à la tâche. » Aucun différend n'opposait Jaime à ses cousins. « Reste que tu as néanmoins besoin d'une Main. Si ce n'est pas notre oncle, qui ? »

Sa sœur se mit à rire. « Pas toi. Sois sans crainte à cet égard. Peut-être le mari de Taena. Son grand-père occupa ce poste sous Aerys. »

La Main corne d'abondance. Jaime conservait un souvenir assez net d'Owen Merryweather ; un bonhomme affable mais inefficace. « Pour autant que je me rappelle, il se tira si bien de ses fonctions qu'Aerys le condamna à l'exil et saisit ses terres.

— Que Robert lui restitua. En partie, du moins. Taena serait ravie de voir Orton les récupérer intégralement.

— Est-il ici question de faire plaisir à je ne sais quelle espèce de putain de Myr ? Je me figurais qu'il s'agissait plutôt de gouverner le royaume.

— C'est *moi* qui gouverne le royaume. »

Puissent les Sept nous sauver tous, c'est toi qui le gouvernes, en effet... Sa sœur se plaisait à se prendre pour un lord Tywin équipé de nichons, mais elle commettait là une erreur grossière. Alors que leur père avait été aussi implacable et acharné qu'un glacier, Cersei était toute feu grégeois, notamment quand on la contrecarrait. La nouvelle que Stannis avait quitté Peyredragon l'avait tourneboulée comme une oie blanche en la persuadant qu'il avait renoncé à se battre et appareillé pour s'exiler au diable. Mais, lorsque était arrivée du Nord celle qu'il avait reparu sur le Mur, elle était entrée dans une fureur effroyable à voir. *Elle n'est pas dénuée d'intelligence, mais elle n'a pas plus de jugeote que de patience.* « Il te faut une Main énergique pour te seconder.

— Il faut être un souverain *débile* comme Aerys pour avoir besoin d'une Main énergique du genre de Père. Un souverain énergique a seulement besoin d'un bon larbin qui exécute ses ordres avec diligence. » Elle fit tournoyer son vin. « Lord Hallyne pourrait faire l'affaire. Il ne serait pas le premier pyromant à tenir le rôle de Main du Roi. »

Non. C'est moi qui ai tué le dernier en date. « La rumeur court que tu entends nommer Aurane Waters maître des navires.

— S'est-il trouvé quelqu'un pour dénoncer mon intention ? » N'obtenant pas de réponse, elle rejeta ses cheveux en arrière et reprit : « Waters est l'homme idéal pour ce poste. Il a passé la moitié de son existence sur des bateaux.

— La moitié de son existence ? Il a tout au plus vingt ans.

— Vingt-deux, et alors ? Père n'en avait même pas vingt et un quand Aerys Targaryen le désigna comme Main. Il est plus que temps que Tommen voie remplacer dans son entourage toutes ces vieilles barbes ridées par une poignée d'hommes jeunes. Aurane est énergique et vigoureux. »

Énergique et vigoureux et beau, songea Jaime… *elle s'est baisé Lancel et Osmund Potaunoir et probablement Lunarion, pour autant que je sache…* « Paxter Redwyne serait un choix plus judicieux. C'est lui qui dirige la plus considérable des flottes de Westeros. Aurane Waters serait capable de commander un youyou, mais seulement sous réserve que tu lui en achètes un.

— Tu es un enfant, Jaime. Redwyne est banneret de Hautjardin, et le neveu de cette abominable sorcière Tyrell. Je ne tolérerai jamais qu'aucune des créatures de lord Mace siège à mon Conseil.

— Au Conseil de Tommen, tu veux dire.

— Tu sais ce que je veux dire. »

Que trop. « Je sais qu'Aurane Waters est une mauvaise idée, et qu'Hallyne en est une pire. Quant à Qyburn… Mais, bonté divine ! Cersei, il chevauchait avec *Varshé Hèvre* ! La Citadelle l'a *dépouillé de sa chaîne* !

— Les moutons gris. Qyburn a su m'être on ne peut plus utile. Et il est loyal, ce qui est plus que je ne saurais dire des membres de ma propre famille. »

Les corbeaux se repaîtront de nous tous, si tu persistes dans cette voie, sœur de mon cœur. « Cersei, écoute-toi une seconde. Tu es en train de voir des nains dans chaque apparence d'ombre et de transformer des partisans en adversaires. Oncle Kevan n'est pas ton ennemi. *Je* ne suis pas ton ennemi. »

La fureur la défigura. « Je t'ai conjuré de m'aider. Je suis tombée à genoux devant toi, et *tu m'as refusée* !

— Mes vœux…

— … ne t'ont pas empêché de tuer Aerys. Les mots sont du vent. Tu aurais pu m'avoir, mais tu m'as préféré un manteau. Dehors !

— Sœur…

— *Dehors*, j'ai dit. La seule vue de cet affreux moignon que tu te paies me soulève le cœur. *Dehors !* » Pour le faire partir plus vite, elle lui lança sa coupe de vin à la tête. Elle le manqua, mais Jaime se le tint pour dit.

Le crépuscule le trouva attablé dans la salle commune de la tour de la Blanche Épée, avec pour seule compagnie une coupe de rouge de Dorne et le Blanc Livre. Il était en train d'en tourner les pages avec le moignon de sa main d'épée quand le Chevalier des Fleurs fit son entrée, retira son manteau, déboucla son baudrier et les suspendit à une patère du mur juste à côté de ceux de son lord Commandant.

« Je vous ai vu dans la cour, tout à l'heure, dit Jaime. Vous montiez bien.

— Mieux que *bien*, sûrement. » Ser Loras se versa une coupe de vin puis prit place de l'autre côté de la table en demi-lune.

« Un homme moins infatué de sa personne aurait répondu quelque chose comme : "C'est trop d'indulgence à messire" ou "Je bénéficiais d'un bon cheval".

— Le cheval était comme il devait être, et l'indulgence de messire est à la hauteur de mon infatuation. » Il désigna le livre de la main. « Lord Renly disait toujours que les bouquins étaient faits pour les mestres.

— Celui-ci l'est pour notre usage à nous. L'histoire de chacun de ceux qui ont porté un blanc manteau s'y trouve retracée depuis les origines.

— J'y ai jeté un coup d'œil. Les écus sont jolis. Je préfère les ouvrages où il y a davantage d'enluminures. Lord Renly en possédait quelques-uns dont les images étaient d'une finesse à vous rendre aveugle un septon. »

Jaime ne put que sourire. « Il n'y a rien de semblable ici, mais les chroniques, elles, sont plutôt de nature à vous rendre lucide. Il ne serait pas malvenu que vous connaissiez la vie de ceux qui vous ont précédé.

— Je les connais. Le prince Aemon Chevalier-dragon, ser Ryam Redwyne, le Magnanime, Barristan le Hardi…

— … Gwayne Corbray, Alyn Connington, le Démon de Darry, mouais. J'imagine que vous aurez aussi entendu parler de Lucamore le Fort.

— Ser Lucamore le Dépravé ? » Loras eut l'air amusé. « Trois épouses et trente enfants, c'est ça ? On lui coupa la queue. Me faut-il vous chanter la chanson, messire ?

— Et ser Terrence Tignac ?

— Coucha avec la maîtresse du roi et mourut en s'égosillant. Leçon à tirer : quiconque porte de blanches chausses a intérêt à garder ses aiguillettes lacées bien serré.

— Gyles Manteaugris ? Orivel le Munificent ?

— Un félon fut Gyles, et un pleutre Orivel. Des hommes qui déshonorèrent le blanc manteau. Qu'est-ce que messire est en train de sous-entendre ?

— Moins que des clopinettes. Ne vous offensez donc pas de ce qui ne comporte aucune male intention, ser. Parlez-moi plutôt de Tom Costayne l'Asperge. »

Ser Loras secoua la tête.

« Il a été chevalier de la Garde Royale soixante ans durant.

— À quelle époque ? Je n'avais jamais…

— Ser Donnel de Sombreval, alors ?

— Il se peut que j'aie entendu son nom, mais…

— Addison Costes ? la Chouette blanche, Michael Mertyns ? Jeffory Norcroix ? On l'appelait Ne-te-rendsjamais. Robert Fleurs le Rouge ? Que pouvez-vous me dire d'eux ?

— Fleurs est un nom de bâtardise. De même que Costes.

— Ils ne s'en élevèrent pas moins tous les deux jusqu'au commandement de la Garde. Leurs histoires figurent dans le volume. De même que celle de Rolland Sombrelyn. Le plus jeune à avoir jamais servi dans la Garde, jusqu'à moi-même. Il se vit décerner le manteau sur un champ de bataille et périt moins d'une heure après l'avoir endossé.

— Alors, il n'était pas très doué…

— Suffisamment. Il périt, mais son roi vécut. Des quantités de gens valeureux ont porté le blanc manteau. La plupart sont tombés dans l'oubli.

— La plupart méritent l'oubli. Ce qui se perpétuera toujours, c'est la mémoire des héros. Des meilleurs.

— Des meilleurs et des pires. » *Et c'est ainsi que l'un de nous risque de survivre en chanson.* « Et de quelques-uns qui furent un tantinet des deux. Lui, par exemple. » Il tapota la page où s'était interrompue sa lecture.

« Lui qui ? » Ser Loras se démancha le col pour regarder l'emblème. « Dix billettes noires sur champ écarlate. Je ne connais pas ces armoiries-là.

— Elles appartenaient à Criston Cole, qui servit le premier Viserys et le deuxième Aegon. » Jaime referma le Blanc Livre. « On l'a surnommé le Faiseur-de-rois. »

CERSEI

Trois maudits imbéciles avec un sac de cuir, songea la reine tandis qu'ils s'agenouillaient devant elle. Leur aspect suffisait à la dépiter par avance. *Toujours une chance à courir, admettons.*

« Votre Grâce, lui souffla discrètement Qyburn, le Conseil restreint…

— … voudra bien attendre mon bon plaisir. Il se peut que nous soyons en mesure de lui apporter la nouvelle de la mort d'un traître. » De l'autre bout de la ville, au loin, les cloches du Septuaire de Baelor chantaient leur chanson funèbre. *Il n'en sonnera pas une seule pour toi, Tyrion*, songea Cersei. *Je plongerai ta tête dans le goudron, et je livrerai aux chiens ton corps déjeté.* « Debout, dit-elle aux lords potentiels. Montrez-moi ce que vous m'avez apporté. »

Ils se relevèrent ; ils étaient laids et vêtus de haillons. L'un d'eux avait un furoncle au cou, et ni lui ni ses compagnons ne s'étaient lavés depuis six bons mois. La perspective de lordifier semblable racaille la divertit. *Je pourrais les asseoir auprès de Margaery pendant les festins.* Lorsque l'imbécile en chef dénoua le cordon qui fermait le sac et se mit à farfouiller dedans, l'odeur de pourriture qui envahit sa salle d'audiences privée lui évoqua celle d'une rose fétide. La tête qu'exhiba finalement l'homme était d'un gris verdâtre et grouillait d'asticots.

Elle pue comme Père. Dorcas émit un hoquet, tandis que Jocelyn se couvrait la bouche et se mettait à vomir.

La reine examina sa prise sans broncher. « Ce n'est pas le bon nain que vous avez tué, prononça-t-elle enfin, chacun de ses mots suant la rancœur.

— Si fait que ça l'est, eut l'impudence de maintenir l'un des imbéciles. Forcément que ça devait être lui, ser. Un nain, regardez. Gâté qu'il est un chouïa, c'est tout.

— Il lui a aussi poussé un nouveau nez, observa Cersei. Et un plutôt bulbeux, je dirais. Tyrion avait eu le sien emporté au cours d'un combat. »

Les trois imbéciles échangèrent un coup d'œil. « Par personne qu'on était avertis, nous, déclara celui qui tenait la tête. Çui-là te vous venait, marchant 'vec un de ces culots que c'était un plaisir, nain faut voir comme, et puis tellement moche, en p'us, qu'on s'est pensé, nous...

—'l a *dit* qu'il était un moineau, ajouta le furoncle, et *toi*, t'as dit qu'il mentait. » Ces derniers mots s'adressaient au troisième.

L'idée qu'elle avait fait attendre son Conseil restreint pour cette pitrerie mit la reine en colère. « Vous m'avez fait perdre mon temps, et vous avez assassiné un innocent. Ce sont vos propres têtes que je devrais faire trancher. » Seulement, si elle agissait de la sorte, le prochain candidat risquerait d'hésiter et de laisser le Lutin glisser à travers les mailles du filet. Elle aimait mieux empiler des nains morts sur dix pieds de haut que de jamais laisser cela se produire. « Retirez-vous de ma vue.

— Ouais, Vot'Grâce, fit le furoncle. On vous demande plein de pardons.

— Vous voulez la tête ? proposa le type qui la tenait.

— Donnez-la à ser Meryn. Non, *dans* le sac, bougre de crétin. Oui. Ser Osmund, reconduisez-les. »

Trant déblaya la pièce de la tête et Potaunoir des bourreaux, ne laissant pour pièce à conviction de leur visite que le déjeuner de dame Jocelyn. « Nettoie-moi ça tout de suite », lui ordonna la reine. C'était en l'occurrence la troisième tête qu'on lui eût livrée. *Au moins celle-ci était-elle bien d'un nabot.* La précédente s'était simplement révélée celle d'un affreux morpion.

« Quelqu'un finira bien par retrouver le nain, n'ayez crainte, lui garantit ser Osmund. Et quand ça sera fait, on le tuera nous-mêmes une bonne fois. »

Le ferez-vous ? La nuit précédente, Cersei avait rêvé de la vieille aux bajoues granuleuses et des coassements qui lui avaient valu d'être surnommée Maggy la Grenouille par tout Port-Lannis. *Si Père avait su ce qu'elle m'a prédit, il lui aurait fait arracher la langue.* Cersei s'était toujours gardée d'en souffler mot à qui que ce soit, même à Jaime. *Melara prétendait que, si nous ne parlions jamais de ses prophéties, nous finirions par les oublier. Elle affirmait qu'une prophétie oubliée ne pouvait pas se réaliser.*

« J'ai partout des mouchards attachés à flairer la piste du Lutin, Votre Grâce », intervint Qyburn. Il s'était façonné une espèce de tenue qui ressemblait beaucoup à des robes de mestre, mais blanche au lieu d'être grise, d'un blanc aussi immaculé que les manteaux de la Garde Royale. Des volutes d'or en ornaient l'ourlet, les manches et le haut col dur, et une écharpe d'or lui ceignait la taille. « À Villevieille, Goëville, Dorne et même dans les Cités libres. En quelque lieu qu'il puisse chercher refuge, mes chuchoteurs ne manqueront pas de le repérer.

— Vous présumez qu'il a quitté Port-Réal. N'empêche qu'il pourrait tout aussi bien se tenir tapi dans le Septuaire de Baelor et être justement en train de se suspendre aux cordes des cloches pour nous assommer de cet affreux tapage. » Avec une grimace acrimonieuse, elle laissa Dorcas l'aider à se mettre debout. « Venez, messire. Mon Conseil attend. » Elle s'accrocha au bras de Qyburn pendant qu'ils descendaient l'escalier. « Vous vous êtes occupé de la petite tâche que je vous avais confiée ?

— Oui, Votre Grâce. Je suis confus qu'elle ait pris tant de temps. Une tête aussi colossale… Il a fallu des heures et des heures aux fourmis pour la dépouiller de sa chair. En guise d'excuses, j'ai doublé de feutre un coffret d'ébène et d'argent, pour rendre plus séante la présentation du crâne.

— Un sac de jute conviendrait autant. Le prince Doran veut sa tête. Il se souciera comme d'une guigne de l'aspect de la boîte servant à l'envoi. »

Les volées de cloches étaient encore plus assourdissantes dans la cour. *Il n'était jamais qu'un Grand Septon. Combien de temps nous faudra-t-il encore subir ce chahut ?* Les sonneries avaient beau être plus mélodieuses que les hurlements de la Montagne auparavant, tout de même… !

Qyburn eut l'air de deviner ses pensées du moment. « Le glas s'interrompra dès la tombée du jour, Votre Grâce.

— Cela sera un prodigieux soulagement. Mais comment pouvez-vous savoir ?

— Savoir est la nature même de mes fonctions. »

Varys nous avait tous amenés à croire qu'il était irremplaçable. Quels idiots nous faisions ! Aussitôt que la reine avait consenti à ce qu'il devienne de notoriété publique que Qyburn occupait la place de l'eunuque, la vermine habituelle s'était empressée sans perdre une seconde de se faire connaître du nouveau titulaire, afin de troquer ses chuchotements contre une pincée de liards. *Le nœud de tout, depuis toujours, c'était l'argent, pas l'Araignée. Qyburn nous servira de façon tout aussi satisfaisante.* Elle se promettait un vif plaisir de contempler la grimace que ferait Pycelle en voyant son confrère déchu s'installer sur son siège.

Un chevalier de la Garde était toujours posté sur le palier, devant la chambre du Conseil, lorsque le Conseil restreint tenait ses séances. Aujourd'hui, c'était le tour de ser Boros Blount. « Ser Boros, lui décocha la reine sur un ton badin, je vous trouve le teint bien gris, ce matin. Quelque chose que vous auriez mangé, d'aventure ? » Jaime avait fait de lui le taste-mets du roi. *Une tâche friande, mais humiliante pour un chevalier.* Blount ne goûta pas non plus la plaisanterie. Ses fanons flasques en tremblotaient pendant qu'il tenait la porte ouverte devant eux.

Les conseillers firent silence à leur entrée. Lord Gyles toussa en guise de bienvenue, suffisamment fort pour réveiller Pycelle. Les autres se levèrent en marmottant des amabilités. Cersei leur condescendit l'ombre d'un sourire. « Messires, je sais que vous me pardonnerez mon retard.

— Nous nous trouvons ici pour servir Votre Grâce, répondit ser Harys Swyft. C'est un plaisir pour nous tous que de devancer votre arrivée.

— Chacun de vous connaît lord Qyburn, je suis sûre. »

La réaction du Grand Mestre Pycelle combla son attente. « *Lord* Qyburn ? » réussit-il à sortir, non sans s'empourprer. « Votre Grâce, ce... Un mestre jure sa foi par des vœux sacrés de ne tenir ni terres ni titres seigneuriaux...

— Votre Citadelle l'a dépouillé de sa chaîne, lui rappela-t-elle. S'il n'est pas mestre, il ne peut pas être engagé par des vœux de mestre. Nous donnions également du *lord* à l'eunuque, souvenez-vous. »

Pycelle en bafouilla. « Cet individu n'est... Il ne possède pas d'aptitudes à...

— N'allez pas vous permettre de me parler *d'aptitudes*. Pas après le pestilentiel objet de risée que vous avez fait du cadavre de mon seigneur père.

— Votre Grâce ne peut pas penser… » Il brandit précipitamment une main tavelée, comme pour se préserver d'un soufflet. « Les sœurs silencieuses avaient retiré les entrailles et les viscères de lord Tywin, drainé son sang… Toutes les précautions avaient été prises avec le dernier soin…, son corps était rempli de sels et d'herbes odoriférantes…

— Oh, épargnez-moi ces détails répugnants ! J'ai bien senti les résultats de votre *dernier soin*. Grâce à ses arts de guérisseur, lord Qyburn a sauvé la vie de mon frère, et je ne doute pas un seul instant qu'il ne serve le roi de manière plus compétente que ne le faisait ce minaudier d'eunuque. Messire, vous connaissez vos collègues du Conseil ?

— Dans le cas contraire, Votre Grâce, je serais un pitoyable informateur. » Là-dessus, Qyburn s'assit entre Orton Merryweather et Gyles Rosby.

Mes conseillers. Elle avait là déraciné tous les rosiers, ainsi que tous les gens redevables de quelque chose à son oncle et à son frère. À leur place se trouvaient des hommes sur la loyauté personnelle desquels elle pourrait compter. Elle leur avait même conféré de nouveaux titres, empruntés aux Cités libres, de manière que *sa* Cour n'ait pas d'autre « maître » qu'elle-même. Orton Merryweather était *son* justicier, Gyles Rosby *son* lord trésorier. Aurane Waters, le beau jouvenceau bâtard de Lamarck, serait *son* grand amiral.

Et, pour lui tenir lieu de Main, ser Harys Swyft.

Mollasson, chauve et obséquieux, ce dernier avait une absurde petite houppette de barbe blanche à l'emplacement qu'occupait le menton chez la plupart des êtres humains. Ouvragé en perles de lapis-lazuli, le coq nain bleu de sa maison barrait le plastron de son pourpoint de peluche jaune. Ser Harys portait par là-dessus un mantelet de velours bleu frappé d'une centaine de mains d'or. Sa désignation l'avait plongé dans le ravissement, trop bouché qu'il était pour se rendre compte qu'elle le vouait moins au rôle de Main que d'otage. Dame sa fille était l'épouse de l'oncle Kevan, lequel adorait icelle en dépit de son absence de menton, de ses pattes de volaille et de la platitude de son bréchet. Aussi longtemps que la reine tiendrait le sieur Swyft à sa botte, le sieur Lannister devrait y réfléchir à deux fois avant de s'opposer à elle. *Un beau-père n'est assurément pas l'otage idéal, mais tant vaut un piètre bouclier que pas de bouclier du tout.*

« Est-ce que le roi va se joindre à nous ? s'enquit lord Merryweather.

— Mon fils est en train de s'amuser avec sa petite reine. Pour l'instant, l'idée qu'il se fait de la royauté se cantonne au bonheur d'imprimer le sceau royal sur des paperasses. Sa Majesté est encore d'un âge trop tendre pour appréhender les affaires d'État.

— Et notre valeureux lord Commandant ?

— Ser Jaime est pour l'heure occupé à se faire ajuster une main chez son armurier. Nous sommes tous las du spectacle qu'il donne avec ce vilain moignon, je le sais. Et m'est avis que ces réunions lui sembleraient aussi barbantes qu'à Tommen. » Cette dernière réflexion fit glousser Aurane Waters. *Bon*, songea Cersei, *plus ils s'en rient, moins il incarne une menace. Laissons-les rire.* « Est-ce que nous avons du vin ?

— Oui, Votre Grâce. » Sans être d'une beauté flagrante, avec son grand nez grumeleux et sa crinière indisciplinée d'un orange rougeâtre, Orton Merryweather se montrait toujours d'une courtoisie sans faille. « Nous avons du rouge de Dorne et du La Treille auré, ainsi qu'un hypocras doux grand cru de Hautjardin.

— L'auré, je pense. Je trouve aux vins de Dorne autant d'âpreté qu'aux Dorniens. » Tandis que Merryweather lui emplissait sa coupe, Cersei déclara : « Je présume que nous ne ferions pas plus mal de commencer par eux. »

En dépit du tremblement qui lui affectait encore les lèvres, le Grand Mestre Pycelle réussit à se débrouiller pour retrouver sa langue. « Votre serviteur. Le prince Doran a fait incarcérer les séditieuses bâtardes de son frère, mais Lancehélion demeure en effervescence. Le prince écrit qu'il ne peut se flatter d'apaiser les vagues avant d'avoir reçu la justice que vous lui avez promise.

— Certainement. » *Quelqu'un d'horripilant, ce prince.* « Sa longue attente touche à son terme. J'expédierai incessamment Balon Swann à Lancehélion lui livrer la tête de Gregor Clegane. » Ser Balon serait aussi chargé d'une autre mission, mais il était préférable de taire cet aspect des choses.

« Ah. » Ser Harys Swyft tripatouilla sa ridicule barbichette entre le pouce et l'index. « Il est mort, alors ? Ser Gregor ?

— J'inclinerais à le penser, messire, fit en pince-sans-rire Aurane Waters. J'ai ouï dire que séparer la tête du corps est souvent mortel. »

Cersei le gratifia d'un sourire ; un rien d'esprit n'était pas pour lui déplaire, dans la mesure où il ne la prenait pas elle-même pour cible. « Ser Gregor a succombé à ses blessures, exactement comme l'avait prédit le Grand Mestre Pycelle. »

Celui-ci rumina un grognement inarticulé puis foudroya Qyburn d'un regard venimeux. « La pique était empoisonnée. Personne au monde n'aurait pu le sauver.

— C'est bien ce que vous disiez. Je m'en souviens parfaitement. » La reine se tourna vers sa Main. « De quoi parliez-vous quand je suis arrivée, ser Harys ?

— Moineaux, Votre Grâce. D'après Septon Raynard, il y en aurait déjà quelque deux milliers dans la ville, et leur nombre se grossit chaque jour de nouveaux arrivants. Les prédications de leurs meneurs ont pour thèmes l'approche de cataclysmes et l'idolâtrie du démon... »

Cersei prit un avant-goût de son vin. *Délicieux*. « Et depuis bien longtemps, n'est-ce pas votre avis ? De quel autre terme qualifieriez-vous ce dieu rouge qu'adore Stannis, sinon de démon ? La Foi devrait combattre un fléau pareil. » L'idée lui avait été soufflée par ce petit malin de Qyburn, décidément précieux. « Feu notre Grand Septon s'est montré beaucoup trop coulant, je crains. L'âge avait affaibli sa vue et sapé son énergie.

— C'était un vieil homme en bout de course, Votre Grâce. » Qyburn sourit à Pycelle. « Sa disparition n'aurait pas dû nous surprendre. Nul ne saurait demander bénédiction plus insigne que de s'éteindre chargé d'ans, paisiblement, durant son sommeil.

— Non, convint Cersei, mais il nous faut espérer que son successeur se montre plus robuste. Mes amis de l'autre colline m'assurent que celui-ci sera selon toute vraisemblance ou Torbert ou Raynard. »

Le Grand Mestre Pycelle s'éclaircit la gorge. « Je possède moi-même des amis parmi Leurs Saintetés, et ils parlent, eux, de Septon Ollidor.

— Gardez-vous de compter pour rien le dénommé Luceon, dit Qyburn. La nuit dernière, il a régalé trente de Leurs Saintetés de cochon de lait arrosé de La Treille auré, tandis qu'au grand jour il distribue du pain de munition aux pauvres afin de prouver sa pieuse charité. »

Tous ces caquetages à propos de septons paraissaient ennuyer Aurane Waters autant que Cersei. Vus de tout près, comme cela, ses cheveux étaient d'une teinte plus proche de l'argent que de l'or, et il avait des yeux gris-vert, alors que ceux du prince Rhaegar étaient violets. Et néanmoins, la ressemblance... Elle se demanda si Waters consentirait à lui sacrifier sa barbe. Il avait beau être son cadet de quelque dix ans, il la désirait ; elle le voyait à sa seule façon de la regarder. Des hommes l'avaient admirée de cette façon-là dès l'époque où ses seins s'étaient mis à bourgeonner. *Parce que j'étais si belle, ils disaient, mais Jaime était beau, lui aussi, et ils ne le dévisageaient jamais de cette façon-là.* Quand elle était toute petite encore, il lui arrivait de s'amuser à mettre les vêtements de son frère. Et ça la suffoquait toujours de voir à quel point l'attitude des hommes envers elle était différente quand ils la prenaient pour Jaime. Même et y inclus lord Tywin en personne…

Pycelle et Merryweather continuant plus que jamais à se chicaner sur l'identité plausible du nouveau Grand Septon, « Tel ou tel nous servira aussi bien que tel autre, intervint brusquement la reine, mais, quel que soit finalement l'attributaire de la couronne de cristal, son devoir sera de prononcer un anathème à l'encontre du Lutin ». Le Grand Septon défunt s'était montré remarquablement silencieux sur le chapitre de Tyrion. « Quant à ces moineaux roses, aussi longtemps qu'ils ne prêchent aucune félonie, c'est le problème de la Foi, pas le nôtre. »

Lord Orton et ser Harys murmurèrent en être d'accord. La tentative de Gyles Rosby pour abonder dans le même sens se désintégra dans des quintes de toux. Cersei se détourna, écœurée, pendant qu'il se convulsait pour crachouiller un glaviot sanguinolent. « Mestre, avez-vous apporté la lettre reçue du Val ?

— Oui, Votre Grâce. » Pycelle la cueillit dans son monceau de paperasses et la lissa soigneusement. « C'est une déclaration, plutôt qu'une lettre. Cosignée à Roche-aux-runes par Yohn Royce le Bronzé, par lady Vanbois, par les lords Veneur, Rougefort et Belmore, ainsi que par Symond Templeton, le Chevalier de Neufétoiles. Qui ont tous apposé leurs sceaux. Ils écrivent… »

Des tas de saletés. « Libre à messeigneurs d'en faire la lecture, s'ils le désirent. Royce et sa clique sont en train de masser des troupes au bas des Eyrié. Ils entendent démettre Littlefinger de ses fonctions de lord Protecteur du Val, et par la force si nécessaire. La question est : nous en laverons-nous les mains ?

— Est-ce que lord Baelish réclame notre aide ? demanda Harys Swyft.

— Pas jusqu'ici. À la vérité, cette affaire ne semble pas le troubler du tout. Il ne mentionne les rebelles que de manière très laconique dans sa dernière missive, avant de solliciter la faveur que je fasse envoyer par mer certaines des vieilles tapisseries de la collection de Robert. »

Ser Harys tripota sa barbichette mentonnière. « Et ces nobles signataires de la déclaration, est-ce qu'ils en appellent au roi, *eux*, pour qu'il leur donne un coup de main ?

— Ils n'en font rien.

— Dans ce cas... Peut-être n'avons-nous pas à nous mêler de quoi que ce soit.

— Il serait on ne peut plus tragique qu'une guerre éclate dans le Val, observa Pycelle.

— Une guerre ? » Orton Merryweather se mit à rire. « Lord Baelish est quelqu'un de très amusant, mais les guerres ne se livrent pas à coups de bons mots. Je doute qu'il y ait la moindre effusion de sang. Et puis nous importe-t-il vraiment de savoir qui administre la tutelle du petit lord Robert, pourvu que le Val s'acquitte de ses impôts ? »

Non, décida Cersei. Pour parler franc, Littlefinger s'était révélé d'un meilleur usage à la Cour. *Il avait un don pour trouver de l'or, et il ne toussait jamais.* « L'argumentation de lord Orton m'a persuadée. Mestre Pycelle, mandez à nos sires déclarants qu'il ne doit être fait aucun dommage à Petyr. À cette réserve près, la Couronne se fait un plaisir de ratifier par avance quelques dispositions qu'ils puissent prendre en ce qui concerne le gouvernement du Val jusqu'à la majorité de Robert Arryn.

— Parfait, Votre Grâce.

— Nous serait-il possible d'aborder le sujet de la flotte ? demanda Aurane Waters. Moins d'une douzaine de nos navires ont réchappé de la fournaise de la Néra. Il nous faut coûte que coûte reconstituer notre puissance maritime. »

Ser Harys Swyft acquiesça d'un hochement. « La puissance maritime est une chose des plus essentielles.

— Est-ce que nous pourrions employer les Fer-nés ? questionna Merryweather. L'ennemi de notre ennemi ? En quoi consisteraient les exigences du Trône de Grès pour prix d'une alliance avec nous ?

— Ils veulent le Nord, répondit le Grand Mestre Pycelle, seulement, le noble père de notre reine l'a déjà promis à la maison Bolton.

— Comme c'est ennuyeux…, fit Merryweather. Reste cependant que le Nord est vaste. Il ne serait pas difficile d'en démembrer le territoire. Et les conventions que l'on passerait n'ont pas besoin d'être permanentes. Je ne vois pas pourquoi Bolton refuserait d'y consentir, s'il se voit donner la garantie formelle que nous grossirions ses propres forces avec toutes les nôtres, une fois liquidé Stannis…

— J'avais entendu dire que Balon Greyjoy était mort, reprit Harys Swyft. Est-ce que nous savons qui gouverne les Îles à présent ? Lord Balon avait-il un fils ?

— Leo ? s'étouffa lord Gyles. Theo ?

— Theon. Lequel a été élevé à Winterfell, en qualité d'otage et pupille d'Eddard Stark, précisa Qyburn. Il n'y a pas d'apparence qu'il soit de nos amis.

— Le bruit courait qu'il avait été tué, dit Merryweather.

— Il était fils unique ? » Ser Harys Swyft tirailla les trois poils de sa barbichette. « Des frères. Il y avait des frères. N'est-ce pas qu'il y en avait ? »

Confrontée cette fois au mutisme de Qyburn, *Varys l'aurait su, lui*, s'irrita Cersei. « Je trouve hors de propos d'envisager que nous fassions couche commune avec cette minable bande d'encornets. Leur tour viendra, sitôt que nous en aurons fini avec Stannis. Ce qu'il faut avoir à tout prix, c'est une flotte qui nous appartienne en propre.

— Je serais quant à moi d'avis que nous construisions de nouveaux dromons, dit Aurane Waters. Dix, pour commencer.

— Et les fonds nécessaires, d'où les tirera-t-on ? » demanda Pycelle.

Lord Gyles prit cette question pour une invite à recommencer à tousser. Ce qui lui fit expectorer une bolée plus copieuse de glaires rosâtres qu'il se dépêcha de dissimuler dans son éternel carré de soie rouge. « Il n'y a pas de... », bafouilla-t-il néanmoins, jusqu'à ce que l'accès mange le reste de sa phrase. «... non... nous ne dispo... »

Ce ballot de *Swyft* honora pour une fois son patronyme d'assez de *vivacité*[1] d'esprit pour saisir ce que sous-entendaient les intervalles entre les quintes. « Les revenus de la Couronne n'ont jamais été plus magnifiques, lui opposa-t-il. Je tiens ce détail-là de ser Kevan en personne. »

Lord Gyles Rosby éructa par salves : «... dépenses... manteaux d'or... »

Ces objections-là, Cersei les lui avait déjà entendu exprimer. « Notre lord trésorier cherche à dire que nous avons trop de manteaux d'or et trop peu d'or. » La toux

1. *Swift* veut dit rapide, en anglais. (*N.d.T.*)

de Rosby finissait par lui taper sur les nerfs. *Il aurait peut-être mieux valu prendre Garth la Brute, en définitive.* « Tout considérables qu'ils sont, les revenus de la Couronne ne sauraient suffire à éponger les dettes de Robert. En conséquence, j'ai décidé de différer le remboursement des sommes dues à la Sainte Foi et à la Banque de Fer de Braavos jusqu'à la fin des hostilités. » Le nouveau Grand Septon s'en tordrait sans doute ses mains sacrées, et les Braaviens ne laisseraient pas que de la tanner de piaulements hystériques, et puis alors ? « Les sommes mises de côté seront employées à la construction de notre nouvelle flotte.

— Votre Grâce fait là preuve de prudence, abonda lord Merryweather. Cette mesure est la sagesse même. Et elle s'impose effectivement jusqu'à ce que la guerre soit terminée. J'y souscris de grand cœur.

— Moi aussi, dit ser Harys.

— Votre Grâce, intervint Pycelle d'une voix tremblante, cela suscitera plus d'ennuis que vous ne l'imaginez, je crains. La Banque de Fer…

— … a toujours son siège à Braavos, loin d'ici, sur l'autre rive du détroit. Elle aura son or de toute façon, mestre. Un Lannister paie toujours ses dettes.

— Les Braaviens ont aussi leur propre devise. » La chaîne embijoutée de Pycelle tintinnabula doucement. « "*La Banque de Fer obtiendra toujours son dû*", dit-elle.

— La Banque de Fer obtiendra son dû lorsque je le décréterai. Jusque-là, la Banque de Fer attendra respectueusement. Lord Waters, mettez donc en chantier vos navires de course.

— Très bien, Votre Grâce. »

Ser Harys fouilla parmi des paperasses. « La question suivante : nous avons reçu de lord Frey une lettre qui fait état de certaines réclamations…

— Combien lui faut-il encore de terres et d'honneurs, à ce requin-là ? aboya la reine. Sa mère devait avoir trois mamelles !

— Messeigneurs risquent de ne pas être au courant, intervint Qyburn, mais il y a, dans les gargotes et les assommoirs de la ville, des individus qui suggèrent que la Couronne pourrait bien avoir été peu ou prou complice du crime perpétré par lord Walder. »

Ses collègues du Conseil le dévisagèrent d'un air perplexe. « Est-ce aux Noces Pourpres que vous faites allusion ? demanda Aurane Waters.

— Crime ? » fit ser Harys.

Pycelle se racla la gorge.

Lord Gyles fut repris par sa toux.

« Nos fameux moineaux se montrent particulièrement virulents, les avertit Qyburn. Les Noces Pourpres ont bafoué toutes les lois humaines et divines, disent-ils, et ceux qui y ont trempé sont voués à la damnation. »

Cersei ne fut pas longue à saisir ce qu'il voulait dire. « Lord Walder devra bientôt affronter le jugement du Père. Il est très âgé. Laissez les moineaux cracher sur sa mémoire. Cela ne nous concerne en rien.

— Non, fit ser Harys.

— Non, confirma Merryweather.

— Nul n'en saurait douter, dit Pycelle, tandis que lord Gyles s'étouffait de nouveau.

— Quelques postillons sur la tombe de lord Walder ne devraient guère perturber la paix des vers, convint Qyburn, mais il pourrait aussi se révéler utile de *châtier* quelqu'un, le cas échéant, pour les Noces Pourpres. Une poignée de têtes Frey, voilà qui ne manquerait pas d'efficacité pour calmer la rancœur du Nord.

— Lord Walder n'acceptera jamais de sacrifier les siens, affirma Pycelle.

— Non..., rêva Cersei, mais ses héritiers peuvent se montrer moins sourcilleux. Lord Walder nous fera incessamment la politesse de mourir, il est permis de l'espérer. De quel meilleur moyen le nouveau seigneur des Jumeaux disposerait-il pour se débarrasser d'encombrants demi-frères, de cousins déplaisants, de sœurs intrigantes que de leur faire nommément porter la responsabilité du massacre ?

— Pendant que nous attendons la disparition de lord Walder, il se pose un autre problème, avança Aurane Waters. La Compagnie Dorée a rompu son contrat avec Myr. Dans les environs des docks, il m'est revenu aux oreilles que lord Stannis l'a engagée pour son propre compte et s'occupe à lui faire actuellement traverser le détroit.

— Avec quoi la paierait-il ? demanda Merryweather. Avec de la neige ? Ce n'est pourtant pas pour rien qu'elle se fait appeler la Compagnie *Dorée*. Quelles quantités d'or Stannis a-t-il en sa possession ?

— Médiocres, lui assura Cersei. Lord Qyburn a bavardé avec les hommes d'équipage de la galère de Myr qui mouille dans la baie. Ils déclarent formellement que la Compagnie Dorée s'est mise en route pour Volantis. Si son intention est bien de passer à Westeros, alors elle marche dans la mauvaise direction.

— Peut-être que ces mercenaires en ont finalement assez de se battre pour le parti des perdants, suggéra Merryweather.

— Il y a aussi de ça, lui accorda la reine. Il faudrait être aveugle pour ne pas s'apercevoir que notre guerre est gagnée d'avance. Accalmie subit le blocus de lord Tyrell. Vivesaigues est assiégée par mon cousin Daven, notre nouveau Gouverneur de l'Ouest, et par les Frey. Les vaisseaux de lord Redwyne ont déjà franchi le pas de Torth, et ils remontent la côte à pleines voiles. Il ne reste à Peyredragon qu'une maigre flottille de bateaux de pêche pour s'opposer à son débarquement. Le château peut tenir quelque temps, mais, une fois maîtres du port, nous serons en mesure de couper la garnison de l'accès à la mer. Dès lors, il ne restera plus que Stannis comme trouble-fête.

— Si les rapports de lord Janos méritent quelque foi, il serait en train d'essayer de faire cause commune avec les sauvageons, avertit Pycelle.

— Des primitifs en peaux de bêtes, laissa tomber de tout son haut Orton Merryweather. Faut-il qu'il soit désespéré, vraiment, pour aller se chercher pareils alliés !

— Aussi stupide que désespéré, renchérit la reine. Les Nordiens détestent les sauvageons. Roose Bolton ne devrait pas avoir grand-peine à les gagner à notre cause. Un petit nombre d'entre eux se sont déjà ralliés à son bâtard de fils pour l'aider à nettoyer Moat Cailin de ces maudits Fer-nés et à déblayer le chemin du retour devant le sire de Fort-Terreur. Ombrais, Rysouël... J'oublie les autres noms. Même Blancport est sur le point de se joindre à nous. Son seigneur et maître est tombé d'accord pour marier d'un coup ses deux petites-filles à nos amis Frey et pour ouvrir son havre à nos bateaux.

— Nos bateaux ? je croyais que nous n'en avions pas..., lâcha ser Harys, médusé.

— Eddard Stark possédait en Wyman Manderly un banneret indéfectible, fit observer le Grand Mestre Pycelle. Quelle confiance peut-on accorder à ce genre d'homme ? »

On n'en peut faire aucune à personne. « Il est vieux, obèse et froussard. Cependant, il est un point sur lequel il se révèle n'en pas démordre. Il déclare avec la dernière opiniâtreté qu'il ne ploiera pas le genou sans avoir d'abord obtenu la restitution de son héritier.

— Et cet héritier, c'est nous qui le détenons ? questionna ser Harys.

— Il doit se trouver à Harrenhal, s'il est toujours en vie. C'est Gregor Clegane qui l'avait capturé. » La Montagne ne s'était pas toujours montré des plus amènes envers ses prisonniers, même envers ceux qui valaient une bonne rançon. « Dans le cas où il ne le serait plus, je suppose que nous nous verrions obligés d'expédier la tête de ses assassins à lord Manderly tout en lui exprimant nos excuses les plus sincères. » S'il suffisait d'une seule tête pour apaiser le courroux d'un prince de Dorne, l'ire d'un obèse du Nord empaqueté de peaux de phoque en requerrait pour le moins un énorme sac.

« Mais lord Stannis, est-ce qu'il ne va pas s'efforcer lui aussi d'obtenir l'allégeance de Blancport ? s'inquiéta le Grand Mestre Pycelle.

— Oh, mais il l'a déjà fait ! Ses divers courriers, lord Manderly nous les a transmis, tout en y répondant de manière évasive. Stannis lui réclame des hommes et de l'argent, quitte à lui offrir en contrepartie… ma foi, *rien*. » Un de ces jours, il serait bon qu'elle aille allumer un cierge devant l'Étranger pour lui rendre grâces d'avoir emporté Renly et laissé Stannis. Sa vie à elle aurait été autrement plus dure si c'était l'inverse qui s'était produit. « Tenez, ce matin même est arrivé un nouvel oiseau. Pour traiter de sa part avec Blancport, Stannis y a envoyé son cher contrebandier aux petits oignons. Manderly a flanqué ce coquin dans une cellule, et il nous demande ce qu'il devrait faire de lui.

— L'expédier ici, ce qui nous permettrait de le cuisiner, suggéra lord Merryweather. Il risque de savoir des choses inestimables.

— Le laisser crever, dit Qyburn. Sa mort sera une bonne leçon pour le Nord en lui apprenant ce qu'il advient des traîtres.

— J'en suis pleinement d'accord, repartit la reine. J'ai mandé à lord Manderly de le raccourcir sur-le-champ. Cette exécution devrait éliminer tout risque de voir jamais Blancport soutenir Stannis.

— Stannis aura dès lors besoin d'une nouvelle Main, fit remarquer Aurane Waters avec un gloussement. Le chevalier Navet, peut-être ?

— Un chevalier Navet ? lâcha ser Harys Swyft, de plus en plus abasourdi. Qui est cet individu-là ? Je n'en ai jamais entendu parler... »

Pour toute réponse, Waters se contenta de rouler comiquement des yeux.

« Et si lord Manderly refusait, d'aventure ? s'enquit Merryweather.

— Il n'osera pas. La tête du chevalier Oignon lui tiendra lieu de monnaie d'échange forcée pour ravoir son fils. » Cersei sourit à belles dents. « Ce vieil imbécile obèse peut bien s'être montré loyal à sa manière à lui vis-à-vis des Stark, l'extinction totale des loups de Winterfell va sûrement le...

— Votre Grâce oublie la lady Sansa... », dit Pycelle.

La reine se hérissa. « Je n'ai certes *pas* oublié cette petite louve ! » Elle s'abstint délibérément d'en prononcer le nom. « Alors que j'aurais dû lui faire tâter des oubliettes en sa qualité de fille de traître, au lieu de cela, je l'ai accueillie au sein de ma maisonnée personnelle. Je lui ai donné l'hospitalité dans ma demeure et à mon foyer, je l'ai laissée s'amuser avec mes propres enfants. Je l'ai nourrie, je l'ai vêtue, je me suis échinée à la rendre un peu moins ignorante à propos de ce monde, et comment m'a-t-elle remerciée de mes bontés ? En contribuant à l'assassinat de mon fils ! Lorsque nous retrouverons le Lutin, nous retrouverons votre lady Sansa par la même occasion. Elle n'est pas morte, bon, mais je vous garantis qu'avant que j'en aie terminé avec elle, l'Étranger aura été soûlé de ses chansonnettes et de ses supplications pour qu'il consente à l'embrasser. »

Un silence embarrassé suivit sa tirade. *Auraient-ils tous avalé leur langue ?* songea-t-elle avec irritation. Le mutisme de ses conseillers suffit à l'amener à se demander pourquoi diable elle s'encombrait d'eux.

« Dans tous les cas, poursuivit-elle, la fille *cadette* de lord Eddard se trouve auprès de lord Bolton, qui la mariera avec son Ramsay de fils aussitôt que Moat Cailin sera tombée. » Dans la mesure où la petite aurait joué son rôle avec suffisamment de talent pour rendre inattaquables leurs prétentions sur Winterfell, ni l'un ni l'autre de ces derniers ne se soucierait outre mesure qu'elle soit en fait issue de la portée d'un régisseur quelconque et des traficotages de Littlefinger. « S'il faut au Nord coûte que coûte un Stark, eh bien, nous lui en donnerons un. » Elle laissa lord Merryweather lui remplir sa coupe une fois de plus. « Un autre problème a surgi sur le Mur, néanmoins. Les frères de la Garde de Nuit ont complètement perdu la boule et choisi pour lord Commandant le bâtard de Ned Stark.

— Snow, on l'appelle, crut indispensable de spécifier cette nullité de Pycelle.

— Je l'ai entr'aperçu jadis à Winterfell, dit la reine, malgré tout le mal que se donnaient les Stark pour le cacher. Il ressemble énormément à son père. » C'était aussi le cas des malencontreux coups de queue de son propre mari, mais du moins Robert avait-il la bonne grâce de les maintenir hors de vue. Un jour, après cette navrante affaire de la chatte, il l'avait plus ou moins prévenue qu'il se proposait d'introduire à la Cour va savoir laquelle de ses filles de la main gauche. « Agis à ta guise, l'avait-elle prévenu, mais tu risques de finir par t'apercevoir que l'air de Port-Réal n'est pas des plus salubres pour de la graine d'adolescente. » Ces mots lui avaient valu une ecchymose que Jaime pouvait difficilement ignorer, mais il n'avait plus jamais été question du projet. *Si Catelyn Tully n'avait pas été une mauviette, elle aurait étouffé ce Jon Snow dans son berceau. Elle m'a laissé ce sale boulot.* « De lord Eddard, ce Snow tient aussi le goût de la trahison, continua-t-elle. Le père aurait volontiers remis le royaume à Stannis. Et voici le fils qui lui a donné des terres et des châteaux.

— Ses serments engagent la Garde de Nuit à ne prendre aucun parti dans les guerres des Sept Couronnes, rappela Pycelle à ses collègues. Cela fait des milliers d'années que les frères noirs respectent cette tradition.

— Jusqu'à aujourd'hui, confirma Cersei. Ce bâtard de gamin nous a écrit pour protester que la Garde de Nuit persiste à n'être d'aucun bord, mais ses agissements démentent ces propos. Il a eu beau fournir à Stannis vivres et abri, cela ne l'empêche pas d'avoir l'outrecuidance de nous réclamer des hommes et des armes.

— Quel affront ! se récria lord Merryweather. Nous ne pouvons pas tolérer que la Garde de Nuit joigne ses forces à celles de Stannis.

— Il nous faut déclarer ce Snow traître et rebelle, abonda ser Harys Swyft. Les frères noirs se doivent de le déposer. »

Le Grand Mestre Pycelle opina pesamment du bonnet. « Je propose d'informer Châteaunoir que nous ne dépêcherons plus aucune recrue tant que Snow n'en sera pas parti.

— Nos nouveaux navires auront besoin de rameurs, dit Aurane Waters. Mandons aux lords de m'envoyer dorénavant leurs braconniers et leurs voleurs au lieu d'en garnir le Mur. »

Qyburn se pencha en avant avec un sourire. « La Garde de Nuit nous préserve des tarasques et des snarks.

Mon opinion personnelle, messires, est que nous sommes *tenus* d'aider ces braves frères noirs. »

Cersei lui jeta un coup d'œil acerbe. « Que nous chantez-vous là ?

— Tout bonnement ceci, répondit-il, que la Garde de Nuit n'a pas arrêté de réclamer du monde depuis des années. Lord Stannis a satisfait cette requête. Le roi Tommen peut-il faire moins ? Sa Majesté devrait fournir au Mur une centaine d'hommes. Lesquels seraient destinés à prendre le noir, apparemment, mais, en réalité, à…

— … démettre Jon Snow du commandement suprême », acheva Cersei, enthousiasmée. *Je savais que j'avais raison de vouloir qu'il siège à mon Conseil.* « Et c'est là ce que nous ferons, tel quel. » Elle se mit à rire. *Si ce petit bâtard est véritablement le fils de son père, il ne se doutera de rien du tout. Peut-être même ira-t-il jusqu'à me remercier, avant de sentir la lame se faufiler entre ses côtes.* « L'exécution de ce plan va assurément exiger la plus grande circonspection. Avec votre permission, je me chargerai d'en régler tous les détails, messires. » Et voilà comment on se délivrait d'un ennemi : en brandissant un poignard et non pas une déclaration. « Nous avons fait du bon travail, aujourd'hui, messires. Je vous remercie. Y a-t-il encore autre chose ?

— Une dernière, Votre Grâce, dit Aurane Waters d'un ton contrit. J'hésite à prolonger la durée du Conseil pour des balivernes, mais une étrange rumeur circule dans les docks depuis peu. Elle émane de marins de l'est. Ils parlent de dragons…

— … et de manticores, sans aucun doute, ainsi que de chimères à barbe ? gloussa la reine. Revenez me voir quand vous entendrez parler de *nains*, messire. » Elle se leva, de manière à bien signifier qu'elle considérait la réunion comme terminée.

Un vent d'automne soufflait par bourrasques lorsqu'elle quitta la chambre du Conseil, et les cloches de Baelor le Bienheureux continuaient à chanter leur chanson funèbre à tous les quartiers de la ville. Dans la cour, le vacarme était complété par les coups d'épées et de boucliers dont se martelaient mutuellement une quarantaine de chevaliers. Raccompagnée par ser Boros Blount, Cersei regagna ses appartements personnels et y trouva lady Merryweather en train de pouffer avec Jocelyn et Dorcas. « Je puis savoir ce qui vous amuse à ce point ?

— Les jumeaux Redwyne, répondit Taena. Tous les deux se sont amourachés de lady Margaery. D'ordinaire, ils se chamaillaient pour déterminer lequel d'entre eux serait le prochain maître et seigneur de La Treille. À présent, ils aspirent de conserve à entrer dans la Garde Royale, et ce dans le seul but de ne point s'éloigner de la petite reine.

— Les Redwyne ont toujours eu plus de taches de rousseur que d'esprit. » La nouvelle n'en était pas moins utile à savoir, d'ailleurs. *S'il devait advenir qu'on découvre Baveur ou Horreur dans le lit de Margaery...* Cersei se demanda si la petite reine éprouvait un faible pour les taches de rousseur. « Dorcas, va me chercher ser Osney Potaunoir. »

La jeune fille s'empourpra. « Votre humble servante. »

Une fois celle-ci partie, Taena Merryweather lança à la reine un regard interrogateur. « Pour quelle raison est-elle devenue si rouge ?

— L'amour. » Ce fut au tour de Cersei de se mettre à rire. « Notre ser Osney lui a tapé dans l'œil. » Il était le plus jeune des Potaunoir, et celui qui se rasait de près. Tout en possédant les mêmes cheveux noirs, le même nez crochu, le même sourire décontracté que son frère Osmund, il avait la joue marquée des trois longues cicatrices dont l'avaient gratifié les griffes d'une des putains de Tyrion. « Elle est sensible à ses cicatrices, m'est avis. »

Les prunelles sombres de lady Merryweather étincelèrent d'espièglerie. « Tout juste. Les cicatrices donnent aux hommes un air dangereux, et c'est tellement excitant, le danger !

— Vous me scandalisez, madame, dit la reine d'un ton taquin. Si le danger vous excite si fort, pourquoi avoir épousé lord Orton ? Nous l'aimons tous beaucoup, c'est vrai, mais n'empêche… » Petyr Baelish avait un jour fait observer que la corne d'abondance qui ornait les armoiries de la maison Merryweather allait à merveille à lord Orton, vu qu'il avait la tignasse couleur de carotte, un pif aussi bulbeux qu'une betterave et de la purée de pois pour cervelle.

Taena s'esclaffa. « Mon seigneur et maître est plus généreux que dangereux, j'en conviens. Toutefois, et j'espère que cet aveu ne me fera pas descendre dans l'estime de Votre Grâce, je n'étais pas tout à fait vierge quand je suis entrée dans le lit d'Orton. »

Vous êtes toutes des putains, dans les Cités libres, n'est-ce pas ? Encore une chose bonne à savoir ; un jour viendrait peut-être où il serait possible d'en tirer parti. « Et, s'il vous plaît, qui donc fut cet amant qui se montrait aussi… effroyablement dangereux ? »

Le teint olivâtre de Taena devenait encore plus sombre quand elle rougissait. « Oh, je n'aurais pas dû parler ! Je puis compter que Votre Grâce m'en gardera le secret, au moins ?

— Les hommes ont des cicatrices, les femmes des mystères. » Cersei l'embrassa sur la joue. *Tu ne vas pas tarder à me livrer son nom, crois-moi.*

Lorsque ser Osney Potaunoir se présenta, conduit par Dorcas, la reine congédia son monde. « Venez vous asseoir avec moi près de la fenêtre, ser Osney. Vous plairait-il de prendre une coupe de vin ? » Elle en emplit deux de sa propre main. « Votre manteau est usé jusqu'à la corde. Je me propose de vous en faire endosser un nouveau.

— Hein ? un blanc ? Qui c'est qui est mort ?

— Personne, pour l'instant, répondit-elle. Est-ce là ce que vous souhaitez, rejoindre votre frère Osmund au sein de notre Garde Royale ?

— Ça serait plus à mon goût d'être le garde de *la reine*, avec le bon plaisir de Votre Grâce. » Quand son sourire s'épanouissait, les cicatrices de sa joue viraient au rouge vif.

Les doigts de Cersei s'attardèrent à la lui caresser. « Vous avez une langue bien hardie, ser. Vous allez me faire m'oublier une fois de plus.

— Bon ! » Ser Osney lui prit la main et y planta des baisers grossiers. « Ma reine chérie.

— Vous êtes un affreux coquin, susurra la reine, et pas un véritable chevalier, je pense. » Elle le laissa tripoter ses seins à travers la soie de sa robe. « Assez…

— Non. Je vous veux.

— Vous m'avez déjà eue.

— Rien qu'une seule fois. » Il lui empoigna de nouveau le sein gauche et le lui malaxa avec une gaucherie qui la fit penser aux brutalités de Robert.

« Une bonne chevauchée pour un bon chevalier. Vous m'aviez vaillamment rendu service, et vous avez eu votre récompense. » Elle promena les doigts sur ses aiguillettes et sentit à travers ses chausses qu'il commençait à bander. « C'est un nouveau cheval que vous montiez dans la cour, hier matin ?

— L'étalon noir ? Ouais. Un cadeau de mon frère Osfryd. Minuit, je l'appelle. »

D'une originalité confondante… ! « Une belle monture pour champ de bataille. Mais, pour l'agrément, il n'y a rien de comparable à celui de galoper sur une jeune pouliche fougueuse. » Elle lui adressa un sourire en accentuant la pression de sa main. « Parlez-moi franchement. Notre petite reine, est-ce que vous la trouvez jolie ? »

Ser Osney battit en retraite, prudent. « J'suppose. Pour une fillette. Me botterait mieux une femme, moi.

— Pourquoi pas les deux ? souffla-t-elle. Cueille pour moi le bouton de rose, et tu ne trouveras pas une ingrate en moi.

— Le bouton... Margaery, c'est ça que vous voulez dire ? » Ses chausses trahissaient des signes avant-coureurs de dépérissement. « Elle est la femme au roi. Y a pas eu quelqu'un, déjà, dans la Garde Royale, qu'a perdu sa tête pour avoir couché avec la femme au roi ?

— Cela fait une éternité. » *Elle était la maîtresse du roi, pas sa femme, et lui, la tête fut la seule chose qu'il ne perdit pas. Aegon le dépeça morceau par morceau, tout en contraignant la belle à y assister.* Cersei préféra cependant ne pas laisser à Osney le loisir de s'appesantir sur cette antique abomination. « Tommen n'est pas Aegon l'Indigne. N'aie pas peur, il se conduira comme je le lui commanderai. C'est la tête de Margaery que j'entends voir tomber, pas la tienne. »

Il en resta d'abord interloqué. « Vous voulez dire sa *tête de pont* ?

— Celle-là aussi. Sous réserve qu'on ne la lui ait pas déjà défoncée. » Ses doigts suivirent à nouveau la trace des cicatrices. « À moins que tu ne croies que Margaery se montrerait peu sensible à tes... charmes ? »

Il la regarda d'un air blessé. « Je la dégoûte pas tant que ça. Ces cousines qu'elle vous a me charrient tout le temps sur mon nez. Comme il est gros, et tout et tout. Le dernier coup que Megga l'a fait, Margaery leur a dit d'arrêter, puis elle a même ajouté que j'avais une tête adorable.

— Ton affaire est faite, alors !

— Mon affaire est faite…, concéda-t-il d'un ton dubitatif, oui, mais où c'est que ça me mène, hein, moi, si elle… si je… après qu'on… ?

— … que tu auras accompli l'exploit ? » Cersei lui dédia un sourire mordant. « C'est félonie que de coucher avec une reine. Tommen n'aurait pas d'autre solution que de t'expédier au Mur.

— Au Mur ? » reprit-il en écho sans cacher son enthousiasme plus que relatif.

C'est de justesse qu'elle réussit à ne pas éclater de rire. *Non, mieux vaut pas. Les hommes détestent qu'on se moque d'eux.* « Ça t'irait bien, un manteau noir, avec les yeux noirs et les cheveux noirs que tu as.

— Y a personne qu'en revient, du Mur.

— Toi si. Tu n'auras rien d'autre à faire là-bas que d'y tuer un garçon.

— C'est qui, ce garçon ?

— Un petit bâtard ligué avec Stannis. Un jeunot, un bleu, et tu auras une centaine d'hommes avec toi. »

Potaunoir avait peur, elle le sentit à l'odeur qui émanait de lui, mais il était trop orgueilleux pour en faire l'aveu. *Les hommes sont tous pareils.*

« Des garçons, j'en ai tué plus que je peux compter, fanfaronna-t-il. Une fois que çui-là est mort, j'aurais mon pardon du roi ?

— Oui, plus une seigneurie. » *À moins que les frères de Snow ne te pendent d'abord.* « Une reine doit avoir un consort. Un qui ne connaisse pas la peur.

— Lord Potaunoir ? » Un sourire envahit lentement sa figure, et ses cicatrices prirent un rouge flamboyant. « Ouais, ça sonne plutôt plaisant. Seigneurial à souhait…

— … et séant pour coucher avec une reine. »

Il fronça les sourcils. «'l est froid, le Mur.

— Et je suis chaude, moi. » Elle lui noua le cou dans ses bras. « Baise une fillette et tue un gamin, et je suis à toi. Tu as le courage ? »

Osney réfléchit quelques secondes avant de hocher la tête. « Je suis votre homme.

— Vous l'êtes, ser. » Elle l'embrassa, lui permit de prendre un modeste avant-goût de langue puis se dégagea. « Suffit pour maintenant. Le reste doit attendre. Tu rêveras de moi, cette nuit ?

— Ouais. » Il avait la voix rauque.

« Et quand tu seras au plumard avec notre Margaery la Pucelle ? demanda-t-elle d'un ton taquin. Quand tu seras en elle, tu rêveras de moi, alors ?

— Oui, de vous, jura Osney Potaunoir.

— Bon ! »

Après qu'il se fut retiré, Cersei convoqua Jocelyn et, pendant qu'elle se faisait donner un coup de brosse, elle enleva ses chaussures et s'étira comme un chat. *J'étais décidément faite pour ce métier-là*, se dit-elle. Le plus grand plaisir qu'il lui procurait était la suprême élégance avec laquelle elle l'exerçait. Mace Tyrell lui-même n'oserait pas défendre sa fille bien-aimée si celle-ci se faisait pincer en flagrant délit avec l'acabit d'un Osney Potaunoir, et ni Stannis Baratheon ni Jon Snow n'auraient de motif de se demander pourquoi le Mur héritait du galant. Elle veillerait d'ailleurs à ce que ce soit ser Osmund qui découvre le pot aux roses ; de cette manière, la loyauté des deux autres frères Potaunoir n'aurait à souffrir aucune espèce de contestation. *Si Père pouvait seulement me voir, maintenant, il ne parlerait plus si précipitamment de se débarrasser de moi par un remariage. Dommage qu'il soit si bel et bien mort. Lui et Robert, Jon Arryn, Ned Stark, Renly Baratheon, tous morts. Il ne reste plus que Tyrion, et pas pour longtemps.*

Ce soir-là, elle manda lady Merryweather dans sa chambre à coucher. « Que diriez-vous de boire une coupe de vin ? lui demanda-t-elle.

— Une petite, alors. » La Myrienne se mit à rire. « Une grande.

— Je souhaite que demain matin vous alliez rendre une visite à ma belle-fille, reprit la reine pendant que Dorcas lui passait sa toilette de nuit.

— Lady Margaery est toujours heureuse de me voir.

— Je sais. » Elle ne manqua pas de remarquer de quel titre se servait Taena pour qualifier la jeune épouse de Tommen. « Veuillez l'aviser que j'ai fait parvenir sept cierges en cire d'abeille au Septuaire de Baelor, afin de célébrer la mémoire de notre regretté Grand Septon. »

Taena se remit à rire. « Dans ce cas, elle va vouloir y faire parvenir soixante-dix-sept cierges de son propre cru, de manière à ne pas se laisser surclasser en regrets !

— Je serai très fâchée si elle n'en fait rien, répliqua Cersei en souriant. Avisez-la aussi qu'elle a un secret admirateur, un chevalier si violemment épris de sa beauté qu'il en a perdu le sommeil.

— Me serait-il permis de demander à Votre Grâce quel chevalier ? » La malignité fit pétiller les grands yeux sombres de Taena. « S'agirait-il de ser Osney, des fois ?

— Cela se pourrait, dit la reine, mais gardez-vous d'offrir spontanément ce nom. Laissez-la vous tirer les vers du nez. Aurez-vous l'amabilité de faire cela ?

— Si tel est votre désir. Je n'en ai pas d'autre que de complaire à Votre Grâce. »

À l'extérieur se levait un vent froid. Elles veillèrent jusqu'à une heure avancée de la nuit, à boire du La Treille auré tout en se racontant mutuellement des histoires. Taena finit par être tout à fait ivre, et Cersei par lui dérober le nom de son mystérieux amant. C'était un Myrien, capitaine de la marine marchande, à moitié pirate, aux cheveux noirs cascadant jusqu'à ses épaules, et dont une cicatrice barrait la figure de l'oreille jusqu'au menton. « Cent fois, je lui ai dit non, et lui disait oui, confia la belle, si bien qu'à la fin j'ai dit oui moi-même. Il n'était pas le genre d'homme auquel on peut se refuser.

— Je connais ce genre-là, dit la reine avec un sourire mi-figue mi-raisin.

— Votre Grâce a-t-elle jamais pratiqué un homme comme ça ? Je serais curieuse de le savoir…

— Robert », mentit Cersei, qui pensait à Jaime.

Et néanmoins, quand elle ferma les yeux, ce fut de son autre frère qu'elle rêva, ainsi que des trois bougres d'imbéciles en compagnie desquels elle avait entamé sa journée. Dans son rêve, c'était bien la tête de Tyrion qu'ils lui apportaient dans leur sac. Elle l'avait fait couler dans le bronze et la conservait dans son pot de chambre.

LE CAPITAINE DE FER

Le vent soufflait du nord quand *Le Fer vainqueur* contourna la pointe du cap et pénétra dans la baie sacrée dénommée Berceau de Nagga. Victarion rejoignit à sa proue Nutt le Barbier. Devant leurs yeux s'étendait le rivage sanctifié de Vieux Wyk au-dessus duquel se dressait la colline herbeuse d'où jaillissaient les côtes de Nagga, tels de gigantesques troncs d'arbres blancs, aussi massifs que des mâts de frégates et deux fois plus hauts.

Les ossements de la résidence du Roi Gris. Victarion percevait nettement la puissance magique des lieux. « Balon se tenait au pied de ces ossements, lorsqu'il se proclama roi pour la première fois, rememora-t-il. Il fit serment de nous reconquérir nos libertés, et Tarie Triplenoyé plaça sur sa tête une couronne de bois flotté. "*BALON*, criait-on, *BALON ! BALON ROI !*"

— On va crier votre nom aussi fort », affirma Nutt.

Victarion acquiesça d'un hochement de tête, bien qu'il ne partageât pas la certitude du Barbier. *Balon avait trois fils, plus une fille qu'il aimait beaucoup*.

Il n'avait d'ailleurs fait aucun mystère de ses réserves à ses capitaines, à Moat Cailin, dès l'instant où ils l'avaient pressé de revendiquer le Trône de Grès. « Les fils de Balon sont morts, avait fait valoir Ralf le Rouge de Maisonpierre, et Asha est une femme. Vous étiez le vigoureux bras droit de votre frère, vous devez ramasser l'épée qu'il a laissée tomber. » Lorsque Victarion leur avait rappelé que les ordres formels de Balon étaient qu'il tienne Moat Cailin contre les Nordiens, Ralf Kenning avait objecté : « Les loups sont débandés, messire. Quel intérêt y a-t-il à conquérir ce marécage et à perdre les îles ? » Et Ralf le Boiteux d'ajouter : « L'Œil-de-Choucas est absent depuis trop longtemps. Il ne nous connaît pas du tout. »

Euron Greyjoy, Roi des Îles et du Nord. Cette idée réveilla dans son cœur une vieille hargne, et néanmoins…

« Les mots sont du vent, leur avait rétorqué Victarion, et il n'existe pas d'autre bon vent que celui qui gonfle nos voiles. Vous voudriez me faire combattre Euron l'Œil-de-Choucas ? Frère contre frère et Fer-nés contre Fer-nés ? » Euron était et demeurait son aîné, quelque sordide affaire sanglante qu'il ait pu y avoir entre eux. *Il n'est pire malédiction que celle qui pèse sur les fratricides.*

Cependant, lorsque étaient survenues les convocations du Tifs-Trempes, son appel à une réunion des états généraux de la royauté, aussitôt les choses avaient entièrement changé de face aux yeux de Victarion. *Aeron parle avec la voix du dieu Noyé*, s'était-il dit à la réflexion, *et si la volonté du dieu Noyé est que j'occupe le Trône de Grès…* Dès le lendemain, il confiait le commandement de Moat Cailin à Ralf Kenning et se mettait en route pour gagner le lit de la Fièvre où la flotte de Fer se trouvait regroupée, parmi roselières et saulaies. Une fois en mer, la dureté de la houle et la capricieuse inconstance des vents l'avaient retardé, mais il n'avait perdu qu'un seul boutre, et voilà qu'il était finalement chez lui.

Le Deuil et *Le Fer vengeur* le talonnaient de près quand *Le Fer vainqueur* se rabattit vers la terre ferme au-delà du cap. À leur suite venaient *La Poigne*, *La Bise de Fer*, *Le Gris Spectre*, le *Lord Quellon*, le *Lord Vickon*, le *Lord Dagon* puis tous les autres, soit les neuf dixièmes de la flotte de Fer qui, cinglant sur la marée du soir, s'étiraient en colonne assez décousue, derrière, sur pas mal de lieues. La vue de leurs voiles emplit Victarion Greyjoy de satisfaction. Aucun homme n'avait jamais aimé ses femmes avec autant de passion que le lord Capitaine aimait ses bateaux.

Le long du rivage sacré de Vieux Wyk, des alignements de boutres bordaient la grève à perte de vue, leurs mâts dressés comme autant de piques. En eaux plus profondes étaient mouillées les prises, conquises en course ou lors de razzias : cargos, caraques et frégates, de trop fort tonnage pour accoster. Des bannières familières flottaient à leur proue, leur poupe et leur mât.

Nutt le Barbier loucha vers la plage. « C'est *Le Chant de la mer* de lord Harloi, là ? » Avec ses bras trop longs pour ses jambes arquées, le Barbier conservait son aspect massif, mais ses yeux n'avaient plus l'acuité de leur prime jeunesse, époque où il lançait une hache avec tant de dextérité que les hommes le disaient capable de vous en ratiboiser le poil.

« *Le Chant de la mer*, ouais, ouais. » Apparemment, Rodrik le Bouquineur avait délaissé ses bouquins. « Et il y a aussi *Le Foudroyant* du vieux Timbal et, à côté de lui, *L'Oiseau de nuit* de Noirmarées. » Le regard de Victarion demeurait plus acéré que jamais. En dépit de leurs voiles ferlées et de leurs bannières en berne, il reconnaissait chacun des navires, ainsi qu'il était séant au lord Capitaine de la flotte de Fer. « Et aussi *La Nageoire d'argent*. Quelque parent de Sawane Botley. » Lord Botley avait été condamné à la noyade par l'Œil-de-Choucas, d'après ce qu'avait entendu dire Victarion, et son héritier était mort à Moat Cailin, mais il ne manquait pas de frères, et il laissait au surplus d'autres fils. *Combien ? Quatre ? Non, cinq, et aucun n'a de raisons de porter l'Œil-de-Choucas dans son cœur.*

Et c'est sur ces entrefaites qu'il la repéra : une galère à mât unique, élégante de lignes et basse sur l'eau, dont la coque était rouge sombre. Ses voiles, ferlées pour l'heure, avaient la noirceur d'un ciel nocturne dépourvu d'étoiles. À sa proue figurait une vierge de fer au bras tendu, à la taille fine, aux seins hauts et arrogants, aux jambes longues et bien galbées. Une crinière de fer noir échevelée par le vent ondoyait jusqu'à ses épaules, et son visage avait des yeux de nacre mais pas de bouche.

Victarion serra violemment ses poings. Des poings qui pouvaient se targuer d'avoir rossé quatre hommes à mort, en sus d'une épouse… Il avait beau avoir les cheveux mouchetés de givre, le temps n'avait nullement entamé sa puissance physique de toujours, et son coffre de taureau ne l'empêchait pas d'afficher un ventre plat d'adolescent. *La malédiction frappe le fratricide au regard des dieux et des hommes*, lui avait rappelé Balon le jour où il avait contraint l'Œil-de-Choucas à prendre le large.

« Il est ici, annonça Victarion au Barbier. Affale la voile. Nous ne marcherons plus qu'à la rame. Donne l'ordre au *Deuil* et au *Fer vengeur* de s'interposer entre *Le Silence* et la mer. Au restant de la flotte de bloquer la baie. À tous, hommes ou corbeaux, interdiction de quitter leur bord, à moins que je ne le commande expressément. »

Du rivage, on avait aperçu leurs voiles. La baie répercuta les acclamations par lesquelles parents et amis saluaient les arrivants. *Le Silence* seul s'abstint de rien manifester. L'équipage bariolé de muets et de métis qui peuplait ses ponts ne souffla mot tandis que *Le Fer vainqueur* se rapprochait. Victarion se vit impudemment dévisager par des hommes noirs comme le goudron, quand ils n'étaient pas trapus et velus comme les singes de Sothoros. *Des monstres*, songea-t-il.

On jeta l'ancre à une dizaine de toises du *Silence*. « Mets une chaloupe à l'eau. Je voudrais me rendre à terre. » Victarion boucla son ceinturon pendant que les rameurs prenaient place à bord de l'embarcation ; sa rapière lui battait une hanche, un poignard équipait l'autre. Nutt le Barbier agrafa aux épaules du lord Capitaine un manteau composé de neuf couches de brocart d'or cousues de manière à figurer la seiche Greyjoy, dont l'emblème flottait jusqu'à ses bottes. Là-dessous, il était revêtu d'un pesant haubert de chaîne de maille grise qui laissait entrevoir des cuirs bouillis noirs. À Moat Cailin, il s'était accoutumé à rester jour et nuit dans cet équipage, les douleurs d'épaules et les courbatures dorsales étant somme toute un moindre mal que les saignements d'entrailles. Les flèches empoisonnées des diables du marais n'avaient besoin de vous infliger qu'une égratignure pour qu'au bout de quelques heures vous gueuliez en vous convulsant comme un possédé pendant que la vie fuyait de vous goutte à goutte entre les jambes en dégoulinades brunes et rouges. *Quel que soit le candidat au Trône de Grès qui finisse par l'emporter, c'est moi qui me chargerai de régler leur compte aux diables du marais.*

Victarion se coiffa d'un grand heaume de guerre noir, forgé à l'effigie d'une seiche de fer dont les tentacules se déroulaient pour couvrir les joues puis s'enchevêtraient sous la mâchoire. Entre-temps, la chaloupe s'était apprêtée pour l'appareillage. « Je te confie la charge des coffres, dit-il à Nutt au moment d'enjamber le plat-bord. Veille à ce qu'ils soient bien gardés. » L'issue de la partie qui allait se jouer reposait en grande partie sur eux.

« Aux ordres de Votre Majesté. »

Victarion le gratifia d'une grimace renfrognée. « Je ne suis pas encore roi. » Mains cramponnées au bastingage, il descendit dans l'embarcation.

Aeron Tifs-Trempes l'attendait, planté dans le ressac, sa gourde d'eau en bandoulière sous un bras. Malgré sa maigreur, qui achevait de le dégingander, il était de moindre taille que Victarion. Son nez faisait saillie comme un aileron de requin dans sa face osseuse, et ses yeux avaient l'air de deux clous de fer. Sa barbe lui tombait jusqu'à la ceinture, et les mèches emmêlées de sa chevelure lui fouettaient l'arrière des cuisses à chaque rafale des bises. « Frère, dit-il, tandis que les vagues glacées se brisaient en écumant autour de ses chevilles, ce qui est mort ne saurait mourir.

— Mais se lève à nouveau, plus dur à la peine et plus vigoureux. » Victarion retira son heaume et s'agenouilla. La houle emplit ses bottes et trempa ses chausses pendant que le prêtre lui faisait couler sur le front un filet d'eau salée. Et c'est dans cette posture qu'ils se mirent à prier tous deux.

« Où se trouve notre Choucas de frère ? s'enquit le lord Capitaine, après que leurs oraisons furent accomplies.

— Sienne est l'immense tente de brocart d'or, répondit Aeron de son ton sentencieux, d'où provient le plus de tapage. Il s'entoure d'impies et de monstres, encore pis qu'auparavant. En lui, le sang de notre père s'est voué au mal.

— Celui de notre mère aussi. » Victarion ne se laisserait assurément pas aller à parler de fratricide, ici, dans ce sanctuaire, au pied de la résidence du Roi Gris, sous les ossements de Nagga, mais que de fois n'avait-il rêvé, la nuit, que son poing tapissé de maille démolissait à coups redoublés la gueule souriante d'Euron jusqu'à la réduire en bouillie et à lui faire pisser à flots écarlates toute sa malignité. *Je ne dois pas. J'en ai donné ma parole à Balon.* « Tout le monde est venu ? questionna-t-il encore.

— Tout ce qui compte. Les capitaines et les rois. »
Dans les Îles de Fer, les deux choses n'en faisaient qu'une, car chaque capitaine était roi sur le pont de son propre navire, et tout roi se devait d'être capitaine. « Est-ce que tu as l'intention de revendiquer la couronne de notre père ? »

Victarion s'imagina siégeant sur le Trône de Grès. « Si telle est la volonté du dieu Noyé.

— Les vagues se prononceront, répondit Aeron Tifs-Trempes en se détournant, sur le point de s'éloigner. Prête une oreille attentive aux vagues, frère.

— Ouais. » Il se demanda comment sonnerait son nom, chuchoté par les vagues et crié par les capitaines et les rois. *S'il advient jamais que la coupe me soit transmise, je ne la déposerai pas de sitôt.*

Des quantités de gens s'étaient rassemblés autour de lui pour lui souhaiter la bienvenue et s'assurer de sa faveur. Il constata que chacune des îles en fournissait son contingent : il y avait là des Noirmarées, des Tawney, des Orkwood, des Pindepierre, des Wynch et bien d'autres. Les Bonfrère de Vieux Wyk, les Bonfrère de Grand Wyk et les Bonfrère d'Orkmont, tous étaient venus. Se trouvaient également là les Morru, malgré le mépris où les tenaient toutes les personnes comme il faut. Les altiers rejetons de maisons anciennes coudoyaient dans la cohue les modestes Berger, Tisserand, Lasenne et les humbles Humble eux-mêmes, issus de serfs et de femmes-sel. Un Volmark administra une claque dans le dos de Victarion. Deux Sparr lui fourrèrent une gourde de vin dans les mains. Il y but goulûment, s'essuya la bouche et se laissa enlever par eux jusqu'à leurs feux de camp, où ils le soûlèrent de récits de guerre, de couronnes et de pillage, tout en lui vantant la gloire et la libéralité de son règne à venir.

Cette nuit-là, les hommes de la flotte de Fer ayant dressé une tente gigantesque en toile à voile au-dessus de la ligne des marées, Victarion fut en mesure d'accueillir une cinquantaine de capitaines illustres à sa table et de les festoyer de chevreau rôti, de langouste et de morue salée. Aeron fut aussi des leurs. Il ne mangea que du poisson et ne but que de l'eau, tandis que le restant de l'assistance ingurgitait assez de bière pour mettre à flot tous les bâtiments de la flotte de Fer. Nombre des hôtes de Victarion lui promirent leur suffrage : Fralegg le Fort, le judicieux Alvyn Aigu, le bossu Hotho Harloi. Ce dernier lui proposant de prendre l'une de ses filles pour reine. « Je n'ai pas de chance avec les épouses », rétorqua-t-il. Sa première femme était morte en couches, lui donnant une fille mort-née. Une maladie maligne avait emporté la deuxième. Quant à la troisième…

« Un roi se doit d'avoir un héritier, n'en insista pas moins Hotho. L'Œil-de-Choucas rapporte trois fils qu'il va exhiber lors des états généraux.

— Des bâtards et des métis. Quel âge a cette fille que vous m'offrez ?

— Douze ans, dit le bossu. Elle est belle et féconde, toute fraîche éclose, avec des cheveux de miel. Ses seins sont encore petits, mais elle a de bonnes hanches. Elle tient de sa mère plus que de moi. »

Victarion comprit à demi-mot le sous-entendu, la gamine n'avait pas de bosse. Mais lorsqu'il essaya de se la représenter, il ne réussit à voir que l'épouse qu'il avait tuée, non sans sangloter chaque fois que s'abattait son poing, puis transportée au bas des falaises pour la livrer en pâture aux crabes. « Je me ferai un plaisir de jeter les yeux sur elle quand j'aurai été couronné », dit-il. Hotho n'avait pas osé espérer davantage, et c'est tout content de cette réponse qu'il s'éloigna d'un pas traînant.

Moins facile à séduire se révéla le beau lord Baelor Noirmarées. Il vint d'un air impassible s'asseoir auprès de Victarion, vêtu d'une tunique vairée de vert et noir en laine d'agneau. De zibeline était son manteau, qu'agrafait une étoile d'argent à sept branches. Il avait séjourné huit ans à Villevieille en qualité d'otage, et il en était revenu converti aux sept dieux révérés dans les contrées vertes. « Balon était fou, Aeron est encore plus fou, et Euron est le plus fou de tous, déclara-t-il. Et vous, qu'en est-il, messire Capitaine ? Si j'ovationne votre nom, mettrez-vous un terme à cette folle guerre ? »

Victarion fronça les sourcils. « Souhaiteriez-vous me voir ployer le genou ?

— Si besoin est. Nous ne pouvons tenir tête seuls à l'ensemble de Westeros. Balon entendait payer le fer-prix pour la liberté, disait-il, mais c'est avec des couches vides que nos femmes lui ont acheté ses couronnes. Ma mère en a su quelque chose. L'Antique Voie est bel et bien morte.

— Ce qui est mort ne saurait mourir, mais se lève à nouveau, plus dur à la peine et plus vigoureux. Dans cent ans, les hommes chanteront Balon le Hardi.

— Balon le Faiseur-de-veuves, appelez-le plutôt. J'échangerai de grand cœur sa liberté contre un père. En avez-vous un à me donner ? » Sa question étant demeurée sans réponse, Noirmarées le planta là avec un grognement.

La chaleur et la fumée rendaient de plus en plus irrespirable l'atmosphère de la tente. Deux des fils de Gorold Bonfrère renversèrent une table en luttant ; la perte d'un pari contraignit Will Humble à manger sa botte ; Lenwood Tawney le Petit joua du crincrin pendant que Romny Tisserand chantait *Pluie d'acier, La Coupe sanglante* et autres vieilles chansons de razzia. Qarl Pucelle et Eldred Morru dansèrent la danse du doigt. De formidables éclats de rire saluèrent l'atterrissage d'un des doigts d'Eldred dans la coupe de vin de Ralf le Boiteux.

Une femme se trouvait parmi les rieurs. Victarion se leva et l'aperçut qui, près des portières du pavillon, soufflait à l'oreille de Qarl Pucelle quelque chose qui le fit s'esclaffer à son tour. Il s'était bercé de l'espoir qu'elle ne serait pas assez cinglée pour venir à Vieux Wyk, mais sa vue le fit tout de même sourire. « *Asha !* l'interpella-t-il d'un ton impératif. *Nièce !* »

Elle se fraya passage pour le rejoindre, svelte et leste dans ses cuissardes de cuir mouchetées de sel, ses braies de laine vertes et sa tunique matelassée marron, son justaucorps de cuir sans manches à moitié délacé. « M'n onc'. » Asha Greyjoy avait beau être de haute taille pour une femme, elle n'en eut pas moins besoin de se percher sur la pointe des orteils pour lui déposer un baiser sur la joue. « Je suis enchantée de vous voir prendre part à mes états généraux de reine.

— Tes états généraux de reine ? » Victarion se prit à rire. « Est-ce que tu es ivre, nièce ? Assieds-toi. Je n'ai pas repéré ton *Vent noir* sur la grève.

— Je l'ai échoué sous le château de Norne Bonfrère avant de traverser l'île à cheval. » Elle s'empara d'un tabouret et, sans lui demander la permission, s'adjugea le vin de Nutt le Barbier. Celui-ci ne souleva pas d'objection, ayant dépassé les bornes de l'ébriété depuis quelque temps. « Qui tient Moat Cailin ?

— Ralf Kenning. La mort du Jeune Loup ne nous a laissé sur les bras que ces pestes de diables du marais.

— Le Nord n'était pas incarné seulement par les Stark. Le Trône de Fer en a nommé Gouverneur le sire de Fort-Terreur.

— Prétendrais-tu me donner des leçons dans l'art de la guerre ? Tu suçais encore le lait de ta mère que je livrais déjà des batailles.

— Et que vous en perdiez, par la même occasion. » Asha sirota une gorgée de vin.

Victarion n'aimait pas s'entendre rappeler Belle Île. « Tout homme devrait perdre une bataille dans sa jeunesse, de manière à ne pas perdre de guerre lorsqu'il est vieux. Tu n'es pas venue ici pour émettre une revendication, j'espère ? »

Elle lui adressa un sourire taquin. « Et si c'est le cas ?

— Il y a des hommes qui se souviennent de l'époque où tu étais une petite fille, où tu te baignais toute nue dans la mer et jouais avec ta poupée.

— J'ai joué avec des haches aussi.

— En effet, fut-il forcé de convenir, mais une femme souhaite un mari, pas une couronne. Quand je serai roi, je t'en donnerai un.

— C'est trop aimable à m'n onc'. Vais-je vous dénicher une mignonne épouse, quand je serai reine ?

— Je n'ai pas de chance avec les épouses. Ça fait longtemps que tu es arrivée ?

— Assez longtemps pour m'apercevoir qu'Oncle Tifs-Trempes a réveillé plus de choses qu'il n'en avait l'intention. Le Timbal compte émettre une revendication, et l'on a entendu Tarle Triplenoyé déclarer que Maron Volmark était le véritable héritier de la lignée noire.

— Le roi doit être une seiche.

— L'Œil-de-Choucas en est une. Dans l'ordre de succession, le frère aîné vient avant le cadet. » Asha s'inclina d'un air de confidence vers son vis-à-vis. « Mais moi qui suis issue de la chair même de Balon, sa propre enfant, je viens avant vous deux. Écoutez-moi, m'n onc'… »

Or, en cet instant, tout fit subitement silence. Le chant s'éteignit, Lenwood Tawney le Petit baissa son crincrin, les têtes se tournèrent unanimement. Même les fracas de vaisselle et le cliquetis des couteaux demeurèrent en suspens.

Une douzaine de nouveaux venus avaient pénétré dans la tente du banquet. Victarion distingua Jon Myrès Cul-de-poule, Torwold Dent-brune, Lucas Morru Main-gauche. Germund Botley croisa ses bras sur le corselet de plate-doré dont il avait dépouillé un capitaine Lannister au cours de la première rébellion de Balon. Orkwood d'Orkmont se tenait à ses côtés. Derrière eux se trouvaient Maindepierre, Quellon Humble et le Rameur Rouge avec ses flamboyants cheveux nattés. Et aussi Ralf le Berger, Ralf de Lordsport et Qarl le Serf.

Et l'Œil-de-Choucas, Euron Greyjoy.

Il n'a pas du tout changé d'aspect, songea Victarion. *Il semble identique à ce qu'il était le jour où il se gaussa de moi et partit.* Euron était physiquement le plus avenant des fils de lord Quellon et, à cet égard, ses trois années d'exil avaient glissé comme un jour sur lui. Il avait toujours les cheveux aussi noirs que la mer à minuit, le visage toujours aussi lisse et pâle sous sa barbe de jais soigneusement taillée. Un bandeau de cuir noir lui couvrait l'œil gauche, mais son œil droit était d'azur comme ciel d'été.

Son œil enjoué, songea Victarion. « Œil-de-Choucas, dit-il.

— *Sire* Œil-de-Choucas, frère. » Euron sourit. Ses lèvres paraissaient très sombres, à la lumière des lampes, contusionnées et bleues.

« Nous n'aurons de "sire" à donner qu'à l'élu des états généraux de la royauté. » Le Tifs-Trempes se dressa. « Aucun impie ne siégera jamais…

— … sur le Trône de Grès, vouivoui. » Euron parcourut la tente du regard. « Seulement, il se trouve que d'aventure je me suis, ces derniers temps, souvent assis sur le Trône de Grès. Sans qu'il manifeste d'objections. » Son œil enjoué pétillait de malice. « Qui possède, en matière de dieux, des connaissances plus étendues que les miennes ? Dieux cheval et dieux feu, dieux façonnés en or et munis d'yeux en pierres précieuses, dieux sculptés dans le bois de cèdre, dieux ciselés en forme de montagnes, dieux d'air et de vide et de vent… Je les connais tous. J'ai vu leurs peuples les enguirlander de fleurs, je les ai vus répandre en leur nom le sang de taureaux, de chèvres et d'enfants. Et j'ai entendu les prières qu'ils leur adressaient dans une cinquantaine de langues. Guérissez ma patte atrophiée, faites que la donzelle se mette à m'aimer, accordez-moi un fils pétant de santé. Sauvez-moi, secourez-moi, rendez-moi bien riche… *Protégez-moi !* Protégez-moi de mes ennemis personnels, protégez-moi des ténèbres, protégez-moi des crabes dans ma bedaine, protégez-moi des seigneurs du cheval, des marchands d'esclaves, des soudards qui sont à ma porte. Protégez-moi du *Silence.* » Il éclata de rire. « *Impie*, moi ? Mais, diable, Aeron, je suis l'homme le plus farci de dieux qui ait jamais mis à la voile ! Tu sers un seul et unique dieu, Tifs-Trempes, quand moi j'en ai servi dix mille constamment. D'Ibben à Asshaï, les gens prient, pour peu qu'ils discernent *mes* voiles ! »

Le prêtre brandit un index osseux. « Ils prient des arbres et des idoles dorées, des abominations à tête de bouc. Des dieux d'imposture…

— Tout juste, répondit Euron, et pour les punir de ce péché, moi, je les tue tous. Je fais à la mer libation de leur sang, et leurs femmes peuvent bien gueuler, je plante ma semence en elles. Leurs petits dieux sont incapables de m'arrêter, ce qui prouve manifestement qu'ils sont des dieux d'imposture. Ma piété surpasse même la tienne, Aeron. Et ce serait peut-être à toi de t'agenouiller devant moi pour obtenir ma bénédiction. »

Ce qu'entendant, le Rameur Rouge se mit à rire à gorge déployée, relayé sur-le-champ par les autres.

« *Fols !* s'exclama le prêtre, fols et serfs et aveugles, voilà ce que vous êtes ! Ne voyez-vous pas ce qui se tient là, juste devant vous ?

— Un roi », riposta Quellon Humble.

Le Tifs-Trempes cracha puis s'en fut dans la nuit d'un pas précipité.

Après son départ, l'œil enjoué du Choucas se tourna contre Victarion. « Messire Capitaine, êtes-vous à court de salutations pour un frère si longtemps absent ? Toi aussi, Asha ? Comment se porte dame ta mère ?

— Mal, répondit-elle. Un salopard l'a rendue veuve. »

Euron haussa les épaules. « J'avais ouï dire que le coupable de la mort de Balon était le dieu des Tornades. Qui donc est l'assassin ? Dis-moi son nom, nièce, pour que je puisse me venger de lui. »

Asha se leva. « Son nom, vous le connaissez aussi bien que moi. Alors que cela faisait trois ans que vous nous aviez quittés, la réapparition du *Silence* a eu lieu moins d'un jour après la disparition du seigneur mon père.

— Est-ce moi que tu accuses ? questionna Euron d'une voix doucereuse.

— Je devrais ? »

Frappé par l'agressivité du timbre d'Asha, Victarion fronça les sourcils. Il était dangereux de parler de la sorte au Choucas, lors même qu'une lueur d'amusement scintillait dans son œil enjoué.

« Est-ce que je commande aux vents ? lança ce dernier à ses gentils toutous.

— Non, Votre Majesté, dit Orkwood d'Orkmont.

— Aucun être humain ne commande aux vents, dit Germund Botley.

— Que n'est-ce en votre pouvoir..., dit le Rameur Rouge. Vous feriez voile pour n'importe où selon votre seul gré sans jamais être encalminé.

— Eh bien, te voilà édifiée, de la bouche même de trois braves gens, reprit Euron. *Le Silence* était en mer au moment de la mort de Balon. Si tu doutes de la parole d'un oncle, je te donne la permission d'interroger mon équipage.

— Un équipage de muets ? Ouais, ça me rendrait foutrement service.

— Ce qui te rendrait foutrement service, c'est un mari. » Euron se tourna derechef vers ses suiveurs. « Torwold, je ne me rappelle plus, tu as une épouse ?

— Rien que celle d'avant. » Torwold Dent-brune se fendit la pêche jusqu'aux oreilles, révélant par là d'où lui venait son sobriquet.

« Je suis célibataire, moi…, s'avisa d'annoncer Lucas Morru Main-gauche.

— Et pas pour des prunes ! riposta Asha. Toutes les *femmes* méprisent les Morru en bloc. Me louche pas dessus d'un air si désolé, Lucas. Il te reste toujours le recours à ta fameuse gauche. » Des va-et-vient de son poing fermé explicitèrent l'allusion.

Morru se répandit en jurons jusqu'à ce que l'Œil-de-Choucas pose une main sur sa poitrine. « Était-ce là bien courtois de ta part, Asha ? Tu l'as blessé au vif.

— Plus facile que de le lui faire au kiki. Je lance une hache avec autant d'habileté que n'importe quel homme, mais quand la cible est si minuscule…

— Cette garce s'oublie, gronda Jon Myrès Cul-de-poule. Balon l'a laissée se prendre pour un homme.

— Ton propre père a commis la même erreur avec toi, rétorqua-t-elle.

— Filez-moi-la, Euron…, suggéra le Rameur Rouge, et j'y flanque une de ces fessées qu'elle en aura le cul aussi rouge que mes cheveux.

— Essaie voir un peu, le rembarra-t-elle, et c'est l'Eunuque Rouge qu'on pourra t'appeler aussi sec. » Elle tenait une hache de jet qu'elle lança en l'air puis rattrapa comme en se jouant. « Le voilà, mon mari, m'n onc'. Quiconque aurait des prétentions sur moi ferait bien de commencer par m'en soulager. »

Victarion abattit bruyamment son poing sur la table. « Je ne tolérerai pas que le sang coule ici. Euron, prends tes… tes clébards, et tire-toi.

— J'avais compté sur une réception plus chaleureuse de ta part, frère. En ma qualité d'aîné, *déjà*, et bientôt de souverain légitime. »

Victarion se rembrunit. « Il sera toujours temps de voir, quand les états généraux se prononceront, qui est appelé à porter la couronne de bois flotté.

— Là-dessus, point de désaccord. » En guise de congé, Euron leva deux doigts vers le bandeau qui lui couvrait l'œil gauche et se retira. Ses acolytes se précipitèrent sur ses talons comme une meute de bâtards. Leur départ fut salué par un lourd silence qui se prolongea jusqu'à ce que Lenwood Tawney le Petit fasse à nouveau résonner son crincrin. La bière et le vin se remirent à couler à flots, mais non sans que l'incident eût coupé la soif à plusieurs des hôtes. Eldred Morru se faufila dehors, berçant sa main sanguinolente, imité aussitôt par Will Humble, par Hotho Harloi puis par nombre de Bonfrère.

« M'n onc'. » Asha posa une main sur l'épaule de Victarion. « Allons faire quelques pas, si vous voulez bien. »

À l'extérieur, le vent se levait. Des nuages galopaient sur la face blême de la lune. Ils ressemblaient vaguement à des galères faisant force de rames pour l'éperonner. Les étoiles étaient clairsemées et sans grand éclat. La grève était sur toute sa longueur bordée de boutres dont les mâts jaillissaient du ressac comme une forêt. Victarion percevait le crissement des coques creusant leur assise dans les graviers. Il percevait les gémissements des cordages, le claquement des bannières. Au-delà, dans les eaux plus profondes de la baie, se balançaient les silhouettes sombres des gros bâtiments ancrés parmi des nappes de brouillard.

Ils longèrent le rivage côte à côte et, tout en se maintenant juste au-dessus de la ligne des flots, s'éloignèrent des camps et de leurs feux. « Sans rien déguiser, m'n onc', se décida finalement Asha, dites-moi quel motif avait incité Euron à quitter les îles si soudainement.

— L'appât du butin l'a motivé à maintes reprises.

— Mais jamais pour aussi longtemps.

— Il a emmené *Le Silence* jusqu'en Orient. Un sacré périple...

— J'ai demandé *pourquoi* il était parti, pas pour où. » N'ayant pas obtenu de réponse, elle reprit : « J'étais absente quand *Le Silence* a appareillé. J'avais conduit *Le Vent noir* autour de La Treille jusqu'aux Degrés de Pierre, afin de dérober quelques babioles aux pirates lysiens. À mon retour, le Choucas s'était évaporé, et votre nouvelle épouse était morte.

— Elle n'était qu'une femme-sel. » Depuis qu'il l'avait livrée en pâture aux crabes, il n'avait pas touché d'autre femme. *Il me faudra forcément prendre une épouse quand je serai roi. Une épouse véritable, qui soit ma reine et porte mes fils. Un roi se doit d'avoir un héritier.*

« Mon père se refusait à parler d'elle, insista Asha.

— Il ne sert à rien de parler de choses que nul être au monde ne peut changer. » Il en avait assez de ce sujet-là. « J'ai aperçu le boutre du Bouquineur.

— Il m'a fallu déployer tout mon charme pour l'extirper de sa tour de la Bibliothèque. »

Elle a donc les Harloi... Les sourcils de Victarion se froncèrent encore davantage. « Tu ne peux pas espérer régner. Tu es une femme.

— Est-ce à cause de cela que je perds toujours les concours à qui pissera plus loin ? » Asha se mit à rire. « Cela me chagrine à dire, m'n onc', mais il se peut que vous ayez raison. Cela fait quatre jours et quatre nuits que je passe à boire avec les capitaines et les rois, à écouter de toutes mes oreilles ce qu'ils disent... et ce qu'ils n'ont garde de dire. Mes propres gens me sont favorables, ainsi que pas mal d'Harloi. J'ai aussi Tris Botley, plus un petit nombre d'autres. Pas assez. » Elle gratifia un caillou d'un coup de pied qui l'expédia dans la mer, *plouf !* entre deux bateaux. « Je me suis mis plus ou moins en tête de crier le nom de mon petit nononc'à moi…

— Lequel ? questionna-t-il. Tu en as trois.

— Quatre. Écoutez-moi, m'n onc'. Je placerai de mes propres mains la couronne de bois flotté sur votre front, si vous êtes d'accord pour partager les rênes du pouvoir.

— *Partager* les rênes ? Comment cela pourrait-il être ? » Elle déraisonnait… ! *Prétendrait-elle être ma reine ?* Victarion se surprit à regarder Asha d'un tout autre œil qu'il ne l'avait jamais fait jusque-là. Il sentit sa virilité commencer à s'émouvoir. *Elle est la fille de Balon*, se rabroua-t-il. Il se la rappela petite fille en train de lancer des haches contre une porte. Il se croisa les bras sur la poitrine. « Il n'y a de place que pour un sur le Trône de Grès.

— À mon nononc'chéri de la prendre, alors, répondit Asha. Je me tiendrai debout derrière vous pour garder votre dos et vous chuchoter à l'oreille. Aucun roi ne peut gouverner tout seul. Même à l'époque où les dragons occupaient le Trône de Fer, ils avaient des gens pour les seconder. Les Mains du Roi. Permettez-moi d'être votre Main, m'n onc'. »

Aucun roi des Îles n'avait jamais eu besoin de Main, et encore moins d'une Main féminine. *Les capitaines et les rois se ficheraient de moi quand ils seraient pompettes.* « Pourquoi diable voudrais-tu me tenir lieu de Main ?

— Pour achever cette guerre avant que cette guerre ne nous achève. Nous avons conquis tout ce que nous étions susceptibles de conquérir… Et que nous risquons de perdre tout aussi vite, à moins de conclure une paix. J'ai montré tous les égards possibles à lady Glover, et elle jure que son mari consentira à traiter avec moi. Si nous restituons Motte-la-Forêt, Quart Torrhen et Moat Cailin, elle affirme que les Nordiens nous céderont toute la côte des Roches et la presqu'île de Merdragon. Or, tout en n'ayant qu'une population clairsemée, ces territoires sont dix fois plus vastes que toutes les Îles dans leur ensemble. Un échange d'otages scellera le pacte, et chacune des deux parties s'engagera à faire cause commune avec l'autre, s'il devait arriver que le Trône de Fer… »

Victarion se mit à glousser. « Cette lady Glover s'amuse à te rouler comme une idiote, nièce. La côte des Roches et la presqu'île de Merdragon sont entre nos mains. Pourquoi restituer quoi que ce soit ? Winterfell est un tas de ruines carbonisées, et le Jeune Loup pourrit sans tête dans la terre. C'est le Nord *tout entier* qui nous appartiendra, conformément au rêve du seigneur ton père.

— Quand les boutres auront appris à ramer dans le sein des forêts, peut-être. Sans doute est-il possible à un pêcheur de harponner un léviathan gris, mais il périra entraîné dans l'abîme, à moins qu'il ne s'empresse de sectionner la ligne afin de relâcher sa proie. Le Nord est beaucoup trop gigantesque pour notre emprise, et beaucoup trop bourré de Nordiens.

— Retourne à tes poupées, nièce. Laisse aux guerriers le soin de gagner les guerres. » Victarion exhiba ses poings. « J'ai deux mains. Nul homme n'a besoin d'en posséder trois.

— J'en connais un qui a besoin de la maison Harloi, toujours…

— Hotho le Bossu m'a offert sa fille pour reine. Si je l'accepte, j'aurai les Harloi. »

Elle fut prise à contre-pied. « C'est lord Rodrik, le chef de la maison Harloi.

— Rodrik n'a pas de filles, rien que des bouquins. Hotho sera son héritier, et je serai le roi. » Du fait de l'avoir dit à haute voix, cela sonnait bien avéré. « L'Œil-de-Choucas est resté trop longtemps au loin.

— Il y a des hommes qui paraissent plus grands, vus de loin, l'avertit Asha. Allez donc faire un tour parmi les feux de camp, si vous en avez l'audace, et tendez l'oreille. Votre vigueur ne fait pas l'objet des histoires qu'on y raconte, pas plus que ma célèbre vénusté. On n'y parle que du Choucas ; des contrées lointaines qu'il a visitées, des femmes qu'il a violées, des hommes qu'il a tués, des villes qu'il a saccagées, de la façon dont il a brûlé la flotte de lord Tywin à Port-Lannis…

— C'est *moi* qui ai brûlé la flotte du lion ! s'emporta Victarion. C'est de mes propres mains que j'ai balancé la première torche contre son navire amiral !

— Mais c'est le Choucas qui avait pondu le plan. » Asha posa une main sur le bras de son oncle. « Et c'est aussi lui qui a assassiné votre femme, n'est-ce pas ? »

Balon leur avait formellement interdit d'en parler, mais Balon n'était plus. « Comme il l'avait engrossée, je me suis vu dans l'obligation de la mettre à mort moi-même. J'aurais volontiers tué l'Œil-de-Choucas dans la foulée, mais la seule idée qu'un fratricide puisse avoir lieu dans sa demeure a révolté Balon. Il a condamné Euron à l'exil, à un exil sans espoir de retour jamais…

— C'est-à-dire aussi longtemps que mon père serait en vie ? »

Victarion contempla ses poings. « Elle m'avait planté des cornes. Je n'avais pas le choix. » *Si mon infortune avait été connue, j'aurais été la risée de tout le monde, comme j'avais été la risée d'Euron pendant notre face-à-face.*

« *Elle en voulait, elle mouillait quand elle est venue me relancer, s'était effectivement esbaudi l'autre flambard. Paraît que tu es copieux de partout sauf à l'endroit où il faudrait…* »

Mais, de pareils détails, il était impossible à Victarion d'en informer Asha.

« J'en suis navrée pour vous, commenta-t-elle, et encore plus pour cette malheureuse. Mais, cela dit, vous ne me laissez guère d'autre solution que de revendiquer personnellement le Trône de Grès. »

Tu cours au fiasco. « Ton souffle t'appartient. Libre à toi de le gaspiller, femme.

— Libre à moi. » Et elle le quitta.

LE NOYÉ

Aeron Greyjoy attendit que le froid lui eût complètement engourdi les bras et les jambes pour se résoudre à regagner enfin tant bien que mal la grève et à renfiler ses robes. Il avait pris la fuite aussi lâchement tout à l'heure devant l'Œil-de-Choucas que s'il était encore la misérable créature d'autrefois, mais à peine les vagues s'étaient-elles mises à lui déferler sur le crâne que la mémoire lui était une fois de plus revenue : ce minus était mort. *Je suis rené de la mer en homme plus dur à la peine et plus vigoureux*. Plus aucun mortel n'était à même de lui faire peur, plus aucun, désormais, pas plus que ne le pouvaient les ténèbres, pas plus que ne le pouvaient les ossements de son âme, les ossements grisâtres et macabres de son âme. *Le bruit d'une porte qui s'ouvre, le grincement d'une charnière de fer rouillée.*

Tandis qu'il s'en revêtait, ses robes crissaient, toutes raides encore du sel dont les avait imprégnées la dernière lessive, une quinzaine auparavant. Leur lainage se colla contre sa poitrine mouillée, tout en s'imbibant de l'eau qui ruisselait de sa tignasse. Après avoir rempli sa gourde dans les flots, il se la balança par-dessus l'épaule.

Comme il traversait la grève à grandes enjambées, un noyé qui revenait de satisfaire aux besoins triviaux de nature le carambola dans le noir. « Tifs-Trempes », murmura-t-il. Aeron lui posa une main sur la tête et, après l'avoir béni, poursuivit sa route. Le terrain s'éleva sous ses pieds, d'abord doucement, puis de manière plus abrupte. Enfin, le frottement rêche de l'herbe entre ses orteils lui révéla qu'il avait quitté le rivage, et il se mit à grimper lentement, son attention concentrée sur la rumeur des lames. *La mer ne se lasse jamais. Il me faut être aussi infatigable qu'elle.*

Au sommet de la colline jaillissaient du sol quarante-quatre monstrueuses côtes de pierre analogues aux troncs de gigantesques arbres blêmes. Leur vue suffit à accélérer les battements du cœur d'Aeron. Nagga avait été la première des dragons de mer à surgir des vagues, et la plus puissante qu'on eût jamais contemplée. Elle se nourrissait de seiches et de léviathans et, dans sa fureur, submergeait des îles entières, mais le Roi Gris l'ayant finalement tuée, le dieu Noyé avait changé ses ossements en pierre afin que les hommes ne risquent jamais de cesser de s'émerveiller de la bravoure du premier de leurs souverains. Les côtes de Nagga servirent de poutres et de piliers à la résidence de celui-ci, tout comme ses mâchoires devinrent son trône. *C'est ici qu'il régna mille et sept années*, se souvint le prêtre. *C'est ici qu'il prit sa sirène pour épouse et ici qu'il élabora les plans de ses guerres contre le dieu des Tornades. C'est d'ici qu'il régna sur la pierre et le sel, habillé de robes d'algues tissées et le chef coiffé d'une haute couronne pâle façonnée avec des dents de Nagga.*

Mais cela se passait à l'aube des jours, alors que la terre et la mer servaient encore de demeure à des hommes puissants. En ces temps-là, la grand-salle de la résidence était chauffée par le feu vivant de Nagga, que le Roi Gris avait réduite en esclavage. Ses murs étaient tendus de tapisseries qui, tissées d'algues marines argentées, charmaient on ne peut mieux les yeux. Croulant sous les victuailles prodiguées par les flots, la table autour de laquelle festoyaient les guerriers du Roi Gris présentait la forme d'une colossale étoile de mer, et ils occupaient des sièges en nacre sculptée. *Disparues, toutes ces splendeurs, toutes disparues.* Les hommes étaient à présent plus petits. La durée de leurs existences s'était raccourcie. Le dieu des Tornades avait submergé le feu de Nagga dès après la mort du Roi Gris, des voleurs avaient emporté les fauteuils et les tapisseries, les toitures et les murs du palais s'étaient écroulés. Même le prodigieux trône à crocs du Roi Gris, la mer l'avait englouti. Uniques vestiges de tant de merveilles abolies, les ossements de Nagga ne subsistaient que pour obliger les Fer-nés à se souvenir d'un si glorieux passé.

Voilà qui suffit, songea Aeron Greyjoy.

Neuf larges marches avaient été taillées dans le faîte rocheux de la colline. À l'arrière s'élevaient les hurlemonts de Vieux Wyk avec, dans le lointain, des montagnes cruellement noires. Une fois parvenu devant l'ancien emplacement des portes, le prêtre marqua un temps d'arrêt pour déboucher sa gourde, y but une longue lampée d'eau salée puis se retourna pour faire face à la mer. *Nous sommes nés de la mer, et à la mer nous devons retourner.* Même en ces lieux lui parvenait net et distinct le grommellement sempiternel des vagues, et il percevait physiquement le pouvoir du dieu tapi dans les abysses. Il se laissa tomber à genoux. *C'est toi qui m'as envoyé les gens de ton peuple*, pria-t-il. *Ils ont quitté leurs demeures et leurs masures, leurs châteaux et leurs forts, et ils sont venus, de chaque village de pêche et de chaque vallon caché, vers les ossements de Nagga. Accorde-leur maintenant la sagesse de reconnaître le roi véritable quand il se présentera devant eux, et la force de repousser l'imposteur.* Aeron Greyjoy passa la nuit tout entière en prières, car, lorsque le dieu se trouvait en lui, il n'avait nul besoin de sommeil, pas plus que n'en avaient besoin la houle marine ni les poissons des flots salés.

De sombres nuages détalaient devant le vent lorsqu'en ce monde s'aventura furtivement le point du jour. De noir qu'il était, le ciel vira à un gris d'ardoise, et d'un gris-vert devint la mer de poix ; de l'autre côté de la baie, les ténébreuses montagnes de Grand Wyk endossèrent les tons bleu-vert de pins plantons. Au fur et à mesure que l'univers reprenait couleur comme à la dérobée, une centaine de bannières se déployèrent en claquant. Aeron repéra le poisson d'argent des Botley, la lune sanglante des Wynch, le vert sombre des arbres Orkwood. Il discerna des cors de guerre et des léviathans et des faux et, partout, les seiches géantes et dorées. Là-dessous commençaient à s'agiter serfs et femmes-sel, qui tisonnant des braises pour leur refaire prendre vie, qui vidant du poisson pour le déjeuner prochain des capitaines et des rois. Lorsque la lumière de l'aube finit par toucher la grève, il regarda les hommes émerger du sommeil, repousser leurs couvertures de peau de phoque et s'empresser de réclamer à grands cris leur première corne de bière. *Buvez, buvez un bon coup*, songea-t-il, *car divine est l'œuvre que nous devons accomplir aujourd'hui*.

La mer s'agitait, elle aussi. Les vagues prirent de l'ampleur avec le lever du vent, soulevant des gerbes d'embruns qui s'écrasaient contre les boutres. *Le dieu Noyé se réveille*, songea le Tifs-Trempes, qui entendait sa voix monter du fin fond des flots. « *En ces lieux, ce jour, je serai avec toi, disait-elle, ô mon fidèle et vaillant serviteur. Aucun impie ne siégera jamais sur mon Trône de Grès.* »

Ce fut là, sous les arcs de la voûte esquissée par les côtes de Nagga, que ses noyés retrouvèrent Aeron, dressé de toute sa hauteur et la mine austère, avec sa longue chevelure noire qui flottait au vent. « Est-ce le moment ? » questionna Rœss.

Le prêtre acquiesça d'un signe de tête avant de déclarer : « Ce l'est. Allez, et faites résonner les convocations. »

Les noyés brandirent leurs gourdins de bois flotté puis se mirent à les entrechoquer mutuellement tout en redescendant le flanc de la colline. D'autres se joignirent à eux, et le fracas qu'ils faisaient se répandit tout le long de la grève. Si formidable était le vacarme que produisaient ces claquements secs que l'on aurait juré que des dizaines d'arbres se cognaient les uns contre les autres à coups de branches forcenés. Des martèlements de timbales se mirent à retentir aussi, *boum-boum-boum-boum-boum, boum-boum-boum-boum-boum*. Un cor de guerre entreprit de mugir à son tour, puis un second. *AAAAAAoooooooooooooooooooooooooo*.

Les gens délaissèrent leurs feux de camp pour converger de toutes parts vers les ossements de la résidence du Roi Gris ; il y avait là des rameurs et des timoniers, des fabricants de voiles et des charpentiers navals, sans compter les guerriers armés de leurs haches et les pêcheurs trimbalant leurs filets. Certains étaient escortés de serfs en guise de domestiques, certains se faisaient suivre de femmes-sel. D'autres, qui ne s'étaient que trop souvent frottés aux contrées vertes, se ramenaient assistés de mestres, de chanteurs et de chevaliers. Le vulgaire s'amassa en demi-cercle au pied de la butte, avec les serfs et les enfants, les femmes plutôt vers l'arrière. Les capitaines et les rois se frayèrent passage, eux, pour escalader les versants. Aeron Tifs-Trempes distingua le jovial Sigfry Pindepierre, Andrik l'Insouriant, le chevalier ser Harras Harloi. Emmitouflé dans ses zibelines, lord Baelor Noirmarées se tenait auprès du Maisonpierre aux peaux de phoque archimitées. Victarion dominait tout le monde, Andrik excepté. À ce détail près qu'il ne portait pas de heaume, il avait entièrement revêtu son armure, et le manteau frappé de la seiche l'enveloppait d'or des épaules au sol. *C'est lui qui sera notre roi. Quel homme pourrait poser les yeux sur sa personne puis douter de son élection ?*

Lorsque Aeron leva ses mains décharnées, les timbales et les cors firent silence instantanément, les gourdins des noyés s'abaissèrent, et toutes les voix se turent. Seule persista l'obsédante pulsation des vagues dont nul au monde ne pouvait suspendre les mugissements. « Nous sommes nés de la mer, et à la mer nous retournerons tous », débuta le prêtre, assez bas d'abord, de sorte que tout un chacun devait tendre l'oreille pour entendre sa voix. « Le dieu des Tornades a, dans sa fureur, arraché Balon à sa forteresse pour le jeter bas, mais celui-ci festoie désormais sous les vagues dans les demeures liquides du dieu Noyé. » Il éleva ses yeux vers les nues. « *Balon est mort ! Le fer-roi est mort !*

— *Le roi est mort !* crièrent en chœur ses affidés noyés.

— Mais ce qui est mort ne saurait mourir, mais se lève à nouveau, plus dur à la peine et plus vigoureux ! rappela-t-il à son auditoire. Balon est tombé, Balon mon frère, qui honorait l'Antique Voie et payait le fer-prix. Balon le Brave, Balon le Béni, Balon le deux fois Couronné, qui nous a reconquis nos libertés et notre dieu. Balon est mort. Mais un fer-roi va se lever à nouveau pour occuper le Trône de Grès et gouverner les Îles.

— *Un roi va se lever !* répondirent-ils. *Il va se lever !*

— Il va le faire. Il doit le faire. » La voix d'Aeron se mit à tonner comme les vagues. « Mais qui sera-t-il ? Qui prendra la place de Balon ? Qui gouvernera ces îles sacrées ? Se trouve-t-il ici, parmi nous, maintenant ? » Il ouvrit ses mains toutes grandes. « *Qui régnera sur nous ?* »

Le cri d'une mouette lui répondit. La foule commença à remuer, tels autant de dormeurs émergeant d'un songe. Chacun lorgnait ses voisins d'un air curieux : lequel d'entre eux pourrait bien avoir la présomption de revendiquer la couronne ? *La patience n'a jamais été le fort de l'Œil-de-Choucas*, se dit Aeron Tifs-Trempes. *Peut-être va-t-il être le premier à prendre la parole*. Dans ce cas, il signerait sa perte. Les capitaines et les rois n'étaient pas venus banqueter de si loin pour jeter leur dévolu sur le premier plat que l'on placerait devant eux. *Ils vont avoir envie de goûter, de savourer des échantillons, de tâter d'une bouchée de celui-ci, une lichette de celui-là, de déguster à loisir jusqu'à ce que leur tombe sous la dent celui qui leur semblera le plus friand.*

Euron ne devait pas l'ignorer non plus, car il se garda de piper mot comme de bouger et demeura planté, bras croisés, parmi sa clique de monstres et de muets. L'appel du prêtre n'eut point d'autre écho d'ailleurs que le bruit des vagues et du vent.

« Les Fer-nés doivent avoir un roi, reprit-il donc d'un ton pressant, au bout d'un interminable silence. Je pose à nouveau la question : *Qui régnera sur nous ?*

— Moi », répliqua quelqu'un du bas de la butte.

Sur-le-champ s'élevèrent des ovations plutôt maigrichonnes : « Gylbert ! Gylbert roi ! » Les rangs des capitaines s'ouvrirent pour livrer passage au prétendant qui, suivi de ses champions, gravit la colline afin de venir se placer aux côtés de Tifs-Trempes sous les côtes de Nagga.

Ce roi potentiel était un grand diable de lord élancé, au visage mélancolique, aux joues creuses rasées de près. Ses trois champions prirent leur position deux marches au-dessous de lui, portant son épée, son bouclier et sa bannière. Eu égard au fait que leurs traits présentaient une certaine ressemblance avec les siens, Aeron les prit pour ses fils. L'un d'eux déploya la bannière, où se détachait un grand boutre noir sur fond de soleil couchant. « Je suis Gylbert Vendeloyn, maître et seigneur de Lumière Isolée », déclara le postulant.

Aeron connaissait quelques Vendeloyn, de drôles de gens qui tenaient des terres sur les côtes extrême-occidentales de Grand Wyk et dans les îles éparpillées au-delà, des îlots rocheux si ténus qu'ils ne pouvaient pour la plupart pourvoir à la subsistance que d'une seule maisonnée. Le plus distant de ces derniers se trouvait être justement Lumière Isolée, à huit jours de voile au nord-ouest, parmi des colonies de phoques et de lions de mer, perdu dans l'infini des grisailles océanes. Les Vendeloyn qui vivaient là étaient encore plus bizarres que tous les autres. D'aucuns affirmaient qu'ils étaient métamorphosistes, des créatures démoniaques, et qu'ils pouvaient prendre à leur gré l'apparence des lions de mer ou des morses et même celle des baleines mouchetées, ces loups de la faune marine.

Lord Gylbert entreprit de parler. Il évoqua des contrées merveilleuses sises au-delà des flots du Crépuscule et qui ignoraient l'hiver comme la disette et ne subissaient point l'emprise de la mort. « Faites de moi votre souverain, et je vous y conduirai, cria-t-il. Nous construirons dix mille navires, ainsi que le fit Nyméria jadis, et puis nous appareillerons avec tout notre peuple pour ces contrées d'outre-Couchant. Là-bas, chaque homme sera un roi, et une reine chaque épouse. »

Tantôt gris, tantôt bleus, ses yeux, s'aperçut Aeron, étaient de teintes aussi mouvantes que les mers. *Des yeux déments*, songea-t-il, *des yeux de fou*. Ses propos visionnaires étaient sans l'ombre d'un doute un leurre dicté par le dieu des Tornades afin d'attirer les Fer-nés dans un piège fatal. Les offrandes que ses hommes étalèrent devant les états généraux de la royauté comprenaient notamment des peaux de phoque et des dents de morse, des armilles en os de baleine, des cors de guerre cerclés de bronze. Les capitaines ne leur concédèrent qu'un coup d'œil avant de se détourner et de les abandonner à la convoitise de subalternes. Une fois que le fou eut fini de jaser, ses champions se mirent à beugler son nom, mais il n'y eut après que les Vendeloyn pour faire chorus, et encore même pas tous. Aussi les cris de « Gylbert ! Gylbert roi ! » ne tardèrent-ils guère à s'affaiblir et à s'éteindre. La mouette émit un piaulement tapageur au-dessus de l'assistance et alla se poser sur l'une des côtes de Nagga, tandis que le sire de Lumière Isolée retournait vers le bas de la butte.

Aeron Tifs-Trempes s'avança derechef. « Je pose à nouveau la question : *Qui régnera sur nous ?*

— Moi ! » tonitrua une voix de basse profonde et, derechef, la foule s'écarta.

L'intervenant gravit la colline à bord d'un fauteuil de bois flotté sculpté que charriaient sur leurs épaules ses petits-fils. On avait empaqueté ce prodigieux amas de ruines pesant quelque deux cent soixante livres et âgé de quatre-vingt-dix ans dans un manteau de peau d'ours blanc. Blancs comme neige étaient aussi ses cheveux, tout comme la barbe monumentale qui le couvrait telle une courtepointe des pommettes aux cuisses, tant et si bien qu'on pouvait difficilement dire où s'achevait le poil et où débutait la fourrure. Ses petits-fils avaient beau être de grands gaillards costauds, ce n'est pas sans ahaner dur qu'ils réussirent à le hisser dans l'escalier de pierre abrupt. Ils le déposèrent enfin devant la résidence du Roi Gris, puis trois d'entre eux se campèrent en léger contrebas pour lui tenir lieu de champions.

Il y a soixante ans, celui-là aurait bien pu remporter la palme des états généraux de la royauté, songea Aeron, *mais son heure est passée depuis belle lurette*.

« Ouais, moi ! » rugit le vieillard de sa place, d'une voix non moins impressionnante que sa personne. « Pourquoi non ? Qui dit mieux ? Je suis Erik Forgefer, pour ceusses qu'ont pas de zyeux. Erik le Juste. Erik Brise-enclume. Montre-zyeur mon marteau, Thormor. » L'un de ses champions le brandit à la vue de tous ; un machin monstrueux, c'était, avec le manche tapissé de vieux cuir et, pour tête, une brique d'acier grosse comme une miche de pain. « Je peux pas compter combien que j'ai'crabouillé de mains,'vec euç'marteau que v'là, reprit Erik, mais ça se pourrait des fois qu'y a quèqu'voleur qui pourrait vous dire. Je peux pas compter combien que j'ai'crabouillé de crânes cont'e m'n enclume, ça non p'us, mais ça, y a des veuves qui pourraient. Je pourrais ben vous dire, ça, tous les essploits que j'm'ai faits au combat, mais j'ai quatre-vingt-huit ans, et je s'rai déjà mort que, ça, j'aurais pas'cor fini. Si vieux, ça veut dire sage, alors, ça, y a pas d'quinqu'un p'us sage qu'mézigue. Si mahous, ça veut dire balèze, alors y a pas d'quinqu'un p'us balèze qu'mézigue. C'est-y un roi'vec d's héritiers que v's avez envie ? J'en ai p'us que je peux compter. Roi Erik, ouais, j'aim'ben l'son qu'ç'a, ça, moi. Allez, disez-l'vec moi : *ERIK ! ERIK BRISE-ENCLUME ! ERIK ROI !* »

Tandis que ses petits-fils reprenaient l'antienne, leurs propres fils s'avancèrent, les épaules chargées de coffres qu'ils renversèrent au bas des degrés de pierre. Il s'en échappa, tel un torrent d'argent, de bronze et d'acier, des armilles, des colliers, des dagues, des poignards, des haches de jet qui s'éparpillèrent de tous côtés. Un petit nombre de capitaines raflèrent les plus belles pièces et ajoutèrent leurs voix au refrain qui s'étoffait déjà. Mais à peine celui-ci commençait-il à trouver sa scansion qu'une voix de femme y coupa court : « *Erik !* » Les gens s'écartèrent pour laisser passer la trublionne qui, posant finalement un pied sur la dernière marche, lança : « Erik, lève-toi. »

Un silence énorme s'abattit soudain. La bise soufflait, les vagues se brisaient sur la grève, des hommes se murmuraient des choses à l'oreille. Erik Forgefer abaissa son regard sur Asha Greyjoy. « Greluche… Greluche trois fois maudite ! C'est quoi, ça qu't'as dit ?

— Lève-toi, Erik, répéta-t-elle sans broncher. Lève-toi, et je crierai ton nom avec tous les autres. Lève-toi, et je serai la première à te suivre. Tu veux une couronne, c'est entendu. Lève-toi et prends-la. »

Du sein de la foule éclata, à un autre endroit, le rire de l'Œil-de-Choucas. Erik le dévisagea fixement. Ses mains de colosse se crispèrent violemment sur les accoudoirs du fauteuil de bois flotté. Sa face devint cramoisie puis se violaça. L'effort fit trembler ses bras. Aeron vit une grosse veine bleue lui battre le cou pendant qu'il s'échinait à se mettre debout. On eut un moment l'impression qu'il allait réussir à le faire mais, le souffle lui manquant d'un seul coup, il poussa un grognement et s'affala derechef parmi ses coussins. Euron n'en rigola qu'à gorge mieux déployée. Le mahous laissa retomber sa tête sur sa poitrine et ne fut plus qu'un pauvre vieux, ce en l'espace d'un clin d'œil. Ses petits-fils le remportèrent au bas de la colline.

« Qui gouvernera les Fer-nés ? lança le prêtre une fois de plus. Qui régnera sur nous ? »

Les hommes échangèrent des regards interrogatifs. Certains louchaient vers Victarion, certains du côté d'Euron, quelques-uns en direction d'Asha. Les vagues accouraient, vertes, s'écraser, blanches, contre les boutres. La mouette glapit à nouveau, d'une voix rauque, désolée. « Fais valoir tes droits, Victarion ! beugla le Merlyn. Qu'on en finisse une bonne fois pour toutes avec ces pantalonnades !

— Quand je serai prêt ! » lui gueula Victarion.

Aeron s'en félicita. *Mieux vaut qu'il attende*.

Ainsi la main passa-t-elle au Timbal, encore un vieillard, mais pas aussi chenu que le précédent. Il escalada la colline sur ses propres jambes, avec sur la hanche Pluie Pourpre, sa fameuse épée d'acier valyrien, forgée dans les temps d'avant le Fléau. L'escortaient des champions de première bourre : ses fils Denys et Donnel qui, déjà combattants valeureux tous deux, flanquaient en outre Andrik l'Insouriant, géant s'il en était et muni de bras trapus comme des troncs d'arbre. Qu'un type de cet acabit soutînt la cause du Timbal valait son pesant d'éloges.

« Où est-il écrit que notre roi doive être une seiche ? débuta ce dernier. De quel droit l'île de Pyk peut-elle se prévaloir pour nous gouverner ? Grand Wyk est la plus vaste de l'archipel, Harloi la plus riche, Vieux Wyk la plus sainte. Lorsque la lignée noire fut consumée par le feudragon, c'est à Vickon Greyjoy que les Fer-nés concédèrent la primauté, ouais… Mais comme *lord*, pas comme roi. »

C'était une entrée en matière astucieuse. Aeron entendit retentir des cris d'approbation, mais qui se dissipèrent au fur et à mesure que le vieil homme entreprenait de vanter par le menu la gloire de sa maison. Il parla de Dale la Terreur, de Roryn le Razzieur, des cent fils de Gormond Timbal le Patriarche. Il dégaina Pluie Pourpre et conta de quelle manière Hilmar Timbal le Matois s'était débrouillé pour la prendre à un chevalier armé de pied en cap, sans autres atouts, lui, que sa vivacité d'esprit et qu'une vulgaire matraque en bois. En l'entendant parler de bateaux depuis longtemps perdus, de batailles oubliées depuis huit cents ans, l'assistance devint rétive. Et il parla, parla, parla, puis il parla encore et encore et encore…

Et quand il eut finalement fait déballer ses coffres, les capitaines constatèrent qu'il ne leur avait apporté que des présents de pingre. *On ne s'est jamais payé de trône en monnaie de singe*, songea le Tifs-Trempes. La véracité de ce fait se confirma de manière assourdissante, car les cris de : « *Timbal ! Timbal ! Dunstan roi !* » firent bientôt long feu.

Aeron se sentit soudain le ventre serré, et il lui sembla que le déferlement des vagues était à présent plus bruyant. *L'heure a sonné*, songea-t-il. *L'heure a sonné pour Victarion de se déclarer.* « Qui régnera sur nous ? » cria-t-il encore une fois, mais en repérant pour le coup son frère dans la cohue pour darder farouchement sur lui ses prunelles noires… « *Neuf fils étaient issus des reins de Quellon Greyjoy. L'un d'eux se révéla d'une puissance physique supérieure à celle de tous les autres, et il faisait montre d'une intrépidité sans faille.* »

Leurs yeux n'eurent qu'à se croiser pour que Victarion acquiesce d'un hochement. Les rangs des capitaines s'ouvrirent devant ses pas quand il se dirigea vers l'escalier. « Frère, accorde-moi ta bénédiction », dit-il une fois parvenu en haut. Il s'agenouilla et inclina la tête. Aeron déboucha sa gourde et lui versa un filet d'eau de mer sur le front. « Ce qui est mort ne saurait mourir... », articula-t-il, et Victarion poursuivit en répons : «... mais se lève à nouveau, plus dur à la peine et plus vigoureux. »

Quand Victarion se releva, ses champions se rangèrent au-dessous de lui : Ralf le Boiteux, Ralf le Rouge de Maisonpierre et Nutt le Barbier, tous appartenant à la fine fleur des guerriers. Maisonpierre était porteur de la bannière Greyjoy à l'emblème de la seiche d'or sur un champ d'encre comme la mer à minuit. Aussitôt qu'il l'eut déroulée, les capitaines et les rois commencèrent à brailler le nom du lord Capitaine. Victarion attendit pour prendre la parole qu'ils se soient calmés. « Vous me connaissez tous. Si c'est de paroles mielleuses que vous avez envie, adressez-vous ailleurs. Je n'ai pas une langue de chanteur. J'ai une hache, et j'ai ces deux-là. » Il brandit vers le ciel ses énormes mains tapissées de maille pour les leur montrer, pendant que Nutt le Barbier exhibait, lui, l'arme, une effroyable masse d'acier. « J'ai été un frère loyal, poursuivit Victarion. Lorsque Balon s'est marié, c'est moi qu'il a chargé d'aller chercher sa future et de la ramener d'Harloi. J'ai conduit ses navires en maintes batailles et n'en ai jamais perdu qu'une seule. La première fois que Balon prit une couronne, c'est moi qui pénétrai dans Port-Lannis afin de roussir la queue du lion. La seconde fois, c'est moi qu'il dépêcha pour dépecer le Jeune Loup si celui-ci s'avisait jamais de retourner hurler chez lui. De moi, vous obtiendrez plus que vous n'avez obtenu de Balon. Voilà tout ce que j'ai à dire. »

Ses champions se mirent sur ces entrefaites à entonner le chant de « *VICTARION ! VICTARION ! VICTARION ROI !* », cependant qu'au bas de la butte ses hommes renversaient ses coffres de pillard et en faisaient cascader de somptueux ruisseaux d'argent, d'or et de pierreries. Des capitaines se bousculèrent à qui mieux mieux pour s'emparer des plus riches dépouilles, non sans, ce faisant, beugler de même : « *VICTARION ! VICTARION ! VICTARION ROI !* » Aeron loucha vers le Choucas. *Est-ce à présent qu'il va parler, ou bien préférera-t-il laisser les états généraux de la royauté continuer à se dérouler ?* Orkwood d'Orkmont était en train de chuchoter des choses à l'oreille d'Euron.

Or, ce ne fut pas Euron qui mit un terme aux acclamations mais *la bonne femme*. Elle se planta deux doigts dans la bouche et *siffla*, sur une note aiguë d'une telle stridence qu'elle transperça le tumulte avec autant d'aisance qu'un poignard du fromage blanc. « *M'n onc'! M'n onc'!* » Elle se pencha pour rafler au passage un torque d'or torsadé puis gravit les degrés en trombe. Nutt l'attrapa par un bras et, une seconde, Aeron se berça de l'espoir que les champions de son frère sauraient la contraindre à se taire, mais elle se dégagea brutalement de l'emprise du Barbier puis dit à Ralf le Rouge quelque chose qui le fit s'écarter d'un pas. À peine eut-elle franchi l'obstacle que le silence retomba. Elle était après tout la propre fille de Balon Greyjoy, et la foule cédait à la curiosité de l'entendre.

« C'est trop aimable à vous d'avoir apporté de pareils présents pour mes états généraux de reine, m'n onc', déclara-t-elle à Victarion, mais vous n'aviez que faire de vous encombrer d'une telle armure. Je ne vous ferai pas de mal, promis. » Elle pivota pour faire face aux capitaines. « Il n'est personne de plus brave que mon nononc'à moi, personne de plus fort, personne de plus implacable au combat. Et il compte jusqu'à dix aussi vite que quiconque, je l'ai vu le faire… Mais, dès qu'il faut qu'il aille jusqu'à vingt, il est forcé de retirer ses bottes. » On se mit à rire. « Il n'a pas de fils, toutefois. Ses femmes s'obstinent à mourir. L'Œil-de-Choucas étant son aîné, ses prétentions sont mieux fondées…

— Ben mieux ! glapit d'en bas le Rameur Rouge.

— Oh, mais les miennes encore mieux. » Asha plaça le torque sur sa tête en un biais vaguement canaille qui fit miroiter l'or sur ses cheveux sombres. « Le frère de Balon ne saurait prévaloir sur le fils de Balon !

— Les fils de Balon sont morts ! cria Ralf le Boiteux. Tout ce que je vois, moi, c'est cette gamine de fille à Balon !

— Fille ? » Asha glissa une main sous son justaucorps. « Oho ! Qu'est-ce là ? Si je vous montrais… ? Certains d'entre vous n'en ont pas vu un seul depuis qu'on les a sevrés. » Cela déchaîna de nouveaux rires. « Des nichons sur un roi, quelle horreur… C'est ça, la chanson ? Tu m'as bien eue, Ralf, je *suis* une femme… Mais pas une *vieille* femme comme toi. Ralf le Boiteux… Ça ne devrait pas être Ralf le Flasque, plutôt, des fois ? » Elle retira un stylet d'entre ses seins. « Je suis une mère aussi, et mon nourrisson, le voici ! » Elle le leva en l'air. « Et, tenez, voilà mes champions. » Dépassant les trois de Victarion, vinrent se planter au-dessous d'elle Qarl Pucelle, Tristifer Botley et ser Harras Harloi, chevalier dont l'épée, Crépuscule, jouissait d'une aussi noble illustration que la Pluie Pourpre de Dunstan Timbal. « Mon nononc'à moi vous a dit que vous le connaissiez. Vous me connaissez, moi aussi…

— Me botterait, à moi, mieux te connaître à fond ! gueula quelqu'un.

— Rentre chez toi, et apprends à connaître ta femme, riposta-t-elle sans se démonter. M'n onc'dit qu'il vous donnera plus que mon père ne vous a donné. Eh bien, de quoi s'agissait-il ? D'or et de gloire, diront certains. De *liberté*, plaisant toujours. Ouais, c'est vrai qu'il nous a donné ça. Et des veuves aussi, lord Noirmarées vous le confirmera. Combien d'entre vous ont vu leurs maisons passées à la torche lors de la venue de Robert ? Combien ont eu leurs filles violées, ravagées pour la vie ? Villes incendiées, châteaux détruits, mon père vous a donné ça. *Défaite* fut ce qu'il vous donna. M'n onc'ici présent veut vous donner davantage encore. Moi non.

— Quoi c'est-y que tu nous donneras ? demanda Lucas Morru. Du tricot ?

— Ouais, Lucas. Je nous tricoterai à tous un royaume. » Elle fit sauter son stylet d'une main dans l'autre. « Il nous faut tirer leçon du Jeune Loup, qui remporta chacune de ses batailles… et perdit tout.

— Un loup n'est pas une seiche, objecta Victarion. Ce que la seiche agrippe, elle ne le lâche pas, qu'il s'agisse d'un boutre ou d'un léviathan.

— Et qu'avons-nous donc agrippé que nous tenions d'une main *si ferme*, m'n onc'? Le Nord ? C'est quoi, le Nord, sinon des lieues et des lieues de lieues et de lieues loin du bruit de la mer ? Nous avons pris Moat Cailin, Motte-la-Forêt, Quart Torrhen, *même* Winterfell. Qu'est-ce que cela nous permet de montrer ? » Elle fit signe d'approcher, et les hommes de son *Vent noir* s'avancèrent, leurs épaules chargées de coffres de chêne et de fer. « Je vous donne les richesses des Roches », dit-elle après que, son contenu ayant été répandu, le premier se fut révélé bourré jusqu'à la gueule de galets qui dévalèrent à grand fracas les marches. Des galets gris, des blancs, des noirs, érodés et polis, lustrés par la mer. « Je vous donne les trésors de Motte-la-Forêt », reprit-elle pendant qu'on ouvrait le deuxième, lequel délivra des pignes de pin qui roulèrent en bondissant jusqu'au milieu de l'assistance. « Et, pour finir, je vous donne l'or de Winterfell. » Du troisième coffre surgirent alors des navets jaunes, ronds, durs et gros comme des têtes d'hommes, qui finirent par aboutir parmi les pignes et les galets. Asha planta son stylet dans l'un d'eux. « Harmund Aigu ! clama-t-elle, ton fils Harrag est mort à Winterfell... pour ceci ! » Elle arracha le navet de la lame et le lui lança. « Tu as d'autres fils, je crois. Si tu as envie de troquer leurs vies contre des navets, alors, crie le nom de m'n nononc'chéri !

— Et si c'est *ton* nom que je crie ? demanda Harmund. Qu'est-ce qu'on aura, dans ce cas ?

— La paix, répondit Asha. Des terres. La victoire. Je vous donnerai la presqu'île de Merdragon et la côte des Roches, de l'humus noir et des arbres de belle venue et de la pierre à suffisance pour permettre à chaque fils puîné de se construire une demeure personnelle. Nous aurons aussi les Nordiens... avec nous, comme amis et comme alliés pour tenir tête au Trône de Fer. Le choix que vous avez à faire n'est pas compliqué. Couronnez-moi, à vous la paix et la victoire. Couronnez mon oncle, à vous surcroît de guerre et surcroît de défaite. » Elle rengaina son stylet. « Qu'avez-vous donc envie d'avoir, Fer-nés ?

— *LA VICTOIRE !* » hurla Rodrik le Bouquineur, les mains placées en porte-voix autour de sa bouche. « *La victoire, et Asha !*

— *ASHA !* lui fit écho d'une voix tonnante lord Baelor Noirmarées. *ASHA REINE !* »

Les hommes d'équipage de celle-ci reprirent le refrain : « *ASHA ! ASHA ! ASHA REINE !* »

Abasourdi, Aeron les regardait, sans réussir à en croire ni ses oreilles ni ses yeux, taper des pieds, brandir et agiter leurs poings, s'époumoner. *Elle voudrait laisser inachevée l'œuvre de son père !* Et cependant, c'était bien pour elle que s'égosillait Tristifer Botley, pour elle que vociféraient avec lui quantité de Harloi, certains des Bonfrère, le lord Merlyn avec sa bouille cramoisie, beaucoup plus de monde, en fait, que ne se le serait jamais figuré le prêtre… Pour elle, *une bonne femme* !

Mais il y en avait d'autres qui demeuraient cois, quand ils ne marmonnaient pas des apartés avec leurs voisins. « *À bas la paix des pleutres !* » rugit Ralf le Boiteux. Ralf le Rouge de Maisonpierre fit ondoyer la bannière Greyjoy et aboya : « *Victarion ! VICTARION ! VICTARION !* » Des bousculades partisanes s'ensuivirent. Quelqu'un balança une pigne à la tête d'Asha. En se baissant vivement pour esquiver le projectile, celle-ci fit tomber son simulacre de couronne. Pendant un moment, le Tifs-Trempes eut l'impression de se tenir juché sur une fourmilière géante au pied de laquelle bouillonnaient des myriades de fourmis. Les bourrasques adverses d'« *Asha !* » et de « *Victarion !* » qui surgissaient de ce magma semblaient présager qu'un cataclysme épouvantable s'apprêtait à tout engloutir. *Le dieu des Tornades est parmi nous*, songea le prêtre, *semant la rage et la discorde*.

Aussi tranchant qu'un coup d'épée retentit tout à coup l'appel lancinant d'un cor.

Doté d'un timbre à l'éclat funeste et d'une stridence insoutenable, son hurlement vous faisait *vrombir* la carcasse, et il se prolongea indéfiniment dans l'atmosphère saturée d'humidité marine : *aaaa RREEEEeeeeeeeeeeeeeeeeeeeeeeeeeeeeeeeeeeee*.

Tous les yeux se tournèrent en direction du son. Il provenait de l'un des métis d'Euron, monstrueuse créature au crâne tondu. Des anneaux d'or et de jade et de jais miroitaient sur ses bras, et son torse énorme était tatoué de va savoir quelle variété de rapace aux serres dégouttant de sang.

aaaaRREEEEeeeeeeeeeeeeeeeeeeeeeeeeeeeeeeeeeeeeee eee.

Tortueuse et d'un noir luisant et plus grande qu'un homme était la trompe dans laquelle il soufflait, la tenant à deux mains. Autour du corps de l'instrument se voyaient des bandes alternées d'or rouge et d'acier sombre gravées d'antiques glyphes valyriens qui semblaient émettre des lueurs de plus en plus pourpres au fur et à mesure que le son s'enflait.

aaaaaREEEEEEEEEEEEEeeeeeeeeeeeeeeeeeeeeeeeeee eeeeeeeeeeee eeeeeeee.

Et c'était un son terrifiant, un gémissement de douleur et de rage folle qui donnait l'impression qu'on avait les tympans en feu. Aeron Tifs-Trempes se couvrit les oreilles et conjura le dieu Noyé de susciter une vague dont la puissance écraserait la trompe et la réduirait au silence, mais l'horrible glapissement retentit encore et encore et encore. *C'est le cor des enfers*, brûla-t-il de crier, mais personne au monde ne l'aurait entendu. Les joues du type au tatouage étaient si distendues qu'elles avaient l'air tout près d'éclater, et les muscles de sa poitrine palpitaient, tressautaient d'une manière si effarante qu'on aurait dit que l'oiseau de proie était sur le point de s'en arracher pour prendre son essor. Et, désormais, les glyphes brûlaient, incandescents, d'un feu blanc qui en faisait flamboyer chacun des signes et chacune des lignes. Encore et encore et encore retentit le son qui, répercuté parmi les hurlemonts derrière, alla, d'écho en écho, voler par-dessus les flots du Berceau de Nagga puis résonner contre les montagnes de Grand Wyk, tout en retentissant encore et encore et encore jusqu'à ce que l'univers humide en soit intégralement imbibé.

Et, alors même que le Tifs-Trempes en venait à se persuader que plus jamais cela ne s'interromprait, cela s'interrompit.

Le souffle avait fini par faillir au sonneur qui, titubant, manqua s'affaler. Le prêtre vit Orkwood d'Orkmont lui saisir un bras pour le maintenir debout, pendant que Lucas Morru Main-gauche le délestait de son tortueux instrument. Il vit aussi que de ce dernier s'élevait un mince filet de fumée, et que, pour l'avoir embouché, le monstrueux métis avait les lèvres sanguinolentes et toutes cloquées d'ampoules. Et que pour comble, enfin, l'oiseau tatoué sur son torse saignait aussi…

Euron Greyjoy entreprit alors de gravir posément l'escalier, tous les regards attachés sur lui. Du haut de son perchoir, la mouette se mit à piauler, piauler, piauler. *Nul impie ne saurait occuper le Trône de Grès*, songea le Tifs-Trempes, tout en reconnaissant qu'il était obligé de laisser son frère prendre la parole. Ses lèvres se contentèrent de marmotter des prières muettes.

Les champions d'Asha s'écartèrent, ainsi que ceux de Victarion, pour céder le passage à l'Œil-de-Choucas. Aeron, lui, recula d'un pas puis plaqua sa main contre l'une des côtes pétrifiées, froides et rugueuses, de Nagga. Quant au prétendant, il s'immobilisa tout en haut des marches, devant les portes de la résidence du Roi Gris, puis il se tourna pour abaisser son œil enjoué sur le parterre des capitaines et des rois, mais son autre œil, celui qu'il tenait caché, était tout aussi perceptible pour Aeron.

« *FER-NÉS*, dit Euron Greyjoy, vous avez entendu mon cor. Entendez maintenant mes paroles. Je suis le frère de Balon, le plus âgé des fils survivants de Quellon. Le sang de lord Vickon coule dans mes veines, ainsi que le sang du Vieux Calmar. Mais j'ai navigué plus loin que n'importe lequel d'entre eux. Des seiches en vie, il en est une seule qui n'ait jamais subi de défaite. Il en est une seule qui n'ait jamais ployé le genou. Il en est une seule qui ait fait voile jusques à Asshaï-lès-l'Ombre et une seule qui ait contemplé de ses propres yeux des merveilles et des horreurs passant l'imagination…

— Si l'Ombre vous a tellement plu que ça, retournez-y donc ! » lui lança Qarl Pucelle aux joues roses, l'un des champions d'Asha.

Le Choucas dédaigna l'interruption. « Mon petit frère voudrait terminer la guerre de Balon et revendiquer la possession du Nord. Ma mignonne nièce voudrait nous donner la paix et des pignes de pin. » Ses lèvres bleues s'ourlèrent d'un sourire. « Asha préfère la victoire à la défaite. Victarion désire un royaume, et non quelques maigres arpents de terre. De moi, ce sont les deux que vous obtiendrez.

« Œil-de-Choucas, vous m'appelez. Eh bien, mais qui donc possède un œil plus perçant que les corbeaux ? Après chaque bataille, ils viennent par centaines, ils viennent par milliers, se repaître des guerriers tombés. La mort, ils sont capables de la discerner du diable vauvert. Et je dis, moi, que Westeros est en train de crever tout entier. Ce qui attend ceux qui me suivront, ce sont, jusqu'à la fin de leurs jours, de franches repues.

« Nous sommes les Fer-nés, et jadis nous fûmes des conquérants. Notre vocation nous assignait tous les lieux du monde où s'entendait le bruit des vagues. D'après mon frère, vous devriez vous estimer satisfaits avec le Nord lugubre et froid, d'après ma nièce, avec encore moins…, mais moi, je vous donnerai Port-Lannis. Hautjardin. La Treille. Villevieille. Le Bief et le Conflans, le Bois-du-Roi et le Bois-la-Pluie, Dorne et les Marches, les montagnes de la Lune et le Val d'Arryn, Torth et les Degrés de Pierre. Moi, je dis du royaume : prenons-le *tout* ! Moi, je dis : prenons *Westeros* ! » Il jeta un coup d'œil vers le prêtre. « Et tout cela pour la plus grande gloire de notre dieu Noyé, comment jamais songer à le contester ? »

Le temps d'un demi-battement de cœur, Aeron lui-même fut tourneboulé par la hardiesse de ce discours. Il avait fait le même rêve, lorsque au firmament lui était apparue pour la première fois la comète rouge. *Nous balaierons les contrées vertes la torche et l'épée au poing, nous en extirperons jusqu'à la racine les sept dieux des septons tout autant que les arbres blancs des Nordiens...*

« Œil-de-Choucas, intervint Asha là-dessus, auriez-vous laissé toute votre jugeote à Asshaï ? Si nous ne sommes pas capables de tenir le Nord – et nous ne le sommes pas –, comment nous sera-t-il possible en revanche de conquérir l'ensemble des Sept Couronnes ?

— Holà, mais ç'a déjà été fait ! Balon a-t-il enseigné si peu de chose à sa gamine sur les diverses façons de guerroyer ? Victarion, la fille de notre frère n'a jamais entendu parler d'Aegon le Conquérant, dirait-on.

— Aegon ? » Victarion croisa les bras sur sa poitrine bardée de fer. « Que vient fiche le Conquérant dans nos affaires actuelles ?

— En matière de guerre, mes connaissances sont aussi étendues que les vôtres, Œil-de-Choucas, fit Asha. Sa conquête de Westeros, Aegon Targaryen la réalisa grâce à des *dragons*.

— Et nous en ferons autant, promit Euron Greyjoy. Ce cor que vous avez entendu, je l'ai découvert parmi les décombres fumants qui furent jadis Valyria, décombres que nul autre humain que moi n'a osé fouler. Vous avez entendu son appel, et vous avez ressenti sa puissance. C'est une corne de dragon, cerclée de bandes d'or rouge et d'acier valyrien sur lesquelles se trouvent gravées des formules de sortilèges. Les seigneurs du dragon des temps immémoriaux sonnèrent ce genre de cors jusqu'à l'époque où le Fléau les dévora. Avec ce cor, Fer-nés, je puis lier des *dragons* à ma volonté. »

Asha se mit à rire à pleine gorge. « Un cor qui lierait des chèvres à votre volonté serait plus utile, Œil-de-Choucas. Il n'existe plus de dragons.

— Une fois de plus, gamine, tu te trompes. Il en existe trois, et je sais où les trouver. À coup sûr, voilà qui vaut une couronne de bois flotté…

— *EURON !* gueula Lucas Morru Main-gauche.

— *EURON ! ŒIL-DE-CHOUCAS ! EURON !* » s'époumona le Rameur Rouge.

Les muets et les métis du *Silence* ouvrirent tout grands les coffres d'Euron puis répandirent ses présents devant les capitaines et les rois. La voix que le prêtre entendit alors était celle d'Hotho Harloi, qui, tout en gueulant, puisait déjà dans l'or à pleines poignées. S'y joignirent, aussi tonitruantes, celle de Gorold Bonfrère et celle d'Erik Brise-enclume. « *EURON ! EURON ! EURON !* » Le cri s'enfla, s'enfla jusqu'à la folie, s'enfla jusqu'à n'être plus qu'un rugissement fauve : « *EURON ! EURON ! ŒIL-DE-CHOUCAS ! EURON ROI !* » s'enfla jusqu'à submerger la colline de Nagga, tel un cyclone, dans des tourbillons que n'aurait pas désavoués le dieu des Tornades en personne, « *EURON ! EURON ! EURON ! EURON ! EURON ! EURON !* ».

Même un prêtre risque de se voir un jour assaillir par le doute. Même un prophète risque de faire un jour l'expérience de la terreur. Aeron Tifs-Trempes se fouilla à fond, dans son for intérieur, en quête de son dieu, et n'y découvrit que silence. Et, tandis qu'un millier de voix hurlaient le nom de son frère, tout ce qu'il réussit à entendre, lui, se réduisit finalement à l'aigre grincement d'une charnière de fer rouillé.

BRIENNE

À l'est de Viergétang se dressaient des collines sauvages, et les pins se refermaient sur leur passage comme une armée de silencieux soldats gris-vert.

Dick Main-leste ayant affirmé que le plus court et le plus facile était d'emprunter la route côtière, ils perdaient assez rarement la baie de vue. Au fur et à mesure qu'ils progressaient, les bourgs et les villages qui ponctuaient le bord de la mer se faisaient de plus en plus chétifs et de moins en moins fréquents. Ils se proposaient de trouver une auberge à la tombée de la nuit. Crabbe ferait couche commune avec d'autres voyageurs, pendant que Brienne prendrait une chambre particulière pour elle et Podrick.

« Plus bon marché, que ça serait, si on partageait tous le même pieu, m'dame, objecta Main-leste, le moment venu. Vous auriez qu'à coucher votre épée entre nous. Le vieux Dick, là, c'est le bonhomme tout ce qu'y a d'inoffensif. Chevaleresque autant qu'un chevalier, et puis honnête tout pareil au même que les journées sont longues.

— Les jours sont en train de raccourcir, signala Brienne.

— Eh ben, ça se peut. Si vous me faites pas confiance dans le pieu, je pourrais simplement me rouler en boule sur le plancher, m'dame.

— Pas sur mon plancher.

— Y aurait de quoi croire que vous me faites pas aucune confiance du tout.

— La confiance se gagne. Comme l'or.

— Ben, d'accord, m'dame, répliqua Crabbe, mais, plus au nord, là où la route, y en a plus, vous faudra bien faire confiance à Dick, alors. Si ça me prenait, l'envie de vous piquer votre or à la pointe de l'épée, qui c'est-y qui me l'empêcherait ?

— Vous n'avez pas d'épée. Moi si. »

Après lui avoir fermé la porte au nez, elle resta plantée près du vantail, l'oreille tendue, jusqu'à ce qu'elle fût certaine qu'il s'était éloigné. Tout habile qu'il pouvait être, Dick Crabbe n'avait rien d'un Jaime Lannister, ni d'une Souris démente, ni même d'un Humfrey Frétilletrique. Il était malingre et mal nourri, et il ne disposait pour toute armure que d'un demi-heaume tout taché de rouille et cabossé. En lieu et place d'épée, il trimbalait une vieille dague ébréchée. Ainsi ne constituait-il aucun danger pour elle, aussi longtemps qu'elle restait éveillée. « Podrick, dit-elle, il va tôt ou tard venir un moment où nous ne trouverons plus d'auberges pour nous abriter. Je me défie de notre guide. Lorsque nous camperons, te sera-t-il possible de veiller sur moi pendant que je dors ?

— Garder les yeux ouverts, ma dame ? Ser. » Il réfléchit. « Je possède une épée. Si Crabbe tente de vous faire du mal, je serais capable de le tuer.

— Non, dit-elle d'un ton sévère. Il n'est pas question que tu essaies de te battre avec lui. Tout ce que je te demande, c'est de le surveiller pendant mon sommeil, et de me réveiller s'il fait quoi que ce soit de louche. Je me réveille en un clin d'œil, tu t'apercevras. »

Crabbe révéla son vrai jeu le lendemain, lorsqu'ils firent halte afin d'abreuver les chevaux. Brienne, qui avait dû se retirer derrière des buissons pour soulager sa vessie, se trouvait accroupie quand elle entendit Podrick se récrier : « Qu'est-ce que vous faites là ? Fichez-moi le camp ! » Elle acheva sa petite affaire, remonta ses chausses et, retournant sur la route, y découvrit Dick Main-leste en train d'essuyer ses pattes on aurait dit talquées. « Vous ne trouverez pas le moindre dragon dans mes fontes de selle, le prévint-elle. Je garde mon or sur moi. » Elle en avait une partie dans l'aumônière de sa ceinture, le reste camouflé dans deux poches cousues dans la doublure de ses vêtements. La bourse rondelette placée dans ses fontes était bourrée de cuivraille grosse et petite, sols et demi-sols, liards et deniers en étoile, ainsi que de belle et bonne farine blanche destinée à la faire paraître encore plus rondelette, farine dont Brienne avait fait l'emplette auprès du cuisinier des *Sept Épées*, le matin même de son départ de Sombreval.

« Dick y entendait pas malice, m'dame. » Il fit frétiller ses doigts tout enfarinés pour montrer qu'il n'avait pas d'arme. « Je cherchais tout juste à voir si vous les aviez, ces dragons-là que vous m'avez promis. Le monde est plein de menteurs qui attendent que de filouter le bonhomme honnête. Pas que cette espèce, vous en êtes, *vous*… »

Brienne espéra qu'il avait plus de talent comme guide que comme voleur. « Nous ferions mieux de repartir. » Elle se remit en selle.

Dick chantait volontiers, pendant leur chevauchée ; jamais une chanson complète, uniquement trois vers de celle-ci et un couplet de celle-là. Brienne le soupçonna de ne chercher qu'à la charmer pour mieux endormir sa défiance. De-ci de-là, il tenta de les entraîner, elle et Podrick, à faire chorus avec lui, mais il y perdit sa peine. Le petit était beaucoup trop timide pour se dénouer la langue, et quant à chanter, elle, pas question. *Est-ce que vous chantiez pour votre père ?* lui avait un jour demandé lady Catelyn, à Vivesaigues. *Est-ce que vous chantiez pour Renly ?* Non, jamais, pas une seule fois, et pourtant ce n'était pas l'envie qui lui manquait. Ce n'était pas l'envie…

Quand il n'était pas en train de chanter, Dick Mainleste, il parlait, il les régalait d'histoires sur la presqu'île de Clacquepince. Chacune de ses vallées sinistres avait, disait-il, son propre lord, et toute la clique que cela faisait ne communiait que dans la défiance des étrangers. Sombre et vigoureux coulait dans leurs veines le sang des Premiers Hommes. « Les Andals ont bien essayé de prendre Clacquepince, mais nous, on les a saignés dans les combes et noyés dans les marécages. Seulement, ce que leurs fils, y-z-ont pas pu gagner avec des épées, eh ben, leurs mignonnes de filles, elles l'ont eu avec des baisers. Y se sont mis par le mariage dans les maisons qu'y-z-avaient pas pu conquérir, oui-da. »

Les rois Sombrelyn de Sombreval avaient tâché d'imposer leur loi sur la presqu'île de Clacquepince ; les Mouton de Viergétang avaient aussi tenté de le faire et, plus tard, les altiers Celtigar d'Isle-aux-Crabes. Mais les Clacquepince connaissaient leurs marécages et leurs forêts comme aucun étranger ne pouvait le faire, et, en cas de danger trop pressant, ils se volatilisaient dans les cavernes dont leurs collines étaient truffées. Lorsqu'ils n'avaient pas à combattre de conquérants présomptifs, ils se battaient entre eux. Leurs querelles ancestrales étaient aussi profondes et ténébreuses que les marécages au creux de leurs collines. Il arrivait de temps en temps qu'un champion rétablisse la paix dans toute la presqu'île, mais cette paix ne durait jamais que tant qu'il était en vie. Lord Lucifer Hardy, ça, c'était un grand bonhomme, et les frères Brune, pareil. Le vieux Clacquezoss même encore plus, mais les plus puissants de tous, y a pas, c'étaient les Crabbe. Dick refusait toujours mordicus de croire que Brienne n'avait jamais entendu parler de ser Clarence Crabbe et de ses prouesses.

« Pourquoi mentirais-je ? lui demanda-t-elle. Il y a partout des héros locaux. Là d'où je viens, les chanteurs chantent les exploits de ser Galladon de Morne, le Parfait Chevalier.

— Ser Gallaqui de Quoi ? » Il renifla. « Jamais entendu parler. Pourquoi diable qu'il était si parfait que ça ?

— Ser Galladon était un champion tellement valeureux qu'il ravit le cœur de la Jouvencelle en personne. Elle lui offrit pour gage de son amour une épée enchantée. Celle-ci s'appelait Juste Pucelle. Aucune épée ordinaire ne pouvait lui tenir tête ; ni quelque bouclier que ce soit supporter son baiser. Ser Galladon arborait fièrement Juste Pucelle, mais il la dégaina seulement trois fois. Il se refusait à l'utiliser contre un simple mortel, parce qu'elle était si puissante qu'elle aurait rendu déloyal n'importe quel duel. »

Crabbe trouva cela désopilant. « Le Parfait Chevalier ? Le Parfait Imbécile, moi, je dirais ! Quel intérêt ç'a, d'avoir une épée magique, foutredieux ! si vous vous en servez pas bien ?

— L'honneur, répondit-elle. C'est d'honneur qu'il est question, là. »

Il n'en rigola que deux fois plus fort. « Ser Clarence Crabbe s'en serait torché son cul poilu, de votre Parfait Chevalier, m'dame. Y s'auraient jamais rencontrés, tous les deux, demandez-moi voir, que, sûr, y aurait eu une tête sanglante de plus sur les étagères aux Murmures. "J'aurais mieux fait d'utiliser l'épée magique", qu'elle yeur dirait, à toutes les autres têtes. "J'aurais mieux fait d'utiliser cette putain d'épée !" »

Brienne ne put s'empêcher de sourire. « Peut-être, concéda-t-elle, mais ser Galladon était tout sauf un imbécile. Contre un adversaire de huit pieds de haut monté sur un aurochs, il aurait fort bien pu dégainer sa Juste Pucelle. Il s'en servit une fois pour tuer un dragon, à ce qu'il paraît. »

Dick Main-leste ne se laissa pas impressionner pour si peu. « Clacquezoss aussi combattit un dragon, mais il avait que foutre d'une épée magique. Lui se contenta d'y faire un nœud au cou, ce qui fait que chaque fois qu'y soufflait du feu, ben, c'était son cul qu'y s'faisait rôtir.

— Et que fit Clacquezoss quand survinrent Aegon et ses sœurs ? questionna Brienne.

— Il était d'jà mort. M'dame doit ben savoir ça. » Crabbe lui décocha un coup d'œil en biais. « Aegon dépêcha sa sœur sur Clacquepince, cette Visenya. Les lords, y-z-étaient au courant, pour la façon qu'Harren avait fini. Étant pas des idiots, y déposèrent leurs épées aux pieds de la reine. Elle les prit comme hommes à elle et dit qu'y devraient pas la féauté à Viergétang, Sombreval ou l'Isle-aux-Crabes. Ç'arrête pas ces putains de Celtigar d'envoyer des types à la côte est récolter les taxes. S'ils sont assez, y en a un peu qui lui reviennent… Sans ça, nous, on fait des courbettes qu'à nos propres lords et au roi. Le *véritable* roi, pas l'engeance Robert et consorts. » Il cracha. « Avec le prince Rhaegar, au Trident, y avait des Crabbe et des Brune et des Tourbier, et pareil dans la Garde Royale. Un Hardy, un Grotte, un Pynède et *trois* Crabbe, Clement, Rupert et Clarence le Court. Haut de six pieds, qu'il était, mais court comparé au *véritable* ser Clarence. On est tous des fidèles au dragon, par là, nous autres, à Clacquepince. »

La circulation continua tant et si bien de se réduire, au fur et à mesure qu'ils progressaient vers le nord puis l'est, qu'ils finirent par ne plus rencontrer d'auberges. Désormais, la route qui bordait la baie comportait moins d'ornières que d'herbes folles. Cette nuit-là, ils trouvèrent encore à s'héberger dans un village de pêcheurs. Pour quelques sous, Brienne obtint des habitants la permission de coucher dans une grange à foin. Sitôt après s'être adjugé d'autorité le fenil du haut pour elle et Podrick, elle en retira l'échelle d'accès.

« Vous me laissez ici en bas tout seul, que ça me serait foutrement facile, voler vos chevaux ! râla Crabbe, le nez en l'air. Faudrait mieux d'y z-yeur faire aussi grimper l'échelle, m'dame. » En constatant qu'elle faisait la sourde oreille, il reprit néanmoins : « Y va pleuvoir, cette nuit. À verse, une pluie froide. Vous et Popod, z'allez dormir tout bien tout chaud, et le pauvre vieux Dick, y va me grelotter ici en bas tout seul. » Il secoua la tête et, tout en s'apprêtant une litière sur un tas de foin, grommela : « Jamais de ma vie que j'ai connu une donzelle aussi salement méfiante que vous ! »

Brienne se pelotonna sous son manteau, Podrick bâillant auprès d'elle. *Je n'ai pas toujours été sur mes gardes*, aurait-elle aisément pu crier à Crabbe, de son perchoir. *Quand j'étais une petite fille, je me figurais que tous les hommes étaient aussi nobles que mon père.* Même ceux qui lui disaient comme elle était mignonne, comme elle était grande et vive et futée, comme elle était gracieuse quand elle dansait. C'est septa Roelle qui l'avait brutalement dessillée. « Ils disent ces choses à seule fin de se gagner les bonnes grâces de ton seigneur père, avait-elle déclaré. La vérité, c'est dans ton miroir que tu la trouveras, pas sur la langue des hommes. » C'était là une rude leçon, l'une de celles qui vous laissent en larmes, mais elle s'était révélée des plus utiles à Hautjardin, quand ser Hyle et ses copains s'étaient livrés à leur petit jeu. *Une damoiselle se doit d'être méfiante dans ce monde-ci, sans quoi elle aura tôt fait de ne plus être une damoiselle*, était-elle en train de songer, quand il commença de pleuvoir.

À la mêlée de Pont-l'Amer, elle s'était débrouillée pour traquer ses poursuivants et pour les rosser un par un, Portée puis Ambrose et puis Brousse et Mark Mullendor et Raymond Quenenny et Will la Cigogne. Puis elle avait désarçonné Harry Scyeur et puis démoli son heaume à Robin Le Pottier, tout en l'affligeant d'une sacrée balafre..., et à peine venait-elle de faire mordre la poussière au dernier de ces galants hommes que la Mère lui avait offert ser Ronnet Connington soi-même. Lequel tenait, cette fois-ci, non pas une rose mais une épée. Et Brienne avait trouvé plus savoureux qu'un baiser chacun des coups qu'elle lui assenait.

Il n'était plus resté, finalement, pour affronter sa rogne, que Loras Tyrell, ce jour-là. Lui ne l'avait jamais courtisée, c'était même tout juste s'il avait seulement posé les yeux sur elle, mais il arborait sur son bouclier, ce jour-là, trois roses d'or, et Brienne haïssait les roses. Cette seule vue l'avait dotée de forces furibondes. Quand le sommeil la prit, dans le fenil, elle revit tous les détails de leur duel, mais c'est ser Jaime ensuite qui, dans son rêve, lui agrafait aux épaules un manteau arc-en-ciel...

Quand survint le matin, la pluie s'acharnait toujours. Pendant que l'on déjeunait, Dick Main-leste suggéra d'attendre qu'elle s'arrête.

« Quand le fera-t-elle ? Demain ? Dans quinze jours ? Lorsque reviendra l'été ? Non. Nous avons des manteaux, et nombre de lieues à faire. »

Il plut toute la journée. L'étroite sente qu'ils suivaient ne tarda guère à se transformer en bourbier sous leurs pas. Le peu d'arbres qu'ils distinguaient se révélaient nus, et l'opiniâtreté de l'averse avait déjà suffi à faire de leurs feuilles mortes un tapis brunâtre et spongieux. En dépit de sa doublure en peau d'écureuil, le manteau de Crabbe était trempé comme soupe, et, en le voyant grelotter là-dessous, Brienne fut momentanément émue de compassion pour ce pauvre diable. *Voilà pas mal de temps qu'il n'a pas mangé à sa faim, ça crève les yeux.* Elle en vint à se demander s'il existait vraiment une crique à contrebandiers, voire un château en ruine nommé les Murmures. La famine poussait les gens à commettre des actes désespérés, rumina-t-elle, et toutes ces salades risquaient de n'être qu'un stratagème destiné à la filouter. La suspicion lui donna des aigreurs d'estomac.

Pendant quelque temps, elle eut l'impression que le dégoulinement têtu, permanent de la pluie était le seul bruit du monde. Dick Main-leste continuait à charruer laborieusement la gadoue, comme si de rien n'était. En l'examinant plus attentivement, elle s'aperçut qu'il était presque plié en deux, comme si le fait de se courber si bas en selle pouvait réussir à le garder au sec. Cette fois, la tombée du jour les surprit sans que la moindre silhouette de village se trouve à portée de main. Ni la moindre apparence d'arbres sous lesquels s'abriter non plus. Ils furent donc forcés de camper dans un vague amas de rochers qui dominaient la ligne de marée d'une quinzaine de toises. Du moins ceux-ci les protégeraient-ils du vent. « Faudrait mieux qu'on se prévoye un tour de veille, cette nuit, m'dame », lui dit Crabbe pendant qu'elle s'efforçait de faire prendre un feu de bois flotté. « Un endroit comme ici, pourrait ben y avoir de l'esquicheur.

— De l'esquicheur ? » Brienne loucha vers lui d'un air soupçonneux.

« Des monstres, traduisit-il en se pourléchant manifestement. Vous croiriez des hommes tant que vous êtes pas tout près tout près, mais y vous ont des têtes trop grosses, et puis des écailles là où qu'un type correc', ça vous a des poils. Blancs comme un ventre de poisson qu'y sont, avec des palmes entre les doigts. Y sont toujours trempés et puent la poiscaille, mais, derrière ces lèvres adipeuses qu'y-z-ont, y a des rangées de dents vertes et pointues comme des aiguilles. Y en a qui disent que les Premiers Hommes les ont tous anéantis, mais allez pas me gober ce bobard. À pas de loup qu'y viennent la nuit sur ces pieds palmés qu'y vous ont et qui font sksch-sksch, le bruit, et y volent les petits enfants méchants. Les filles, y se vous les gardent pour se reproduire avec, mais les garçons, y vous les boulottent en les déchiquetant avec ces putains de dents vertes pointues. » Il adressa un large sourire à Podrick. « Y te bouff'raient, mon gars. Y te bouff'raient *tout cru*.

— Qu'ils essaient, et je les tuerai. » Le gamin toucha son épée.

« Essaie toujours. Tu f'ras qu'essayer. Les esquicheurs, ç'a la vie dure. » Il fit un clin d'œil à Brienne. « Vous, méchante petite fille, m'dame ?

— Non. » *Rien qu'une imbécile*. Le bois était trop mouillé pour prendre, quelque quantité d'étincelles que fît jaillir le battement de l'acier contre la pierre à feu. Les brindilles eurent beau émettre un brin de fumée, bernique, ce fut tout. Dégoûtée, Brienne s'assit par terre et, le dos calé contre un rocher, tira son manteau sur elle et se résigna à une nuit froide et humide. Tout en rêvant d'un repas bien chaud, elle s'agaça les dents sur une lichette coriace de bœuf salé pendant que Dick Crabbe parlait de l'époque où son fameux ser Clarence d'ancêtre avait combattu le roi des esquicheurs. *Il conte avec vivacité*, dut-elle admettre, *mais Mark Mullendor était amusant, lui aussi, avec son petit singe*.

L'atmosphère était trop saturée d'humidité pour que l'on puisse voir le soleil se coucher, trop grise pour que l'on aperçoive la lune se lever. La nuit s'abattit, noire et sans étoiles. Ses réserves d'histoires épuisées, Crabbe sombra dans le sommeil. Podrick ne fut pas long à ronfler aussi. Adossée à son rocher, Brienne, immobile, écouta le roulement des vagues. *Êtes-vous près de la mer*,

Sansa ? s'interrogea-t-elle. *Êtes-vous en train d'attendre aux Murmures un navire qui n'arrivera jamais ? Qui donc vous accompagne ? Traversée pour trois passagers, il a dit. Est-ce le Lutin qui s'est joint à vous et à ser Dontos, ou bien que vous avez retrouvé votre sœur cadette ?*

La journée avait été longue, et Brienne était exténuée. Même en position assise, comme ça, le dos roidi contre la pierre, et tout environnée par le petit clapotis de la pluie, elle sentit ses paupières s'appesantir. À deux reprises, elle s'assoupit. À la seconde, elle se réveilla tout d'un coup, le cœur battant, persuadée que quelqu'un de menaçant la surplombait. Elle avait les membres engourdis, et son manteau s'était entortillé autour de ses chevilles. Elle se libéra d'une ruade et se leva d'un bond. Recroquevillé contre un rocher, Dick Main-leste, à demi enterré dans le sable détrempé, dormait comme une souche. *Un cauchemar. Ce n'était qu'un cauchemar.*

Peut-être avait-elle eu tort de lâcher ser Creighton et ser Illifer. Ils lui avaient semblé d'assez honnêtes gens. *Si seulement ser Jaime avait bien voulu m'accompagner...*, songea-t-elle, avant de rectifier qu'il ne le pouvait pas, que sa qualité de chevalier de la Garde Royale l'obligeait à rester aux côtés du roi. Au surplus, c'était de Renly qu'elle déplorait l'absence. *J'avais juré de le protéger, et je lui ai failli. Puis j'ai juré que je le vengerais, et j'ai failli à ce devoir aussi. Au lieu de le remplir, je me suis enfuie avec lady Catelyn, et elle encore, je lui ai failli.* Le vent ayant tourné, voilà que maintenant la pluie lui ruisselait sur le visage.

Le lendemain, la route acheva de s'amenuiser jusqu'à n'être plus qu'un filet de galets qui se réduisit lui-même en fin de compte à une pure suggestion. Qui, vers midi, se termina sans préavis au pied d'une falaise érodée par les vents. Tout en haut se dressait un petit castel qui toisait les vagues d'une mine rébarbative et dont les trois tours de guingois se détachaient sur un ciel de plomb. « C'est ça, vos Murmures ? demanda Podrick.

— T'as l'air à toi d'une foutue ruine, hein ? Crabbe cracha. Ben, t'es devant le Repayre Patybulayre au vieux lord Brune, là où c'est qu'y a son siège. En tout cas, la route finit ici. À partir de là, c'est les pins qu'on va se farcir. »

Brienne examina la falaise. « Comment ferons-nous pour escalader ça ?

— Du gâteau. » Dick Main-leste fit virer sa monture. « Restez bien près de Dick. Sont fortiches, les esquicheurs, pour vous attraper les traînards. »

Le chemin d'accès au sommet se révéla un sentier raide et rocailleux dissimulé dans une faille de la roche. Tracé par la nature pour l'essentiel, il présentait néanmoins de-ci de-là des marches dûment taillées pour faciliter la grimpée. Rongées par des siècles et des siècles de vents et d'embruns, des parois à pic l'étranglaient de part et d'autre. À certains endroits, le temps les avait affublées de formes fantastiques. Pendant qu'ils montaient, Crabbe leur en signala quelques-unes. « Là, y a une tête d'ogre, vous voyez ? » dit-il en pointant l'index, et l'aspect du rocher fit sourire Brienne. « Et là, y a un dragon pétrifié. L'aut'aile y est tombée, que mon père était encore gosse. Par-dessus ça, y a des mamelles qui pendouillent, qu'on parierait les tétasses d'une sorcière. » Il jeta un coup d'œil en arrière vers la poitrine de Brienne.

« Ser ? Ma dame ? fit Podrick. Il y a un cavalier.

— Où ça ? » Aucun des rochers ne lui évoquait la silhouette d'un cavalier.

« Sur la route. Pas un cavalier de pierre. Un vrai cavalier. Qui nous suit. En bas, là. » Il tendit le doigt.

Elle pivota vivement sur sa selle. Ils étaient déjà suffisamment haut pour bénéficier d'une vue plongeante sur des lieues de grève. À deux ou trois milles derrière, un cheval remontait bel et bien le chemin qu'ils avaient eux-mêmes emprunté. *Encore ?* Elle gratifia Crabbe d'un regard soupçonneux.

« Hé là ! Louchez pas sur moi, se défendit-il. Ce type, il a rien à voir avec le vieux Dick Main-leste, qui que ça soye. Doit être un homme à Brune, ça qu'y a de plus probable, retournant des guerres. Ou ben quelqu'un de ces chansonneurs que ça vous vagabonde de place en place. » Il détourna la tête pour cracher. « Pas de l'esquicheur, toujours, foutrement sûr, ça. Leur espèce, y montent pas à cheval.

— Non », concéda Brienne. Sur ce point tout du moins, elle pouvait être d'accord avec lui.

Les cent derniers pieds de l'escalade se révélèrent les plus raides et les plus traîtres. Des cailloux branlants n'aspiraient qu'à rouler sous les sabots des bêtes et à dégringoler bruyamment la pente derrière elles. En émergeant de leur espèce de défilé, ils se retrouvèrent sous les murailles du château. Une tête les épia, du haut du chemin de ronde, puis disparut. Brienne eut le sentiment que le visage entr'aperçu pouvait être celui d'une femme, et elle en fit part à Crabbe.

Il agréa l'hypothèse. « Brune est trop vieux pour grimper aux remparts, et ses fils et petits-fils sont allés aux guerres. Y a plus personne d'autre que des grognasses, là-dedans, plus deux ou trois petits morveux. »

L'envie de lui demander de quel roi lord Brune avait épousé la cause lui brûlait les lèvres, mais la question ne présentait plus le moindre intérêt. Les descendants mâles de Brune étaient partis se battre ; peut-être que certains d'entre eux n'en reviendraient pas. *On ne nous accordera pas l'hospitalité, cette nuit, ici.* Il était fort improbable qu'un château bourré de vieillards, de femmes et d'enfants ouvre ses portes à des inconnus en armes. « Vous parlez de lord Brune comme si vous le connaissiez personnellement, enchaîna-t-elle.

— Ça se pourrait que ç'a été le cas, dans le temps. »

Elle jeta un coup d'œil furtif sur le doublet qu'il portait. Il s'effilochait à la hauteur du sein, et un méchant rapetassage en tissu plus sombre trahissait qu'on y avait arraché va savoir quel emblème. Un déserteur, cela ne faisait pas l'ombre d'un doute, voilà ce qu'elle avait pour guide. Fallait-il voir dans le cavalier qui les talonnait l'un de ses frères d'armes ?

« On devrait passer notre chemin, fit-il d'un ton pressant, avant que le Brune, y commence à se demander pourquoi qu'on est là, sous ses murs. Même une grognasse, ça peut remonter le ressort d'une saleté d'arbalète. » Il indiqua d'un geste les collines calcaires aux versants boisés qui montaient au-delà du château. « Plus de route à partir d'ici, rien que des ruisseaux et des sentes à gibier, mais m'dame a pas besoin d'avoir peur. Dick Main-leste, y connaît ces coins. »

C'était précisément cela qui effrayait Brienne. Des rafales de vent enfilaient la crête de la falaise, mais elle n'y flairait qu'une odeur de piège. « Et ce cavalier, dites ? » À moins que son cheval ne sache trotter sur les vagues, il atteindrait bientôt la montée de la faille.

« Quoi, lui ? Si c'est un de ces couillons de Viergétang, y risque de même pas trouver le putain de passage. Et s'il y arrive, on vous le paumera, nous, dans les bois. Il aura pas une route à suivre, par là-bas. »

Simplement nos traces. Elle se demanda s'il ne vaudrait pas mieux rencontrer leur suiveur ici même, l'épée au poing. *J'aurai tout l'air d'une fieffée gourde, s'il s'agit d'un chanteur itinérant ou de l'un des fils de lord Brune.* Elle aima mieux présumer que Crabbe avait raison. *Puis s'il est encore sur nos talons demain, je lui réglerai son affaire alors.* « Comme vous voulez », dit-elle en faisant volter sa jument du côté des arbres.

Le castel de lord Brune ne tarda pas à se rapetisser derrière eux puis à cesser d'être visible. Des vigiers et des pins plantons les entouraient de toutes parts, leurs fûts élancés jaillissant vers le ciel telles d'immenses piques accoutrées de vert. Le sol de la forêt était jonché d'un tapis d'aiguilles aussi épais que les murailles d'une forteresse et parsemé de pignes. Les sabots de leurs montures le foulaient sans bruit. Il pleuvait un peu, puis ça s'arrêtait quelque temps avant de reprendre, et ainsi de suite, mais c'est à peine s'ils sentaient une goutte, sous les frondaisons.

La marche était beaucoup plus lente dans les bois. Brienne poussait doucement sa jument dans la pénombre verte à tricoter parmi l'enchevêtrement des troncs. Il serait diablement facile, ici, de s'égarer, prit-elle bientôt conscience. De quelque côté qu'elle portât les yeux, toutes les voies lui semblaient identiques. Il n'était jusqu'à l'atmosphère où ne régnât partout le même silence absolu gris et vert. Les branches des pins lui éraflaient les bras et griffaient à grand bruit la peinture neuve de son bouclier. Plus s'écoulaient les heures, et plus le mutisme étourdissant des lieux lui mettait les nerfs à vif.

Il tracassait aussi Dick Main-leste. Vers la fin de la journée, comme le crépuscule s'épaississait, il essaya de chanter, fredonna bien :

Un ours y avait, un ours, un ours !
Tout noir et brun, tout couvert de poils...

mais d'une voix aussi rêche que des braies de laine. La pinède absorba la chanson comme elle absorbait la pluie et le vent. Il s'interrompit presque sur-le-champ.

« C'est un sale endroit, par ici, dit Podrick, c'est un sale endroit. »

Brienne éprouvait la même impression, mais l'admettre n'aurait rien arrangé. « Il fait toujours sombre, dans les bois de pins, mais, en fin de compte, ce ne sont jamais que des bois. Tu n'as rien à craindre, ici, absolument rien.

— Mais les esquicheurs ? Et les têtes ?

— C'est qu'il est fute-fute, ce garçon ! » s'exclama Crabbe en rigolant.

Brienne le fixa d'un air horripilé. « Il n'y a pas d'esquicheurs, dit-elle à Podrick, et pas de têtes non plus. »

Les collines montaient, les collines descendaient. Brienne se surprit à prier que Dick Main-leste soit honnête et sache où il les emmenait. Elle n'était même pas certaine que, toute seule, elle aurait été capable de retrouver la mer. De jour comme de nuit, le ciel était d'un gris fer sans faille qui, ne laissant pas plus filtrer de soleil que d'étoiles, lui aurait interdit de s'orienter si peu que ce soit.

Ce soir-là, ils établirent assez tôt leur camp, après avoir dévalé encore une colline et s'être retrouvés au bord d'un marécage aux miroitements verts. Dans le jour gris-vert, le terrain, devant, paraissait assez ferme, mais, lorsqu'ils s'y étaient risqués, il avait dégluti leurs chevaux jusqu'au garrot, ce qui les avait contraints à faire demi-tour et à regagner, non sans mal, un endroit où reprendre pied. « C'est pas grave, leur assura Crabbe. On va remonter en haut de la colline et puis emprunter pour descendre un autre chemin. »

Le lendemain ne différa en rien. Ils chevauchèrent à travers pinèdes et marais, sous des ciels sinistres et des averses intermittentes, dépassant tantôt des dolines en forme d'entonnoirs, tantôt des grottes et tantôt les ruines d'anciens manoirs fortifiés dont les pierres étaient tapissées de mousse. Chacun de ces monceaux de décombres avait une histoire, et Dick Main-leste les leur conta toutes. À en croire ce qu'il débitait, les indigènes de Clacquepince avaient abreuvé de sang leurs forêts. La patience de Brienne commença bientôt à se lasser. « Il y en a encore pour longtemps ? finit-elle par s'enquérir. Nous devons avoir vu maintenant tous les arbres de la presqu'île…

— C'te blague ! répondit Crabbe. On est plus très loin. Voyez, là-bas, où c'est que les bois s'éclaircissent. On est presque au bord de la mer. »

Ce bouffon qu'il m'a promis risque fort de n'être à la fin que mon propre reflet dans une mare, songea Brienne, mais elle trouva totalement absurde de rebrousser chemin après être venue jusque-là. À quoi bon le nier ? ce qu'elle était fatiguée, pourtant ! Elle avait les cuisses dures comme du fer, à force d'être en selle, et c'est tout juste si elle avait dormi quatre heures par nuit, ces derniers temps, pendant que Podrick veillait sur elle. Si Dick Main-leste projetait de tenter de les assassiner, elle était persuadée que c'était ici que la chose se passerait, sur un terrain qu'il connaissait à merveille. Il avait tout pouvoir en ce moment même pour les entraîner vers une tanière de voleurs où il disposerait de parents aussi faux jetons que lui. Ou peut-être les faisait-il tout bonnement tourner en rond, en attendant que ce maudit cavalier les rattrape… Depuis qu'ils avaient laissé derrière eux le château de lord Brune, celui-ci ne leur avait pas fourni le moindre indice de sa présence éventuelle dans les parages, mais cela ne signifiait pas pour autant qu'il eût abandonné la chasse.

Il se pourrait que je sois obligée de le tuer, se dit-elle, une nuit où elle arpentait en tous sens les abords du camp. L'idée lui souleva le cœur. Son vieux maître d'armes avait toujours douté qu'elle soit assez dure pour une vraie bataille. « Tu as dans les bras la force d'un homme, lui avait dit ser Bonvainc, plutôt cent fois qu'une, mais ton cœur est aussi tendre que celui de n'importe quelle autre jeune fille. C'est une chose que de s'exercer dans la cour, une épée mouchetée au poing, c'en est une toute différente que d'enfoncer deux empans d'acier acéré dans les tripes d'un type et de voir la lumière quitter ses yeux. » Afin de l'endurcir, ser Bonvainc l'expédiait régulièrement massacrer des agneaux et des cochons de lait chez le boucher de son père. Les porcelets couinaient, les agnelets piaulaient comme des mioches terrifiés. Une fois achevée la tuerie, Brienne était aveuglée par les larmes, et ses vêtements étaient si ensanglantés qu'elle les remettait à sa femme de chambre pour les brûler. Ser Bonvainc n'en persistait pas moins dans son scepticisme. « Un petit porc est un petit porc. Ce n'est pas pareil avec un être humain. Du temps où j'étais un jeune écuyer de ton âge, j'avais un copain qui était costaud, rapide et agile, un sacré champion dans la cour. Nous savions tous qu'un jour il serait un chevalier splendide. Puis la guerre parvint aux Degrés de Pierre. Je vis mon copain flanquer son adversaire à genoux, lui faire sauter sa hache du poing, mais, au moment où il aurait pu l'achever, il se retint l'espace d'un demi-battement de cœur. Au combat, un demi-battement de cœur équivaut à une existence entière. L'autre, en tapinois, tira son poignard et sut trouver le défaut de l'armure. La vigueur de mon copain, sa vitesse, sa vaillance, toute sa dextérité chèrement acquise… tout cela valut moins qu'un pet de pitre, *parce qu'il avait hésité à tuer*. Souviens-toi de cela, ma fille. »

Je ne manquerai pas de m'en souvenir, promit-elle à l'ombre du disparu, là, dans la pinède. Elle s'assit sur une pierre, tira son épée au clair et entreprit d'en affûter le fil. *Je le ferai, et, sur mon âme, je n'hésiterai pas*.

L'aube blêmit, le jour suivant, couverte et glaciale. Il leur fut impossible de voir se lever le soleil, mais le passage du noir au gris apprit à Brienne que l'heure avait sonné de seller de nouveau les bêtes. Puis, Dick Mainleste ouvrant la voie, ils retournèrent dans le sous-bois.

Brienne le suivait de près, et Podrick fermait le ban sur son roussin pie.

Le château leur tomba dessus à l'improviste. Une seconde avant, ils se tenaient au fin fond de la forêt, sans rien d'autre devant les yeux que des résineux sur des lieues et des lieues, et puis, au détour d'un gros rocher, une brèche apparut, droit devant. À un mille de là, le couvert cessait brusquement. Par-delà se trouvaient le ciel et la mer avec, sur le rebord d'une falaise, les ruines abandonnées, submergées par la végétation, d'un très vieux château. « Les Murmures, annonça Dick Main-leste. Prêtez l'oreille. Vous allez pouvoir entendre les têtes. »

Podrick demeura bouche bée. « Je les entends. »

Brienne les entendit aussi. Un chuchotement presque imperceptible et qui, tout bas, paraissait aussi bien provenir de la terre elle-même que du château. Comme ils approchaient des falaises, le bruit devint plus fort. C'était la mer qui le produisait, comprit-elle subitement. Les vagues avaient profondément rongé la base des falaises, y creusant des cavernes et des tunnels dans lesquels elles s'engouffraient en grondant. « Il n'y a pas de têtes, dit-elle. Ce sont les murmures des vagues que tu entends.

— Les vagues ne murmurent pas. Ce sont bien des têtes. »

Bâti en pierres de tous calibres, pas deux pareilles, et sans mortier, le château ne datait pas d'hier. Une mousse épaisse poussait au creux des lézardes et des éboulis, des arbres avaient pris racine dans les fondations. La plupart des châteaux de la même époque possédaient un bois sacré. De celui des Murmures ne subsistait apparemment pas grand-chose d'autre. Brienne conduisit sa jument jusqu'au bord du vide, où la courtine s'était écroulée. Des vignes vierges vénéneuses rouges assaillaient à foison les monceaux de moellons épars. Après avoir attaché sa monture à un arbre, elle s'approcha du précipice avec plus d'audace que de témérité. Cinquante pieds plus bas, les vagues bouillonnaient sur et dans les vestiges d'une tour effondrée. En deçà s'entrevoyait la gueule d'une vaste grotte.

« Ça, c'est l'ancienne tour du Fanal, lui précisa Crabbe en s'amenant par-derrière. Elle est tombée quand j'étais moitié moins vieux que votre Popod. Y avait des marches, avant, pour descendre jusqu'à la crique, mais, quand la falaise a foutu son camp, elles ont fait pareil. Après ça, les contrebandiers, y-z-ont arrêté d'accoster ici. Y a eu un temps où c'est qu'y pouvaient entrer dans la grotte à la rame, mais plus maintenant. Voyez ? » Il lui plaqua une main dans le dos et pointa l'autre pour montrer.

Brienne en eut la chair de poule. *Une simple poussée, et je vais rejoindre la tour en bas*. Elle se recula. « Bas les pattes. »

Il grimaça. « Mais je faisais que…

— Je me fiche de ce que vous faisiez *que* ! Où se trouvent les portes ?

— En contournant, sur l'autre face. » Il hésita. « Votre bouffon, dites… C'est pas le type à garder une dent, si ? » s'enquit-il d'un ton nerveux. « Je veux dire, ben… la nuit dernière, je me suis mis à penser que ça se pourrait, des fois, qu'il est en rogne après ce vieux Dick Main-leste, rapport à cette carte que j'y ai vendue, puis à la façon, comme ça, que j'ai oublié que les contrebandiers, y-z-accostaient plus par ici…

— Avec l'or que vous avez touché pour venir, vous avez de quoi lui rembourser, quel qu'en soit le montant, le prix de votre *aide*. » Dontos Hollard constituant une menace, elle n'arrivait pas à se le figurer. « C'est-à-dire, s'il se trouve même seulement ici. »

Ils firent le tour des murs. Le château avait été de forme triangulaire, avec des tours carrées à chaque angle. Ses portes étaient salement pourries. Quand Brienne en ébranla une, le bois se craquela, se détacha en longues échardes humides, et la moitié du vantail s'abattit sur elle. À l'intérieur, découvrit-elle, régnait le même genre de pénombre glauque qu'auparavant. La forêt avait en effet rompu les remparts et dégluti baile et manoir. Il y avait néanmoins derrière la porte une herse dont les dents s'enfonçaient profond dans la terre meuble et boueuse. La rouille en rougissait le fer, mais elle tint bon quand Brienne la secoua. « Ça fait une éternité que personne n'est passé par là.

— Je pourrais faire l'escalade, offrit Podrick. Près de la falaise. Là où le mur s'est effondré.

— C'est trop dangereux. Ces pierres m'ont paru instables, et cette vigne vierge rouge est vénéneuse. Il doit forcément y avoir une poterne. »

Ils finirent effectivement par la découvrir sur le côté nord du château, à demi camouflée derrière un énorme massif de ronces. Les mûres avaient toutes été cueillies, et l'on s'était taillé comme à coups de machette un passage vers la porte au travers du roncier. La vue des branchages brisés redoubla les inquiétudes de Brienne. « Quelqu'un est entré par ici, et récemment.

— Votre bouffon et ces gamines, répondit Crabbe. Quand je vous disais… »

Sansa ? Brienne ne pouvait le croire. Même la cervelle d'un soûlard imbibé comme Dontos Hollard aurait sécrété mieux comme idée que de l'amener dans cet endroit lugubre. Il y avait dans l'atmosphère de ces ruines un je-ne-sais-quoi de malsain. Ce n'était sûrement pas ici qu'elle trouverait la petite Stark… Mais il fallait quand même entrer y jeter un œil. *Quelqu'un était bel et bien là*, songea-t-elle. *Quelqu'un qui devait à tout prix se cacher.* « J'entre, déclara-t-elle. Crabbe, vous viendrez avec moi. Podrick, veille sur les chevaux, s'il te plaît.

— Je veux vous accompagner. Je suis écuyer. Je peux me battre.

— C'est justement pour ça que je veux te voir rester dehors. Il peut y avoir des bandits dans ces bois. Nous ne pouvons pas nous permettre de laisser les chevaux sans protection. »

Podrick décocha un coup de botte à un caillou. « Votre serviteur. »

Elle se faufila entre les ronces et tira sur un anneau de fer rouillé. La porte de la poterne résista un moment puis céda d'un seul coup, non sans protestations criardes de ses gonds. Quelque chose – un bruit – fit se hérisser les cheveux follets de sa nuque. Du coup, Brienne dégaina. Malgré maille et cuirs bouillis, elle se sentait toute nue.

« Allez-y, m'dame, la pressa Dick Main-leste, sur ses talons. Pourquoi c'est-y que vous attendez ? Le vieux Crabbe est mort y a mille ans. »

Oui, pourquoi attendait-elle, *en effet* ? Elle se tança, se dit qu'elle était en train de perdre la boule… Le bruit, ce bruit-là, n'était rien d'autre que celui de la mer, ressassé sans fin par les échos des cavernes, sous le château, que celui de la mer qui se soulevait, s'écroulait, vague après vague. Mais c'était fou, quand même, ce qu'il ressemblait à des chuchotements, des *vrais*, y ressemblait tant que, pendant un moment, elle fut presque en mesure de voir les têtes, alignées sur leurs étagères et se marmonnant des choses les unes aux autres. « *J'aurais mieux fait d'utiliser l'épée*, disait l'une d'elles. *J'aurais mieux fait d'utiliser l'épée magique !* »

« Podrick, dit-elle, il y a une épée et un fourreau emballés dans mon paquetage. Va me les chercher.

— Oui, ser. Ma dame. Tout de suite. » Il prit ses jambes à son cou.

« Une épée ? » Dick Main-leste se grattouilla derrière l'oreille. « Vous avez une épée à la main. Pourquoi c'est-y qu'y vous en faut une autre ?

— Celle-ci est pour vous. » Elle la lui présenta du côté de la poignée.

« Sans charre ? » Crabbe tendit une main hésitante, comme si l'arme risquait de le mordre. « La donzelle méfiante allant vous filer une lame au vieux Dick ?

— Vous savez comment on s'en sert ?

— Je suis un Crabbe. » Il s'empara de la rapière. « J'ai le même sang que le bon vieux ser Clarence. » Il en cingla l'air puis fit un large sourire à Brienne. « C'est l'épée qui fait le seigneur, y en a qui disent. »

À son retour, Podrick Payne tenait Féale avec autant de précautions que s'il s'agissait d'un bambin. Dick Mainleste poussa un sifflement d'admiration devant la magnificence du fourreau et de ses rangées de mufles léonins, mais il se tut en voyant Brienne tirer la lame et en fouetter l'air. *Même le son qu'elle produit est plus tranchant que celui d'une épée ordinaire.* « Suivez-moi », dit-elle à Crabbe. Elle se faufila de biais dans l'embrasure de la poterne en baissant la tête pour ne pas heurter l'arceau du chambranle.

Le baile s'ouvrait devant elle, envahi par la végétation. À sa gauche se trouvaient la porte principale et la carcasse en ruine de ce qui avait dû être une écurie. La moitié des stalles étaient bondées d'arbrisseaux dont la cime pointait au travers du chaume brunâtre de la toiture. Sur sa droite, elle distingua des marches de bois pourries qui descendaient dans les ténèbres de quelque cachot, si ce n'était d'un cellier à betteraves. Un tas de pierres erratiques enfoui sous des mousses vertes et violacées signalait l'ancien emplacement du manoir. La cour était un fouillis d'herbes folles jonché d'aiguilles de pin. Il y avait des pins plantons partout, campés en un garde-à-vous solennel. Au milieu d'eux se dressait un étranger pâle : un jeune barral svelte au tronc aussi blanc que le teint d'une vierge cloîtrée, et dont le branchage pathétique avait des feuilles rouge sombre. Par-delà béait le vide du ciel et de la mer, à l'endroit où le mur avait basculé dans le précipice…

… et elle aperçut les restes d'un feu.

Les murmures lui agaçaient les oreilles, insistants. Elle s'agenouilla près du feu, ramassa un bout de bois noirci, le flaira, remua les cendres. *Quelqu'un essayait de se préserver du froid, la nuit dernière. À moins qu'il n'ait tenté d'adresser un signal à un bateau qui passait par là.*

« Houhouuuuu… ! appela Dick Main-leste. Y a personne, ici ?

— Silence ! lui enjoignit Brienne.

— Y a quelqu'un qui pourrait se cacher. Vouloir nous zyeuter un coup avant de se montrer. » Il gagna le coin où l'escalier descendait sous terre et sonda les ténèbres. « *Houhouuuuu… !* appela-t-il de nouveau. Y a personne, en bas, là ? »

Brienne vit un arbrisseau se balancer. Des fourrés sortit à la dérobée un homme, un homme si tartiné de terre qu'il paraissait y avoir poussé. Une épée brisée prolongeait son bras, mais c'est en voyant son visage, ses yeux tout petits et ses larges narines épatées, que Brienne hésita.

Elle reconnut ce nez. Elle reconnut ces yeux. *Pyg*, l'avaient appelé ses camarades.

Tout sembla se passer en un battement de cœur. Un deuxième individu se glissa par-dessus la margelle du puits, sans faire plus de bruit que n'en aurait fait un serpent se faufilant dans un tas de feuilles mortes. Il était coiffé d'un demi-heaume de fer enturbanné de soie rouge toute tachée, et il tenait à la main une courte et massive pique de jet. Lui aussi, Brienne le reconnut. De derrière elle lui parvint un bruissement, causé par une tête surgie là-haut, parmi le feuillage rouge. Précisément planté sous le barral, Crabbe leva les yeux et la vit. « Tenez, lança-t-il à Brienne, le v'là, votre bouffon.

— Dick ! riposta-t-elle d'un ton d'urgence. Ici ! »

Huppé le Louf se laissa choir de l'arbre en hurlant de rire. Il était accoutré d'une tenue arlequinée, si crasseuse et si délavée toutefois que les roses et les gris s'y devinaient à peine sous le brunâtre. Mais, au lieu de brandir des étrivières de bouffon, il faisait tournoyer une plommée triple, dont les trois boules hérissées de clous étaient reliées par des chaînes au manche de bois. Il en balança un coup bas formidable, et l'un des genoux de Dick explosa en un poudroiement d'esquilles et de sang. « *Ça*, c'est marrant ! » exulta le dingue en regardant s'affaler sa victime, tandis que l'épée donnée par Brienne prenait son envol et allait se perdre parmi la jungle, que Dick se tordait par terre en gueulant, cramponné à ce qui lui restait de genou, « Ah, ben vrai, visez ! Dick le Contrebandier..., le type qu'a fait la carte pour nous... Ça serait-y que tu t'es tapé tout ce long voyage essprès pour venir nous rendre notre or ?

— *S'il vous plaît...*, pleurnicha le blessé, s'il vous plaît... non ! Ma jambe...

— Ça fait bobo ? Je peux y remédier...

— Fichez-lui la paix ! intervint Brienne.

— *NON !* » hurla Crabbe en levant ses deux mains sanglantes pour se protéger le crâne. Huppé le Louf fit tournoyer une fois de plus les trois boules hérissées de pointes au-dessus de sa propre tête et les abattit en plein milieu de la figure du malheureux. D'où résulta un bruit d'écrabouillement dégueulasse... Dans le prodigieux silence qui s'ensuivit, Brienne entendit clair et net le vacarme que faisait son cœur.

« Méchant Louf », fit le type qu'avait dégorgé le puits. En voyant la tête que faisait Brienne, il se mit à rire. « Encore toi, bobonne ? Ça alors ! T'es venue nous traquer comme du gibier ? Ou ben c'est nos bouilles amicales qui te manquaient ? »

Huppé se mit à gambader d'un pied sur l'autre en faisant tournoyer sa plommée. « C'est pour moi qu'elle est ici. C'est de moi qu'elle rêve toutes les nuits, quand elle se fourre les doigts dans sa fente. C'est moi qu'elle veut, les gars, la grande bique était en manque de son joyeux Louf ! Je vais vous lui bourrer le cul et le lui farcir de foutre arlequiné jusqu'à ce qu'elle me mette bas un petit mézigue… !

— Faut te servir d'un autre trou pour ça, Louf », conseilla Timeon de sa voix traînarde de Dornien.

« Plutôt de tous ses trous que je me servirai, alors. Rien que pour être tout à fait sûr. » Il fit mouvement vers sa droite, pendant que Pyg se mettait à la tourner par sa gauche, ce qui la contraignit à reculer vers le rebord dentelé du précipice. *Passage pour trois*, se rappela-t-elle. « Il n'y a que vous trois. »

Timeon haussa les épaules. « On est tous allés chacun de notre propre côté, après avoir quitté Harrenhal. Urswyck et sa bande ont filé au sud à destination de Villevieille. Rorge a pensé, lui, qu'il pourrait s'échapper ni vu ni connu par Salins. Moi et mes potes, on a pris la route de Viergétang mais, là-bas, on a jamais pu s'approcher d'un bateau. » Le Dornien souleva sa pique. « Tu t'es fait Vargo, tu sais ? Avec cette sacrée morsure… Son oreille est devenue noire et a commencé à suppurer. Rorge et Urswyck étaient pour déguerpir, mais la Chèvre qui nous dit que nous avons à tenir le château. Sire d'Harrenhal, il dit qu'il est, que personne allait le lui enlever. Il a dit ça baveux, la façon qu'il causait toujours. On a appris, nous, que la Montagne se l'était offert ensuite morceau par morceau. Une main un jour, un pied le suivant, tout ça tranché propre et net. On bandait soigneusement les moignons pour que le Hèvre, il crève pas, surtout. Sa biroute, le Gregor Clegane se la gardait pour la bonne bouche, mais un oiseau l'a rappelé à Port-Réal, alors il a fini le boulot, et puis il est parti.

— Ce n'est pas pour vous que je me trouve ici. Je suis à la recherche de m… » Il s'en fallut de rien qu'elle ne dise *ma sœur*. «… d'un bouffon.

— Je *suis* un bouffon, déclara joyeusement le Louf.

— Pas le bon, lâcha-t-elle. Celui que je veux accompagne une adolescente de haute naissance, la fille de lord Stark de Winterfell.

— Alors, c'est après le Limier que vous en avez, dit Simeon. Ça se trouve qu'il est pas ici non plus. Y a que nous.

— Sandor Clegane ? s'étonna Brienne. Qu'est-ce que vous voulez dire par là ?

— C'est lui, le type qui s'est aboulé la petite Stark. D'après ce que j'ai entendu dire, elle se rendait à Vivesaigues, et il l'a raflée. Maudit clébard. »

Vivesaigues, songea Brienne. *Elle se rendait à Vivesaigues. Auprès de ses oncles.* « D'où tenez-vous ça ?

— Un des gugusses de la clique à Béric. Le seigneur la Foudre la recherche pareil. Il a expédié ses hommes descendre et remonter tout le Trident, la truffe après sa piste. On est tombés par hasard sur trois d'entre eux après Harrenhal, et y en a un qu'on y a tiré l'histoire avant qu'il est clamsé.

— Il pourrait en avoir menti.

— Y pouvait, mais'l a pas. Plus tard, on a entendu le truc comme quoi le Limier avait zigouillé trois zèbres à son frangin dans une auberge près du carrefour. La gigolette était avec lui, là. Le gargotier l'a juré avant que Rorge le bousille, et les putes, elles ont dit pareil. Un tas de mochetés, que c'était. Pas si moches que toi, remarque, mais quand même… »

Il essaie de me distraire, s'avisa Brienne, *de m'endormir avec ses papotages*. Pyg se rapprochait en coin. Huppé fit un sautillement vers elle. Elle recula pour rétablir l'écart. *Ils m'acculeront au vide si je les laisse faire*. « Gardez vos distances, les prévint-elle.

— Après tout, c'est le nase, je crois, que je vais te tringler, pouffiasse, annonça le Louf. Ça sera-t-y pas rigolo, ça ?

— Il a une toute petite quéquette, expliqua Timeon. Laisse-moi tomber cette épée jolie, et ça se pourrait qu'on se montrera gentils avec toi, femme. On a besoin d'or pour payer ces contrebandiers, c'est tout.

— Et si je vous donne de l'or, vous nous laisserez partir ?

— Oui-da. » Timeon sourit. « Une fois que t'auras trempé nos biscuits à tous. On te paiera comme une putain convenable. Une pièce d'argent chaque coup. Autrement, on prendra l'or, et on te baisera quand même, et on te fera comme a fait la Montagne à lord Varshé. Quoi c'est que tu choisis ?

— Ceci. » Elle se rua vers Pyg.

Il leva vivement son épée brisée pour se protéger le visage, mais en le voyant hausser sa garde, elle se fendit bas. Féale transperça cuirs, laine, peau, muscles de la cuisse du mercenaire. Pendant que sa jambe se dérobait sous lui, il répliqua par une taillade féroce, son tronçon d'arme érafla la chaîne de maille, et il s'affala sur le dos. Elle le poignarda en pleine gorge, vrilla durement la lame et la retira tout en pivotant sur elle-même juste au moment où la pique de Simeon lui fusait au ras du visage. *Je n'ai pas hésité*, pensa-t-elle, en dépit du sang qui ruisselait, rouge, le long de sa joue. *Vous avez vu, ser Bonvainc ?* Elle sentait à peine la balafre.

« Votre tour », dit-elle à Timeon, tandis qu'il tirait une seconde pique, plus courte et massive que la première. « Lancez-la donc !

— Pour que tu puisses l'esquiver par un entrechat puis me foncer dessus ? Je finirais mort comme Pyg. Non merci. Aligne-moi-la, Louf.

— Aligne-toi-la toi-même, riposta l'autre. T'as vu ce qu'elle a fait à Pyg ? Son sang de lune qui la rend dingo. » Le bouffon se trouvait derrière elle, Timeon devant. De quelque manière qu'elle se tourne, elle en avait un dans son dos.

« Aligne-toi-la, pressa le Dornien, et tu pourras baiser son cadavre.

— Oh, toi, pour m'aimer, tu m'aimes ! » La plommée tourbillonnait. *Choisis-en un*, se dit Brienne. *Choisis-en un, et tue-le vite.* Au même instant survint de nulle part une pierre qui atteignit Huppé à la tête et, sans marquer l'ombre d'une hésitation, Brienne vola contre Timeon.

Il avait beau être plus habile que Pyg, il ne disposait jamais que d'une courte pique de jet, tandis qu'elle maniait de l'acier valyrien. Elle avait le sentiment que, dans son poing, Féale était vivante. Jamais elle n'avait été si rapide. Sa lame se réduisit à un éclair gris flou. Le Dornien la blessa à l'épaule lorsqu'elle vint à sa portée, mais elle lui faucha une oreille et la moitié de la joue, décapita sa pique d'un coup de hachoir et planta dans son ventre, en dépit du haubert de chaîne de mailles qu'il portait, deux bons empans d'acier moiré.

Timeon s'efforça de poursuivre la lutte lorsqu'elle libéra Féale dont les onglets dégorgeaient de sang pourpre. Il agrippa sa ceinture et brandit un poignard, si bien que Brienne lui trancha la main. *Ça, c'était pour Jaime.* « La Mère ait miséricorde ! » hoqueta-t-il, les lèvres ensanglantées de bulles et son poignet pissant à grosses giclées. « Finis le boulot. Renvoie-moi à Dorne, putain de garce. »

Ce qu'elle fit.

Lorsqu'elle se retourna, Huppé se trouvait agenouillé et, l'air hébété, tâtonnait pour récupérer sa plommée. Comme il tâchait en titubant de se relever, une nouvelle pierre lui souffleta la tempe. Podrick s'était perché sur les éboulis du mur, et il se tenait là, en pleine vigne vierge, la mine menaçante et un gros caillou tout prêt dans la main. « Je vous l'avais *bien dit* que je pouvais me battre ! » cocoriqua-t-il de là-haut.

Le Louf essaya de se défiler à quatre pattes. « Je me rends ! piaula-t-il, je me *rends* ! Vous devez pas faire du mal au gentil Huppé, je suis trop rigolo pour mourir...

— Vous ne valez pas mieux que les deux autres. Vous avez volé, violé, assassiné.

— Oh, pour ça, oui, oui, je vais pas nier... Mais je suis *marrant*, avec toutes mes blagues et toutes mes cabrioles. Je fais se fendre la poire aux mecs.

— Et pleurer les femmes.

— C'est ma faute, ça, si les gonzesses ont pas le sens de l'humour ? »

Brienne abaissa Féale. « Creusez une tombe. Là-bas, sous le barral. » Elle pointa l'épée pour désigner l'endroit.

« J'ai pas de pelle.

— Vous avez deux mains. » *Une de plus que vous n'en avez laissé à Jaime.*

« Pourquoi vous enquiquiner de ça ? Z'avez qu'à les abandonner aux corbeaux...

— Pyg et Timeon pourront toujours repaître les corbeaux. Dick Main-leste aura une tombe, lui. Il était un Crabbe. C'est chez lui, ici. »

La pluie avait eu beau ameublir la terre, il fallut quand même au bouffon le restant du jour pour que la fosse soit assez profonde. La nuit tombait quand il en eut fini, et il avait les doigts pleins d'ampoules et en sang. Brienne rengaina Féale, souleva Dick Crabbe et le transporta jusqu'au trou. Le visage du mort était dur à regarder. « Je suis navrée de ne vous avoir jamais fait confiance. Je ne sais plus comment m'y prendre pour faire confiance à qui que ce soit. »

Comme elle se mettait à genoux pour déposer le corps sur le sol, elle songea : *C'est maintenant que le bouffon va tenter son coup, pendant que j'ai le dos tourné.*

Elle entendit le souffle haletant du Louf moins d'une seconde avant le cri d'alarme poussé par Podrick. Huppé tenait dans son poing crispé un gros pavé déchiqueté. Elle avait pour sa part son poignard dans sa manche.

Un poignard l'emportera presque toujours sur un pavé.

Elle écarta brutalement le bras de l'agresseur et planta l'acier dans ses tripes. « Rigole ! » lui gronda-t-elle. Et comme il se mettait à geindre, au lieu de cela, « Rigole ! » répéta-t-elle, en l'empoignant d'une main par la gorge et en le frappant au ventre de l'autre à coups redoublés. « *Rigole !* » dit-elle et redit-elle encore et encore, jusqu'à ce que sa main soit jusqu'au poignet d'un rouge vermeil, et que la puanteur du bouffon moribond manque la faire dégueuler, mais Huppé le Louf ne rigola pas une seule fois. Quant aux sanglots qu'elle percevait, ils étaient tous de son propre fait, finit-elle par se rendre compte et, alors, elle jeta son poignard par terre, prise de frissons.

Podrick l'aida à descendre Dick Main-leste dans la fosse. La lune se levait quand cette macabre besogne fut terminée. Après avoir frotté l'une contre l'autre ses mains terreuses, Brienne lança deux dragons dans la tombe.

« Pourquoi avez-vous fait cela, ma dame ? Ser ? questionna Podrick.

— C'était la prime que je lui avais promise s'il me retrouvait le bouffon. »

Un éclat de rire retentit derrière eux. Elle dégaina Féale et pivota d'un trait, s'attendant à de nouveaux Pitres Sanglants, mais il n'y avait, sur les décombres du mur, personne d'autre que Hyle Hunt, assis les jambes croisées. « S'il y a des bordels au fin fond de l'enfer, le salopard vous rendra grâces, lança le chevalier du haut de son perchoir. Sans cela, c'est du gâchis d'or bel et bon.

— Je tiens mes promesses. Qu'est-ce que vous venez fiche ici, *vous* ?

— Lord Randyll m'a donné l'ordre de vous suivre. S'il arrivait par impossible qu'une veine de cocu vous fasse trébucher sur Sansa Stark, j'avais pour mission de la ramener à Viergétang. Mais, rassurez-vous, il m'était également commandé de ne pas vous faire le moindre mal. »

Elle émit un reniflement de mépris. « Comme si vous en aviez les moyens…

— Qu'allez-vous faire maintenant, ma dame ?

— Le recouvrir.

— Au sujet de la petite, je voulais dire. La lady Sansa. »

Brienne réfléchit un moment. « Elle était en route pour Vivesaigues, s'il faut en croire ce qu'a raconté Timeon. Quelque part sur le trajet, le Limier s'est emparé d'elle. Si je réussis à lui mettre la main dessus…

— … il vous tuera.

— Ou je le tuerai, répliqua-t-elle d'un air têtu. Voulez-vous bien m'aider à recouvrir le pauvre Crabbe, ser ?

— Aucun chevalier digne de ce nom ne saurait opposer de refus à tant de vénusté. » Ser Hyle dégringola jusqu'au bas des ruines. Ensemble, ils repoussèrent la terre par-dessus la dépouille de Dick Main-leste, tandis que la lune s'élevait dans le firmament et que, sous leurs pieds, dans les entrailles de la falaise, les têtes de rois oubliés continuaient à se chuchoter des secrets.

LE FAISEUR DE REINES

Comme la richesse se mesurait en eau tout autant qu'en or, sous les ardeurs du soleil de Dorne, chaque puits du pays était gardé avec un soin jaloux. Celui de Roche Panachée s'étant tari cent ans plus tôt, cependant, ses gardiens étaient partis pour des lieux moins arides, abandonnant leur modeste manoir fortifié, ses colonnes cannelées et ses triples arceaux. Après quoi les dunes n'avaient pas manqué de revenir furtivement faire valoir leurs droits immémoriaux de propriété.

C'est juste à l'heure où l'astre du jour, achevant son déclin, transformait l'ouest en une tapisserie sur les ors et les violets de laquelle se détachaient les rougeoiements de nuages écarlates qu'Arianne Martell y survint, accompagnée de Drey et de Sylva. Les ruines aussi paraissaient embrasées ; les colonnes tombées luisaient de tons roses, des ombres sanglantes rampaient sur les dalles de pierre toutes craquelées, et, tandis que s'affaiblissait progressivement la luminosité, les sables eux-mêmes passaient de l'or à l'orange et au lie-de-vin. Garin les avait précédés là de quelques heures, et dès la veille le chevalier surnommé Sombre astre.

« Quel endroit magnifique ! » s'émerveilla Drey tout en aidant Garin à abreuver les montures. Ils avaient apporté leurs provisions d'eau personnelles. Les coursiers des sables de Dorne étaient rapides et infatigables, ils maintenaient le train des lieues et des lieues après que leurs congénères d'ailleurs avaient déclaré forfait, mais ces qualités ne les dispensaient tout de même pas d'avoir soif. « Comment en avez-vous eu connaissance ?

— Grâce à mon oncle qui nous y avait amenées, moi, Tyerne et Sarella. » Le souvenir fit sourire Arianne. « Il avait capturé des vipères et appris à Tyerne la façon de s'y prendre pour leur soutirer leur venin. Sarella avait retourné des pierres, épousseté le sable des mosaïques et voulu savoir par le menu tout ce qui concernait les gens qui avaient jadis habité céans.

— Et vous, princesse, que faisiez-vous pendant tout ce temps ? » demanda Sylva Mouchette.

Je m'étais assise auprès du puits, et je me figurais qu'un bandit de chevalier m'avait transportée là pour jouir de moi à sa guise, songea-t-elle, *un grand diable inflexible aux yeux noirs et dont les cheveux descendaient en V sur le front.* Ce souvenir, pour le coup, la mit mal à l'aise. « Je rêvassais, dit-elle, et, quand était survenu le crépuscule, je m'étais installée, jambes en tailleur, aux pieds de mon oncle et l'avais prié de me raconter une histoire.

— Le prince Oberyn en avait un répertoire inépuisable. » Garin s'était aussi trouvé des leurs ce fameux jour-là ; il était le frère de lait d'Arianne, et ils avaient fait une paire inséparable tous les deux dès avant d'avoir appris à marcher. « Il nous avait parlé du prince Garin, je me rappelle, de celui dont on m'a donné le nom.

— Garin le Prodigieux, proposa Drey, l'émerveillement des Rhoyniens ?

— Tout juste. Celui qui fit trembler les gens de Valyria.

— Ça, pour trembler, ils tremblèrent, intervint ser Gerold, et ils finirent par avoir sa peau. Si moi je menais au massacre un quart de million d'hommes, est-ce que l'on m'appellerait Gerold le Prodigieux ? » Il renifla. « Je resterai "Sombre astre", m'est avis. Du moins n'ai-je pas usurpé ce surnom. » Il dégaina sa longue épée puis, s'asseyant sur la margelle du puits asséché, entreprit d'en affûter la lame avec une pierre à huile.

Arianne attarda sur lui un regard méfiant. *Il est d'assez grande naissance pour faire un époux sortable*, songea-t-elle. *Père mettrait mon bon sens en doute, mais nos enfants seraient aussi beaux que des seigneurs du dragon.* S'il existait un plus bel homme à Dorne, alors, elle ne le connaissait pas. Ser Gerold Dayne avait un nez aquilin, des pommettes hautes, une mâchoire forte. Il avait toujours le visage impeccablement rasé, mais ses cheveux drus lui dévalaient jusqu'au col, tel un glacier d'argent, partagés par un filet noir comme la pleine nuit. *Mais il a une bouche cruelle, et une langue plus cruelle encore.* Il paraissait avoir, assis là, découpé contre le soleil couchant, des prunelles noires, mais elle savait, elle, pour les avoir observées sous un angle plus avantageux, qu'elles étaient violettes. *Violet sombre. Sombre et colère.*

Il dut sentir qu'elle l'examinait, car il leva les yeux de dessus son épée, rencontra les siens et sourit. Une bouffée de chaleur soudaine assaillit le visage d'Arianne. *Je n'aurais jamais dû l'emmener. S'il me décoche une pareille œillade quand Arys sera là, nous aurons du sang sur le sable.* Le sang duquel des deux, elle n'aurait su dire. La tradition voulait que les chevaliers de la Garde Royale fussent les plus fins bretteurs des Sept Couronnes..., mais Sombre astre était Sombre astre.

Il règne un froid piquant, la nuit, dans les dunes dorniennes. Garin alla ramasser du bois pour la petite troupe, des branches blanchies d'arbres desséchés et morts cent ans auparavant. Drey se chargea de préparer le feu puis, tout en sifflotant, se mit à faire jaillir des étincelles de son briquet.

Une fois que le menu bois eut pris, ils s'assirent autour des flammes et se passèrent tous de main en main une gourde de vin d'été, tous sauf Sombre astre, qui préféra boire de la citronnade sans sucre. Garin était d'humeur joviale et les divertit avec les toutes dernières histoires de Bourg-Cabanes, sis à l'embouchure de la Sang-vert, et où les orphelins de la rivière venaient commercer avec les cargos, galères et autres caraques en provenance des Cités libres, de l'autre côté du détroit. S'il fallait en croire du moins ce que racontaient les marins, miracles et terreurs mettaient l'Orient en ébullition : une révolte d'esclaves à Astapor, des dragons à Qarth, la peste grise à Yi Ti. Un nouveau roi corsaire s'était levé dans les îles du Basilic, il avait razzié la ville de Grand-Banian, et, à Qohor, les sectateurs des prêtres rouges avaient provoqué des émeutes et tenté d'incendier la Chèvre Noire. « Et la Compagnie Dorée a rompu son contrat avec Myr, juste au moment où celle-ci s'apprêtait à partir en guerre contre Lys.

— Ce sont les gens de Lys qui l'auront débauchée pour leur propre compte, suggéra Sylva.

— Malins Lysiens, commenta Drey. Malins de trouillards lysiens. »

Arianne était plus perspicace. *Si Quentyn a l'appui de la Compagnie Dorée*... « Sous l'or, l'aigre acier », telle était la devise des mercenaires. *De l'aigre acier, frère, il t'en faudra, et bien d'autres choses, si tu rumines de m'évincer.* Elle, on l'adorait, à Dorne, tandis que l'on y connaissait peu Quentyn. Aucune compagnie de reîtres au monde ne changerait cet état de fait.

Ser Gerold se leva. « Je crois que je vais aller pisser.

— Faites attention où vous mettez les pieds, le prévint Drey. Ça fait un bout de temps que le prince Oberyn n'a pas trait les vipères locales.

— J'ai été sevré avec du venin, Dalt. Qu'une vipère s'avise de me mordre, et elle s'en repentira. » Le chevalier disparut par une arche brisée.

Après son départ, les autres échangèrent des coups d'œil en dessous. « Pardonnez-moi, princesse, dit Garin tout bas, mais cet individu ne me revient pas.

— Dommage, fit Drey. J'ai comme qui dirait l'idée qu'il est à moitié amoureux de toi.

— Nous avons besoin de lui, leur rappela Arianne. Il se pourrait que son épée nous soit utile, et son château, assurément.

— Haut Hermitage n'est pas le seul château de Dorne, signala Sylva Mouchette, et vous avez d'autres chevaliers qui vous aiment de tout leur cœur. Drey est chevalier.

— En effet, confirma celui-ci. Je possède un merveilleux cheval et une très belle épée, et ma vaillance ne le cède... Eh bien, qu'à plusieurs, en fait.

— Il serait plausible de dire plutôt plusieurs centaines, ser », riposta Garin.

Arianne les abandonna à leurs badinages. Drey et Sylva Mouchette étaient ses amis les plus chers, mis à part sa cousine Tyerne, et Garin n'avait pas arrêté de la taquiner depuis l'époque où ils tétaient conjointement sa mère. Mais voilà, en cette heure précise, elle n'était certes pas d'humeur à plaisanter. Le soleil s'était éclipsé, et le ciel fourmillait d'étoiles. *Tant et tant...* Elle s'adossa contre une colonne cannelée et se demanda si son frère était en train de contempler les mêmes étoiles, en quelque lieu qu'il pût se trouver, cette nuit. *Tu la vois, la blanche, Quentyn ? C'est l'étoile de Nyméria, tout incandescente, et cette bande laiteuse, dans son sillage, ce sont ses dix mille vaisseaux. Elle brûla, femme, avec autant d'éclat que n'importe quel homme, et c'est ainsi que je ferai moi-même. Tu ne me déposséderas pas de mon droit de naissance !*

Quentyn était encore tout jeune quand on l'avait envoyé comme pupille à Ferboys ; trop jeune, au gré de leur mère. Les habitants de Norvos ignoraient la pratique de ce genre d'« adoption » pour leurs enfants, et lady Mellario n'avait jamais pardonné au prince Doran de lui avoir enlevé son fils. L'oreille d'Arianne avait surpris les propos de ses parents sur ce sujet. « Je n'ai pas plus de goût que toi pour cette méthode, déclarait son père, mais je dois régler une dette de sang, et Quentyn se trouve être l'unique monnaie que lord Ormond acceptera jamais.

— *Monnaie* ? s'était récriée sa mère d'un ton véhément. C'est de ton *fils* qu'il est question ! À quelle espèce de père faut-il appartenir pour payer ses dettes en se servant de sa propre chair et de son propre sang ?

— À l'espèce princière », avait-il répliqué.

Quentyn, prétendait toujours Doran Martell, n'avait pas quitté lord Ferboys, mais la mère de Garin avait vu le jeune homme à Bourg-Cabanes, déguisé en négociant. La vue basse dont était affecté l'un de ses compagnons présentait une ressemblance pour le moins étonnante avec celle de Cletus Ferboys, le rejeton débauché de lord Anders. Un mestre voyageait aussi avec eux, un mestre expert en langues étrangères. *Mon frère n'est pas aussi malin qu'il se le figure. Un vrai malin serait parti de Villevieille, dût cette solution rallonger forcément le trajet. À Villevieille, il aurait eu de fortes chances de ne pas être reconnu.* Elle avait des amis parmi les orphelins de Bourg-Cabanes, et les motifs qui pouvaient bien pousser un prince et un fils de grand seigneur à circuler sous de faux noms et à chercher à s'embarquer pour l'autre côté du détroit n'avaient pas manqué de piquer la curiosité de certains d'entre eux. Il en était même un qui, s'étant furtivement introduit chez Quentyn par une fenêtre, à la faveur de la nuit, avait chatouillé la serrure de son petit coffre-fort et découvert les rouleaux dûment cachetés qu'il recelait.

Arianne aurait donné cher, et même très cher, pour apprendre que c'était son frère, et lui seul, qui avait manigancé cette équipée secrète vers le continent, mais les parchemins qu'il emportait là portaient tous le sceau pique-et-soleil de Dorne. Si le cousin de Garin n'avait pas osé rompre celui-ci pour les parcourir, il n'empêchait que…

« Princesse. » Ser Gerold Dayne se tenait derrière elle, à demi éclairé par les étoiles, à demi dans l'ombre.

« Pissé à votre pleine et entière satisfaction ? questionna-t-elle malicieusement.

— Les dunes en ont été reconnaissantes comme de juste. » Il posa un pied sur la tête d'une statue qui avait peut-être été à l'effigie de la Jouvencelle avant que les sables n'en rongent entièrement les traits. « L'idée m'a traversé l'esprit pendant que je pissais que votre plan risquait de ne pas vous apporter ce que vous en escomptez.

— Et qu'est-ce que j'en escompte, selon vous, ser ?

— Faire libérer les Aspics des Sables. Venger Oberyn et Elia. La chanson m'est-elle connue ? Vous mourez d'envie de goûter au sang du lion. »

Ainsi qu'aux droits que me garantit ma naissance. Je veux Lancehélion, et je veux succéder à mon père. Je veux Dorne. « C'est de justice que je meurs d'envie.

— Appelez-le comme il vous plaira. Couronner la petite Lannister est un geste creux. Elle n'occupera jamais le Trône de Fer. Et vous n'obtiendrez pas davantage la guerre que vous désirez. Le lion ne se laisse pas si facilement provoquer.

— Le lion est mort. Sait-on lequel de ses autres petits préfère la lionne ?

— Celui qu'elle a dans sa propre tanière. » Ser Gerold Dayne tira son épée. La lueur des étoiles la fit miroiter, acérée comme des mensonges. « C'est par ce biais que l'on déclenche des hostilités. Non pas avec une couronne d'or, mais avec une lame d'acier. »

Je ne suis pas du genre à assassiner des enfants. « N'y songez pas. Myrcella se trouve sous ma protection. Et ser

Arys ne tolérera pas que l'on touche un cheveu de sa précieuse princesse, vous le savez pertinemment.

— Non, ma dame. Ce que je sais pertinemment, c'est que, depuis plusieurs milliers d'années, les Dayne ne se sont pas privés de tuer des du Rouvre. »

Arianne eut le souffle coupé par son arrogance. « Il me semble à moi que les du Rouvre ne se sont pas davantage privés de tuer des Dayne pendant le même laps de temps.

— Nous possédons tous nos traditions familiales respectives. » Sombre astre rengaina. « La lune se lève, et je vois que s'approche votre parangon. »

Il avait l'œil perçant, car le cavalier monté sur le grand palefroi gris se révéla être effectivement ser Arys, piquant des deux à travers les dunes, environné par les pans fougueux de son blanc manteau. Il portait en croupe la princesse Myrcella, tout emmitouflée dans une vaste pèlerine dont le capuchon dissimulait ses boucles d'or.

Tandis que le chevalier de la Garde aidait la petite à mettre pied à terre, Drey ploya le genou devant elle. « Votre Grâce.

— Ma dame et maîtresse. » Sylva Mouchette s'agenouilla à côté de lui.

« Ma reine, je suis votre homme. » Garin se laissa tomber sur ses deux genoux.

Suffoquée, Myrcella saisit le bras d'Arys du Rouvre. « Pourquoi me donnent-ils ces titres ? demanda-t-elle d'un ton plaintif. Ser Arys, quel est donc ce lieu, et qui sont ces gens ? »

Ne lui a-t-il rien dit ? Arianne se précipita, soieries virevoltantes, en souriant pour la rassurer de son mieux. « Ce sont des amis à moi, dévoués et loyaux, Votre Grâce, et qui n'aspirent qu'à être aussi vos amis.

— Princesse Arianne ? » L'enfant lui jeta les bras au cou. « Pourquoi me traitent-ils en reine ? Est-ce qu'il est arrivé malheur à Tommen ?

— Il est entouré de méchants, Votre Grâce, répondit Arianne, et je crains qu'ils n'aient conspiré avec lui pour vous dérober votre trône.

— Mon trône ? Vous voulez dire le Trône *de Fer* ? » Elle se montrait plus stupéfaite que jamais. « Tommen ne m'a rien dérobé de tel, il est…

— … plus jeune que vous, sans doute ?

— J'ai un an de plus que lui.

— Ce qui signifie que vous êtes l'héritière légitime du Trône de Fer, dit Arianne. Votre frère n'étant qu'un petit garçon, vous n'avez pas à le blâmer. Il a de mauvais conseillers, mais vous avez de bons amis, *vous*. Me permettez-vous de vous les présenter ? » Elle prit la fillette par la main. « Votre Grâce, je vous offre ser Andrey Dalt, héritier de Boycitre.

— Mes amis m'appellent Drey, déclara celui-ci, et je me tiendrais pour grandement honoré si Votre Grâce daignait faire de même. »

Il avait beau avoir une physionomie ouverte et un sourire plein d'aisance, Myrcella le considéra d'un air circonspect. « Jusqu'à ce que je vous connaisse plus avant, je me verrai obligée de vous appeler *ser*.

— Quelque nom que Votre Grâce préfère me donner, je suis d'ores et déjà son homme. »

Sylva s'éclaircit la gorge jusqu'à ce qu'Arianne reprenne : « Me permettez-vous de vous présenter lady Sylva Santagar, ma reine ? Ma très chère Sylva Mouchette ?

— D'où vous vient un pareil surnom ? s'enquit Myrcella.

— De mes taches de rousseur, Votre Grâce, expliqua Sylva, quoique tout le monde prétende que je le dois au fait d'être l'héritière de Bois-moucheté. »

Puis vint le tour de Garin, gaillard basané à l'allure souple, à long nez, dont une oreille était ornée d'un clou de jade. « Voici le joyeux Garin des orphelins, qui a le talent de me faire rire. Sa mère fut ma nourrice.

— Je suis navrée qu'elle soit morte, dit Myrcella.

— Elle ne l'est pas, reine des cœurs. » Garin fit flamboyer la dent d'or dont Arianne l'avait doté pour remplacer celle qu'elle lui avait cassée. « Ma dame voulait dire par là que je faisais partie des orphelins de la Sang-vert. »

La jeune princesse ayant amplement le temps de se faire conter l'histoire desdits orphelins pendant que l'on remonterait la rivière, Arianne la mena vers l'ultime membre de la petite bande. « Enfin, bon dernier, mais le premier par la vaillance, je vous fais présent de ser Gerold Dayne, un chevalier des Météores. »

Celui-ci mit un genou en terre. La clarté de la lune fit étinceler ses prunelles sombres pendant qu'il examinait froidement la fillette.

« Il y a eu un Arthur Dayne, dit Myrcella. C'était l'un des chevaliers de la Garde Royale, à l'époque du roi Aerys le Dément.

— L'Épée du Matin. Il est mort.

— C'est vous, l'Épée du Matin, maintenant ?

— Non. Les hommes m'appellent Sombre astre, et j'appartiens à la nuit. »

Arianne entraîna l'enfant. « Vous devez avoir faim. Nous avons des dattes, du fromage et des olives et, comme boisson, de la citronnade sucrée. Mieux vaudrait toutefois ne pas trop manger ni trop boire. Quand vous aurez pris un peu de repos, nous devrons nous remettre en route. Ici, dans les dunes, il est toujours préférable de chevaucher de nuit, avant que le soleil ne s'élève à l'assaut du ciel. On soumet ainsi les chevaux à moins rude épreuve.

— Tout autant que les cavaliers, reprit Sylva Mouchette. Allons, Votre Grâce, venez vous réchauffer. Je me trouverais grandement honorée que d'être admise à vous servir personnellement. »

Pendant que la jeune femme entraînait la princesse vers le feu, Arianne s'aperçut que ser Gerold se tenait derrière elle. « Ma maison remonte à dix mille ans, gémit-il. Pour quelle raison mon cousin est-il l'unique Dayne dont tout le monde conserve le souvenir ?

— Il fut un chevalier des plus distingués, souligna ser Arys du Rouvre.

— Il possédait une épée des plus distinguées, rétorqua Sombre astre.

— Et un cœur des plus distingués. » Ser Arys s'empara du bras d'Arianne. « Princesse, je vous prie de m'accorder un moment d'entretien.

— Suivez-moi. » Elle l'emmena dans le sein des ruines. Sous son manteau, il portait un doublet de brocart d'or sur lequel étaient brodées les trois feuilles de chêne vertes de sa maison. Surmonté d'une pointe dentelée, le léger heaume d'acier qui le coiffait était enturbanné d'une écharpe jaune, selon la coutume dornienne. Ainsi vêtu, il aurait pu passer pour n'importe quel chevalier, n'eût été son manteau. De soie blanche toute chatoyante était celui-ci, pâle comme le clair de lune et aussi aérien qu'une brise. *Un manteau de la Garde Royale, sans l'ombre d'un doute, le galant crétin.* « Jusqu'à quel point la petite est-elle au courant ?

— Elle ne sait pas grand-chose. Avant notre départ de Port-Réal, son oncle lui a rappelé que j'étais son protecteur et que tous les ordres que je pourrais être amené à lui donner viseraient à assurer sa sécurité. Elle a également entendu retentir dans les rues de Lancehélion les clameurs vindicatives de la populace. Elle a compris qu'il ne s'agissait pas là d'une plaisanterie. Elle est brave, et beaucoup plus avisée qu'on ne l'est à son âge. Elle a fait tout ce que je lui demandais, et sans jamais poser la moindre question. » Il lui saisit de nouveau le bras, jeta un coup d'œil alentour puis baissa la voix. « Il y a d'autres nouvelles que vous devez absolument savoir. Tywin Lannister est mort. »

Ce fut un choc pour elle. « Mort ?

— Assassiné par le Lutin. La reine s'est adjugé la régence.

— Elle a fait cela ? » *Une femme sur le Trône de Fer ?* Après y avoir réfléchi un moment, Arianne décida que c'était une bonne chose. Si les seigneurs des Sept Couronnes finissaient par s'accoutumer à subir la férule de la reine Cersei, il leur serait d'autant plus facile de se mettre à genoux devant la reine Myrcella. Et lord Tywin avait été un adversaire dangereux ; lui disparu, les ennemis de Dorne seraient beaucoup plus faibles. *Des Lannister tuant des Lannister, n'est-ce pas friand ?* « Qu'est-il advenu du nain ?

— Il s'est enfui, répondit ser Arys. Cersei récompensera d'une seigneurie quiconque lui apportera sa tête. » Une fois parvenu dans une cour intérieure au carrelage à demi enfoui par l'invasion des sables, il la repoussa contre une colonne pour l'embrasser, tout en portant la main vers ses seins. Il lui prit un long baiser vorace et lui aurait volontiers retroussé les jupes, mais elle l'en empêcha en se dégageant vivement, rieuse. « Je vois que faire des reines vous excite, ser, mais le loisir nous fait défaut pour la bagatelle. Ce sera pour plus tard, je vous le promets. » Elle lui caressa la joue. « Vous n'avez pas rencontré de problèmes ?

— Sauf avec Trystan. Il voulait s'installer au chevet de Myrcella pour faire une partie de *cyvosse* avec elle.

— Il a eu les pustules rouges à l'âge de quatre ans, je vous en avais averti. On ne peut les avoir qu'une seule fois. Vous auriez plutôt dû faire courir le bruit qu'elle était atteinte par la léprose, et il n'aurait pas manqué de rester au diable.

— Lui peut-être, mais pas le mestre de votre père.

— Caleotte, fit-elle. Il a essayé de la voir ?

— Pas après que je lui eus décrit les pustules rouges qu'elle avait au visage. Il a déclaré qu'on ne pouvait rien faire jusqu'à ce que le mal ait achevé son cours, et il m'a remis un pot de baume pour apaiser les démangeaisons. »

En dessous de dix ans, personne ne mourait jamais des pustules rouges, mais elles pouvaient se révéler mortelles pour des adultes, et, dans son enfance, mestre Caleotte en avait été épargné. Arianne avait appris ce détail lors de son propre accès de pustules, à l'âge de huit ans. « Bon, dit-elle. Et la camériste ? Elle est convaincante ?

— D'un peu loin. Le Lutin l'avait choisie pour remplir ce rôle, de préférence à pas mal de filles de plus noble naissance. Myrcella l'a aidée à se boucler les cheveux et lui a peint elle-même la figure de pointillés. Elles ont une lointaine parenté. Port-Lannis fourmille de Lannys, Lannett, Lantell et autres moindres Lannister, et la moitié d'entre eux possèdent cette blondeur-là. Drapée dans la robe de chambre de la petite et le museau tout tartiné du baume du mestre..., elle aurait leurré même moi, dans une demi-pénombre. Il a été beaucoup plus ardu de trouver un homme pour prendre ma place. Pour la taille, Dack était le plus crédible, mais il est trop gras, aussi j'ai mis Rolder dans mon armure, en lui commandant de garder sa visière abaissée. Il a trois pouces de moins que moi, mais il se peut que personne ne s'en avise, dès lors que je ne suis pas là pour me tenir à côté de lui. De toute façon, il ne bougera pas des appartements de Myrcella.

— Quelques jours, voilà tout ce dont nous avons besoin. Passé ce délai, la princesse sera hors de la portée de mon père.

— Où ? » Il l'attira plus près de lui et, du bout du nez, lui fourragea le cou. « Il serait temps que vous m'informiez du reste de votre plan, ne croyez-vous pas ? »

Elle se mit à rire en le repoussant. « Non, il est seulement l'heure de repartir. »

La lune avait couronné la Vierge lunaire lorsqu'ils quittèrent en direction du sud et de l'ouest les ruines arides et ensablées de Roche Panachée. Arianne et ser Arys prirent la tête, avec entre eux Myrcella montée sur une jument fringante. Garin les talonnait, en compagnie de Sylva Mouchette, et les deux chevaliers dorniens chevauchaient à l'arrière-garde. *Nous sommes sept*, constata subitement Arianne au cours de leur progression. Ce détail lui avait échappé jusque-là, mais il lui parut de bon augure pour leur cause. *Sept cavaliers en chemin vers la gloire. Un jour, les chanteurs nous immortaliseront tous.* Drey s'était prononcé en faveur d'une troupe plus nombreuse, mais le risque d'éveiller une attention malvenue avait fait écarter cette option, sans compter celui de trahison qu'aurait doublé l'adjonction de tout complice supplémentaire. *Voilà au moins une chose que mon père m'aura apprise*. Lors même qu'il était plus jeune et plus vigoureux, Doran Martell avait fait preuve d'un caractère aussi prudent que féru de silences et de secrets soigneusement gardés. *L'heure a sonné pour lui de se décharger de ses fardeaux, mais je ne souffrirai pas que l'on fasse le moindre affront ni à son honneur ni à sa personne*. Elle le renverrait achever ce qu'il lui resterait d'années à vivre dans ses chers Jardins Aquatiques, entouré de marmousets rieurs et enivré par les parfums d'oranges et de limons. *Oui, et Quentyn pourra toujours aller lui tenir compagnie. Une fois que j'aurai couronné Myrcella et libéré les Aspics des Sables, Dorne se ralliera comme un seul homme à mes bannières*. À la rigueur, les Ferboys se déclareraient pour Quentyn, mais ils ne constituaient à eux seuls aucune menace. S'ils prenaient le parti de Tommen et des Lannister, elle les ferait anéantir des racines aux branches par Sombre astre.

« Je suis fatiguée, se plaignit Myrcella au bout de nombre d'heures de cavalcade. Y a-t-il encore beaucoup de route à faire ? Où est-ce que nous allons ?

— La princesse Arianne emmène Votre Grâce dans un endroit où vous serez en sécurité, lui affirma ser Arys.

— Nous avons à faire un long voyage, dit Arianne, mais il deviendra plus facile lorsque nous aurons atteint la Sang-vert. Nous y retrouverons quelques-uns des compatriotes de Garin, les orphelins de la rivière. Ils la remontent et la descendent à la perche, elle et ses affluents, à bord des bateaux qu'ils habitent, pratiquant la pêche et la cueillette des fruits, tout en accomplissant les travaux de toutes sortes qu'il faut accomplir.

— Ouais ! lança Garin de sa voix cordiale, et nous chantons et jouons et dansons sur l'eau, et nous connaissons mille et une manières de soigner les maux. Ma mère est la sage-femme la plus experte de Westeros, et mon père sait guérir les verrues.

— Comment pouvez-vous être des orphelins, si vous avez des pères et des mères ? demanda la petite.

— Ils sont les Rhoyniens, lui expliqua Arianne, et ils avaient pour Mère la rivière Rhoyne. »

Cela demeura incompréhensible pour Myrcella. « Je croyais que c'étaient *vous*, les Rhoyniens. Vous autres, je veux dire, les natifs de Dorne.

— Nous le sommes en partie, Votre Grâce. Si le sang de Nyméria coule dans mes veines, il est mêlé à celui de Mors Martell, le seigneur de Dorne qu'elle prit pour époux. Le jour de leur mariage, Nyméria brûla ses vaisseaux, afin que son peuple comprenne qu'il n'était plus question de pouvoir retourner en arrière. La plupart de ses sujets se réjouirent à la vue des flammes, car ils avaient subi des errances terribles et interminables avant de débarquer à Dorne, et les tempêtes, la maladie, l'esclavage les avaient privés d'une foule et pire encore des leurs. Il en fut néanmoins un petit nombre pour se désoler. Et comme ils n'aimaient pas plus ce pays sec et rouge que son dieu à sept faces, ils se cramponnèrent à leurs coutumes immémoriales, se fabriquèrent des navires en rassemblant vaille que vaille les débris des épaves et des coques incendiées, et ils devinrent de la sorte les orphelins de la Sang-vert. La Mère qui figure dans leurs chansons n'est pas *notre* Mère *à nous*, mais la Rhoyne, leur Mère à eux, dont les flots les avaient nourris depuis l'aube des jours.

— J'avais ouï dire que les Rhoyniens vénéraient une espèce de dieu tortue, déclara ser Arys.

— Le Vieil Homme de la Rivière est simplement une divinité secondaire, dit Garin. Lui aussi était né de la Rivière Mère, et il combattit le Roi Crabe pour assurer sa prépondérance sur toutes les créatures qui séjournent sous la surface des eaux courantes.

— Oh, fit Myrcella.

— Je sais que Votre Grâce livre de fameuses batailles, Elle aussi, fit Drey de sa voix la plus chaleureuse. On raconte que vous vous montrez sans merci vis-à-vis de notre brave prince Trystan, devant la table de *cyvosse*.

— Il dispose toujours ses carrés de la même façon, les montagnes toutes en première ligne, et ses éléphants dans les cols, répliqua-t-elle. Alors, moi, je n'ai plus qu'à y dépêcher mon dragon pour les lui dévorer.

— Est-ce que votre femme de chambre en dispute également des parties ? demanda-t-il ensuite.

— Rosamund ? Non. J'ai bien essayé de lui apprendre à jouer, mais elle a dit que les règles étaient trop compliquées.

— Elle est une Lannister, elle aussi ? s'enquit lady Sylva.

— Une Lannister de *Port-Lannis*, pas une Lannister de Castral Roc. Ses cheveux ont beau être de la même couleur que les miens, ils sont tout raides, au lieu de boucler naturellement. Elle ne me ressemble pas vraiment, mais, lorsqu'elle porte mes vêtements, les gens qui ne nous connaissent pas la prennent pour moi.

— Ce n'est donc pas la première fois que vous le faites, alors ?

— Oh non ! Nous nous sommes déjà substituées l'une à l'autre, à bord du *Véloce*, quand nous nous rendions à Braavos. Septa Églantine m'avait mis de la teinture brune dans les cheveux. Elle a prétendu que c'était pour nous amuser, mais cela devait en fait garantir ma sécurité, au cas où il arriverait que le navire soit capturé par mon oncle Stannis. »

Comme les forces de l'enfant commençaient manifestement à s'épuiser, Arianne imposa une halte. Après avoir abreuvé leurs montures une fois de plus, ils prirent un brin de repos, tout en grignotant du fromage et des fruits. Myrcella partagea une orange avec Sylva Mouchette, tandis que Garin mangeait des olives et en crachait les noyaux à Drey.

Arianne s'était flattée d'atteindre la rivière avant le lever du soleil, mais on s'était mis en route beaucoup plus tard qu'elle ne l'avait projeté, de sorte qu'on se trouvait encore en selle quand le ciel s'empourpra à l'est. Sombre astre prit le trot pour se porter à sa hauteur. « Princesse, dit-il, j'adopterais une allure plus rapide, à votre place, à moins que vous n'ayez l'intention de tuer la petite, en définitive. Nous n'avons pas de tentes, et, de jour, les dunes sont cruelles.

— Je connais les dunes aussi bien que vous, ser », lui riposta-t-elle, quitte à se comporter d'ailleurs comme il le suggérait. C'était là malmener les bêtes, mais elle aimait mieux s'exposer à perdre six chevaux qu'une seule princesse.

Un vent d'ouest ne tarda guère à souffler par rafales brûlantes et sèches qui vous criblaient de sable. Arianne rabattit son voile sur sa figure. Il était tissé de soie dont les teintes, dessus vert pâle et jaune dessous, se fondaient l'une dans l'autre en reflets moirés. Les menues perles vertes qui le faisaient plomber tintinnabulaient doucement entre elles au rythme de la chevauchée.

« Je sais pour quelle raison ma princesse porte un voile, dit ser Arys pendant qu'elle l'ajustait aux tempes de son heaume de cuivre. Sans cela, l'éclat de sa beauté éclipserait celui du soleil. »

Elle en fut réduite à s'esclaffer. « Non pas ! Votre princesse ne porte un voile que pour préserver ses yeux de la lumière éblouissante et sa bouche du sable. Vous feriez bien de l'imiter, ser. » Elle se demanda combien de temps son blanc chevalier avait mis à peaufiner cette galanterie pachydermique. Du Rouvre était un partenaire agréable au lit, mais l'esprit et lui faisaient décidément deux.

Ses Dorniens se voilèrent en même temps qu'elle, et Sylva Mouchette aida la petite princesse à se protéger du soleil comme eux, mais ser Arys demeura intraitable. Aussi son visage fut-il bientôt ruisselant de sueur, pendant que ses joues se fardaient d'un rose ardent. *Encore un peu, et il cuira dans ces vêtements pesants*, se fit-elle la réflexion. Il ne serait pas le premier. Au fil des siècles écoulés, mainte armée n'avait dévalé du Pas-du-Prince, bannières battantes, que pour venir se flétrir et griller sur les brûlants sables rouges de Dorne. « Les armoiries de la maison Martell comportent le soleil et la pique, les deux armes favorites des Dorniens, avait jadis écrit le Jeune Dragon dans sa fanfaronnante *Conquête de*

Dorne, mais, des deux, c'est le soleil qui est la plus mortelle. »

Par bonheur, ils n'avaient pas en l'occurrence à traverser le fin fond des dunes mais uniquement une maigre tranche des terres arides. Il suffit à Arianne de repérer un faucon qui planait tout là-haut là-haut dans l'azur sans nuages pour savoir que le pire se trouvait derrière eux. Peu de temps après, ils tombèrent sur un arbre. Ce n'était jamais qu'un machin rabougri, tordu, muni d'autant d'épines que de feuilles, et qui appartenait à l'espèce appelée mangave des sables, mais il signifiait que l'on n'était plus très loin de l'eau.

« Nous y sommes presque, Votre Grâce », annonça joyeusement Garin à Myrcella lorsque se discernèrent devant eux de nouveaux mangaves groupés en taillis sur le pourtour du lit d'un ruisseau à sec. Le soleil frappait désormais à coups redoublés comme un marteau féroce, mais cela n'avait pas d'importance, puisque leur équipée touchait à sa fin. Ils firent halte pour abreuver de nouveau les chevaux, boire à longues goulées dans leurs gourdes et humecter leurs voiles, puis ils remontèrent en selle pour l'ultime étape. Au bout d'une demi-lieue, ils foulaient de l'herbe-au-diable et croisaient des bosquets d'oliviers. Une fois franchie une enfilade de collines rocheuses, l'herbe se fit plus verte et plus grasse, et des vergers de limoniers parurent, irrigués par un inextricable réseau de canaux séculaires. Garin fut le premier à distinguer les miroitements verts de la rivière et, poussant des clameurs, devança la troupe au galop.

La princesse Martell avait un jour franchi la Mander, en compagnie de trois des Aspics des Sables, à l'occasion d'une visite à la mère de Tyerne. Comparée à cette puissante voie d'eau, la Sang-vert méritait à peine l'appellation de rivière, ce qui ne l'empêchait pas d'incarner l'existence même de Dorne. Elle devait son qualificatif aux teintes glauques de ses flots nonchalants mais, à l'heure où ils s'en approchèrent, la lumière du soleil semblait lui faire rouler de l'or. Arianne avait rarement vu spectacle plus à son gré. *La suite du programme ne devrait plus être qu'une flânerie sans problèmes*, songea-t-elle, *vers l'amont de la Sang-vert puis sur toute la partie du Vaith qu'une embarcation menée à la perche peut emprunter*. La lenteur du voyage lui donnerait suffisamment de temps pour préparer Myrcella à tout ce qui devait advenir. Au-delà du Vaith les attendait le désert de sable. Pour en faire la traversée, ils auraient besoin de l'aide de La Gresserie et du Fourré l'Enfer, mais elle ne doutait pas de se la voir accorder. La Vipère Rouge avait grandi comme pupille à La Gresserie, et la maîtresse du prince Oberyn, Ellaria Sand, étant sa fille naturelle, lord Uller avait quatre Aspics des Sables pour petites-filles. *C'est au Fourré l'Enfer que je couronnerai Myrcella et que je lèverai mes bannières.*

Ils découvrirent le bateau à une demi-lieue vers l'aval, caché sous les branches pleureuses d'un gigantesque saule vert. Bas de rouf et larges par le travers, les barques à perche n'avaient pour ainsi dire pas de tirant d'eau ; le Jeune Dragon les avait dénigrées en les définissant comme « des gourbis construits sur des radeaux », mais ce n'était guère leur rendre justice. À moins d'appartenir à la classe la plus indigente des orphelins, elles étaient merveilleusement peintes et sculptées. Celle qu'ils avaient devant eux se distinguait par mille nuances de vert, par un gouvernail de bois recourbé en forme de sirène et par les masques de poissons qui vous dévisageaient au travers des balustres de son bastingage. Des perches, des cordages et des jarres d'huile d'olive encombraient ses ponts, et des lanternes en fer se balançaient à l'avant et à l'arrière. Cependant, Arianne n'apercevait pas l'ombre d'un orphelin. *Où est donc l'équipage ?* se demanda-t-elle.

Garin freina des quatre fers au pied du saule. « Holà, réveillez-vous, bougres de feignants vitreux ! lança-t-il en sautant à bas de sa selle. Votre *reine* est là, qui réclame son royal accueil ! Debout, dehors, nous allons nous régaler de chansons, de vin doux ! J'ai le gosier tout prêt pour... »

La porte du rouf s'ouvrit à la volée. En plein soleil sortit Areo Hotah, hallebarde au poing

Garin sursauta, pétrifié. Arianne eut l'impression qu'une hache s'était plantée dans ses entrailles. *Notre aventure n'était pas censée s'achever de cette manière. Ce coup de théâtre n'était pas supposé se produire.* En entendant Drey s'exclamer : « Voilà bien la dernière figure que j'avais espéré voir ! », elle se rendit compte qu'elle devait agir. « *Filons !* » cria-t-elle en bondissant de nouveau en selle. « Arys, protégez la princesse... »

Hotah martela le pont avec la hampe de sa hallebarde. De derrière le bastingage se dressèrent une douzaine de gardes, armés d'arbalètes ou de lances de jet. Il en apparut encore d'autres sur le toit de la cabine. « Rendez-vous, ma princesse, héla le capitaine, ou bien nous nous verrons obligés de tuer tout le monde, excepté la petite et vous-même, conformément aux ordres de votre seigneur père. »

La princesse Myrcella demeura immobile sur sa monture. À reculons, Garin s'éloigna lentement du bateau, mains en l'air. Drey déboucla son ceinturon. « Le plus sage paraît de nous rendre, lança-t-il à l'adresse d'Arianne, tandis que son épée tombait pesamment à terre.

— *Non !* » Sa lame au clair étincelant au soleil comme de l'argent, ser Arys du Rouvre poussa son cheval entre Arianne et les arbalétriers. Il avait déjà décroché son bouclier et glissé son bras gauche dans les courroies. « Vous ne vous emparerez pas d'elle tant qu'il me restera un souffle de vie. »

Espèce d'idiot téméraire ! fut tout ce qu'elle eut le temps de penser, *vous vous figurez faire quoi ?*

Sombre astre éclata d'un rire sonore. « Êtes-vous aveugle ou inepte, du Rouvre ? Ils sont trop nombreux. Relevez-moi cette épée-là !

— Faites ce qu'il dit », le pressa Drey.

Nous sommes dans la nasse, ser, aurait pu l'avertir Arianne. *Votre mort ne nous en tirera pas. Si vous aimez votre princesse, rendez-vous*. Mais, lorsqu'elle s'efforça de parler, les mots s'étranglèrent dans sa gorge.

Ser Arys du Rouvre la gratifia d'un dernier long regard, poignant de mélancolie, puis il enfonça ses éperons d'or dans les flancs de sa monture et chargea.

Il fonça tête baissée droit sur le bateau, son blanc manteau flottant dans son sillage. Arianne Martell n'avait jamais rien vu, tant s'en fallait, d'aussi galamment héroïque, ni, tant s'en fallait, d'aussi bête. « *Noooon !* » s'époumona-t-elle d'une voix stridente, mais elle avait retrouvé trop tard l'usage de sa langue. Une arbalète *vrombit*, puis une autre. Hotah aboya un ordre. À si courte portée, l'armure du blanc chevalier le protégeait aussi bien que du parchemin. Le premier carreau transperça son lourd bouclier de chêne et le lui épingla à l'épaule. Le second lui égratigna la tempe. Une lance de jet se ficha dans le ventre de sa monture, mais celle-ci poursuivit néanmoins sa course et trébucha en heurtant la passerelle. « *Non !* » hurlait une petite fille, une toute petite fille idiote. « *Non ! Ceci n'était pas censé se produire !* » Elle entendait Myrcella piauler elle aussi, d'une voix que la peur rendait suraiguë.

La rapière de ser Arys tailla de droite et de gauche, et deux lanciers mordirent la poussière. Son grand destrier rua et frappa un arbalétrier en pleine figure alors qu'il s'évertuait à recharger son arme, mais les autres arbalètes s'étaient mises à tirer, emplumant l'animal de traits successifs qui touchaient au but avec tant de violence qu'ils le renversèrent et, ses jambes se dérobant sous lui, le firent s'écrouler d'une masse en travers du pont. Son cavalier réussit comme par miracle à s'en dégager d'un bond. Il accomplit même l'exploit de conserver son épée au poing, et il rassemblait tant bien que mal ses genoux auprès de la bête agonisante lorsque…

… lorsqu'il découvrit Areo Hotah campé devant lui.

Il tenta de parer, mais pas assez vite. La hallebarde lui détacha le bras droit de l'épaule, reprit son essor en tournoyant dans des embruns sanglants, revint comme l'éclair s'abattre en un terrible revers à deux mains qui trancha net la tête du blanc chevalier et l'envoya voler, roulant sur elle-même, à travers les airs, avant d'atterrir parmi les roseaux, et puis la Sang-vert engloutit le rouge avec un *plouf* moelleux.

Arianne ne se souvint pas d'avoir dévalé de sa selle. Peut-être avait-elle fait une chute. Elle ne se souvenait pas de cela non plus. En tout cas, elle se retrouva à quatre pattes dans le sable, tremblant de tous ses membres, en sanglots et vomissant tout ce qu'elle savait. *Non*, voilà tout ce qui lui traversait la cervelle. *Non, personne, il ne devait arriver de mal à personne, j'avais prévu tous les détails, je m'étais montrée si prudente*… Elle entendit Areo Hotah rugir : « À ses trousses ! Il ne faut pas qu'il s'échappe ! *À ses trousses !* » Myrcella se trouvait par terre et gémissait, secouée de convulsions, blême et se tenant la figure à deux mains, du sang ruisselant à travers ses doigts. Arianne n'y comprenait rien. Des hommes étaient en train de se jucher sur des chevaux, pendant qu'un essaim d'autres se ruaient sur elle et ses compagnons, mais rien de tout cela ne signifiait rien. Elle avait sombré dans un rêve, dans un épouvantable cauchemar pourpre. *Ceci ne peut être réel. Je vais bientôt me réveiller, et je rirai de mes terreurs nocturnes.*

Lorsqu'on chercha à lui attacher les mains derrière le dos, elle ne résista pas. L'un des gardes la remit debout sans ménagement. Il portait les couleurs de son père. Un autre se pencha pour rafler dans sa botte le poignard de jet qu'elle avait reçu en présent de sa cousine, lady Nym.

Areo Hotah le prit des mains de l'homme et se renfrogna en l'examinant. « Le prince m'a ordonné de vous ramener à Lancehélion », annonça-t-il. Il avait les joues et le front tout éclaboussés par le sang de ser Arys du Rouvre. « Je suis désolé, petite princesse. »

Arianne leva vers le capitaine un visage ruisselant de larmes. « Mais comment se fait-il qu'il ait pu savoir ? lui demanda-t-elle en balbutiant. Je m'étais montrée si prudente… Comment a-t-il pu savoir ?

— Quelqu'un a bavardé. » Hotah haussa les épaules. « Quelqu'un bavarde toujours. »

ARYA

Chaque nuit, avant de dormir, elle chuchotait sa prière dans son oreiller. « Ser Gregor, égrenait-elle, Dunsen, Raff Tout-miel, ser Ilyn, ser Meryn, la reine Cersei. » Elle aurait de bon cœur également chuchoté les noms des Frey du Pont, si elle les avait sus. *Un jour, je saurai*, se promettait-elle, *et, alors, je les tuerai tous*.

Aucun chuchotement n'était assez sourd pour ne pas se laisser surprendre, dans la Demeure du Noir et du Blanc. « Enfant, dit un jour l'homme plein de gentillesse, que sont ces noms que tu chuchotes le soir ?

— Je ne chuchote pas de noms, répondit-elle.

— Tu mens, fit-il. Tous les humains mentent lorsqu'ils ont peur. Certains débitent des tas de mensonges, certains juste quelques-uns. Certains n'ont en leur possession qu'un seul mensonge, énorme, et ils le débitent si fréquemment qu'ils en arrivent presque à y croire..., mais une petite partie d'eux-mêmes saura toujours qu'il demeure un mensonge, et cela se manifestera sur leur figure. Parle-moi de ces noms. »

Elle se mâchouilla la lèvre. « Les noms n'ont pas d'importance.

— Si fait, maintint l'homme plein de gentillesse. Raconte-moi, enfant. »

« *Raconte-moi, ou nous te renverrons dehors* », entendit-elle. « Ce sont des gens que je déteste. Je veux qu'ils meurent.

— Nous exauçons bien des prières de ce genre, dans cette Demeure-ci.

— Je sais », répliqua-t-elle. Dans le temps, Jaqen H'ghar avait exaucé trois des siennes propres. *Tout ce que j'avais à faire était de chuchoter…*

« Est-ce dans ce but que tu es venue nous trouver ? poursuivit l'homme plein de gentillesse. Pour apprendre nos arts, de manière à pouvoir tuer ces êtres que tu détestes ? »

Arya ne sut comment répondre à cette question. « Peut-être.

— Alors, tu t'es trompée d'adresse. Ce n'est pas à toi de dire qui va vivre et qui va mourir. Ce don appartient à Lui, le Multiface. Nous ne sommes rien de plus que ses serviteurs, et assermentés pour accomplir sa volonté.

— Oh. » Arya décocha un coup d'œil vers les statues qui se dressaient le long des murs, les pieds environnés de cierges scintillants. « Quel genre de dieu est-il ?

— Ma foi, tous les dieux réunis », répondit le prêtre en noir et blanc.

Il ne lui révéla jamais comment il s'appelait. Pas plus que ne le fit du reste la fillette sans feu ni lieu dont la figure creuse et les grands yeux rappelaient à Arya une autre fillette dénommée Belette. Comme elle-même, la gamine logeait dans les soubassements du temple, de conserve avec trois acolytes, plus deux domestiques mâles et une cuisinière, une certaine Umma. Cette dernière se plaisait à jacasser tout en travaillant, mais Arya ne pouvait pas comprendre un traître mot de ses bavardages. Les autres ne possédaient pas de noms, ou bien ils préféraient les garder pour eux. Le premier des serviteurs était très vieux, et il avait le dos recourbé comme un arc. Le second, rougeaud, avait les oreilles pleines de poils. Elle les crut tous deux muets jusqu'au moment où elle les entendit prier. Les acolytes étaient plus jeunes.

L'aîné avait l'âge de Père, les deux autres ne devaient pas être beaucoup plus âgés que Sansa, la sœur qu'elle avait eue jadis. Tous les trois étaient eux aussi vêtus de noir et de blanc, mais leurs robes étaient dépourvues de coules, et elles étaient noires du côté gauche et blanches du côté droit. Alors que c'était le contraire pour l'homme plein de gentillesse et pour la petite sans feu ni lieu. Arya s'était vu donner pour sa part la tenue du service : une tunique de laine sans teinture, des sous-vêtements de lin, des braies informes et des pantoufles de feutre.

L'homme plein de gentillesse était le seul à connaître la Langue Commune. « Qui es-tu ? lui demandait-il invariablement chaque jour.

— Personne », répondait-elle tout aussi invariablement, elle qui avait été Arya, de la maison Stark, Arya Sous-mes-pieds, Arya la Ganache. Elle avait aussi été Arry et Belette, et Pigeonneau et Saline, Nan l'échanson, une souris grise, un mouton, le fantôme d'Harrenhal... Mais pas pour de vrai, pas dans le tréfonds du tréfonds de son être. Là, elle était Arya de Winterfell, la fille de lord Eddard Stark et de lady Catelyn, l'Arya qui avait eu autrefois des frères appelés Robb et Bran et Rickon, une sœur appelée Sansa, un loup-garou appelé Nyméria, un demi-frère appelé Jon Snow. Là, elle était quelqu'un, mais telle n'était pas la réponse qu'il escomptait obtenir.

Faute d'idiome commun, Arya n'avait aucun moyen de parler avec les autres. Elle les écoutait, néanmoins, puis, tout en vaquant à sa besogne, elle se répétait les termes qu'elle leur avait entendu prononcer. En dépit de la cécité dont il était affligé, le plus jeune des acolytes était chargé de s'occuper des cierges. Ses pantoufles lui permettaient de circuler dans le temple à pas de velours, parmi les marmottements des vieilles femmes qui venaient là chaque jour faire leurs dévotions. Il n'avait que faire d'y voir pour savoir quels cierges s'étaient consumés. « Il a le parfum pour guide, expliqua l'homme plein de gentillesse, et puis l'air est plus chaud là où brûle un cierge. » Il invita Arya à fermer les yeux pour en faire elle-même l'épreuve.

Ils faisaient leurs oraisons tous ensemble dès l'aube, avant de déjeuner, agenouillés autour des eaux immobiles et noires du bassin. Certains jours, c'était l'homme plein de gentillesse qui les dirigeait, d'autres jours la gamine abandonnée. Arya ne comprenait que les quelques mots de braavien qui étaient identiques en haut valyrien. Aussi adressait-elle au dieu Multiface sa propre prière, celle qui s'égrenait : « Ser Gregor, Dunsen, Raff Tout-miel, ser Ilyn, ser Meryn, la reine Cersei. » Elle la disait en silence. S'il était un dieu digne de ce nom, le dieu Multiface l'exaucerait.

Il venait quotidiennement des fidèles à la Demeure du Noir et du Blanc. La plupart se présentaient seuls et s'isolaient ; ils allumaient des cierges devant tel ou tel autel, priaient près du bassin et parfois pleuraient. Il y en avait qui s'abreuvaient à la coupe noire et allaient dormir ; la majorité s'abstenait de boire. Il n'y avait pas d'offices, pas de chants, pas d'hymnes de louanges destinées à charmer le dieu. Le temple n'était jamais bondé. De temps à autre, un fidèle demandait à voir un prêtre, et l'homme plein de gentillesse ou bien la petite délaissée l'emmenaient en bas, dans le saint des saints, mais la chose n'était pas fréquente.

Trente dieux différents s'alignaient le long des murs, chacun dans son cercle de lumignons. Les vieilles avaient une prédilection marquée pour la Femme Éplorée, s'aperçut Arya, tandis que les gens riches préféraient le Lion de la Nuit, les pauvres le Voyageur Encapuchonné. Les soldats dédiaient leurs cierges à Bakkalon, l'Enfant Blême, les marins à la Jouvencelle-au-teint-lunaire et au Roi Triton. L'Étranger lui-même avait sa propre chapelle, mais il ne recevait pour ainsi dire pas de visites. La plupart du temps, un seul et unique cierge clignotait à ses pieds. L'homme plein de gentillesse affirma que cela n'avait aucune importance. « Il a maintes faces, et maintes oreilles pour entendre. »

La butte sur laquelle s'élevait le temple était truffée de coursives taillées dans le rocher. Les prêtres et les acolytes couchaient dans des cellules au premier sous-sol, Arya et les domestiques au deuxième. L'accès de l'étage le plus bas était interdit à tout le monde, excepté aux prêtres. C'était là que se trouvait le saint des saints.

Quand elle ne travaillait pas, Arya était libre de vagabonder à sa guise dans le dédale des souterrains et des réserves, à la condition toutefois de ne pas sortir du temple et de ne pas descendre dans la cave sacrée. Elle découvrit une salle bourrée d'armes et de pièces d'armures : heaumes ouvragés et curieux plastrons de cuirasses anciens, flamberges, poignards et dagues, arbalètes et piques démesurées à fer lancéolé. Dans une autre, où s'amoncelaient des vêtements, d'épaisses fourrures et des soieries magnifiques aux innombrables coloris jouxtaient des tas de chiffons fétides et des bures élimées jusqu'à la trame. *Il doit y avoir aussi des chambres du trésor*, se convainquit-elle. Elle s'imagina des montagnes de vaisselle d'or, de sacs de pièces d'argent, de saphirs bleus comme la mer, de rangs de perles vertes énormes.

Un jour, l'homme plein de gentillesse tomba sur elle à l'improviste et lui demanda ce qu'elle était en train de faire. Elle lui répondit qu'elle s'était égarée.

« Tu mens. Et tu mens, qui pis est, *piètrement*. Qui es-tu ?

— Personne.

— Encore un mensonge. » Il soupira.

À Harrenhal, Weese l'aurait rossée de façon saignante s'il l'avait surprise à mentir, mais les choses étaient différentes, ici, dans la Demeure du Noir et du Blanc. Lorsque Arya l'assistait aux cuisines, il arrivait bien qu'Umma lui flanque une taloche avec sa louche si elle bouchait le passage, mais jamais personne d'autre ne se permettait de lever la main sur elle. *Ils ne lèvent la main que pour tuer*, pensa-t-elle.

Elle s'entendait assez bien avec la cuisinière. Umma lui fourrait un couteau dans les doigts puis lui désignait un oignon, et elle le coupait en petits morceaux. Umma la poussait vers un monticule de pâte, et elle se mettait à pétrir jusqu'à ce que la bonne femme lui dise d'arrêter (*arrête* fut le premier mot de braavien qu'elle apprit). Umma lui tendait un poisson, et elle en retirait les arêtes et, après l'avoir apprêté en filets, le roulait dans les amandes que la bonne femme pilait au fur et à mesure. Les eaux saumâtres qui baignaient Braavos de toutes parts fourmillaient de poissons et de coquillages des plus variés, expliqua l'homme plein de gentillesse. Une lente rivière brune débouchait au sud de la lagune en errant dans une vaste étendue de roselières, de laisses bourbeuses et de mares abandonnées par le reflux. Palourdes et coques abondaient dans le coin, de même que moules et poissons musqués, grenouilles et tortues, crabes de fange, crabes léopards et crabes grimpeurs, anguilles rayées, anguilles rouges et anguilles noires, huîtres et lamproies... Tous fréquentaient assidûment la table de bois sculptée autour de laquelle les serviteurs du dieu Multiface prenaient leurs repas. Certains soirs, Umma relevait le poisson avec du sel de mer et des grains de poivre moulu, certains autres, elle cuisinait les anguilles avec un hachis d'ail. Par-ci par-là, de loin en loin, elle utilisait même un peu de safran. *Tourte-chaude se serait bien plu, ici*, songea Arya.

Le dîner était son moment favori. Il s'était écoulé un temps fou depuis l'époque où elle allait toutes les nuits dormir le ventre plein. Il y avait des soirs où l'homme plein de gentillesse l'autorisait à lui poser des questions. Une fois, elle lui demanda pourquoi les gens qui venaient au temple avaient toujours l'air si paisible ; chez elle, les gens avaient peur de mourir. Elle se rappelait combien chialait ce boutonneux d'écuyer après qu'elle l'avait poignardé dans le ventre, elle se rappelait à quelles supplications s'était abaissé ser Amory Lorch quand la Chèvre l'avait fait jeter dans la fosse à l'ours. Elle se rappelait le village auprès de l'Œildieu, et la façon dont les villageois piaillaient, piaulaient et geignaient chaque fois que le Titilleur se mettait à les questionner sur l'or.

« La mort n'est pas la pire des choses, répondit l'homme plein de gentillesse. Elle est le présent que nous accorde le dieu Multiface, un terme à la douleur et au besoin. Le jour de notre naissance, Il dépêche à chacun de nous un ange sombre qui marche à nos côtés tout au long de notre existence. Quand nos péchés et nos souffrances deviennent trop considérables pour que nous les supportions, l'ange nous prend par la main pour nous conduire aux contrées nocturnes où les étoiles flamboient éternellement. Ceux qui viennent boire à la coupe noire sont à la recherche de leur ange. S'ils sont effrayés, les cierges dissipent leurs appréhensions. Lorsque tu sens le parfum qu'exhalent nos cierges en brûlant, qu'est-ce qu'il t'évoque, mon enfant ? »

Winterfell, aurait-elle pu confesser. *Il m'évoque les aiguilles de pin, la neige et la fumée. Il m'évoque les écuries. Il m'évoque les rires de Hodor, et les ferraillements de Jon et de Robb, il m'évoque les chansons de Sansa célébrant je ne sais quelle belle dame stupide. Il m'évoque les cryptes où trônent les rois de pierre, il m'évoque le pain chaud dans le four. Il m'évoque le bois sacré. Il m'évoque ma louve, il m'évoque sa fourrure presque aussi nettement que si elle se trouvait encore auprès de moi.* « Il ne m'évoque absolument rien du tout, fit-elle enfin, pour voir ce que son mentor dirait.

— Tu mens, dit-il, mais libre à toi de garder tes secrets si tu le désires, Arya de la maison Stark. » Il ne lui donnait ce nom que lorsqu'elle le mécontentait. « Tu sais qu'il t'est loisible de quitter ces lieux. Tu n'es pas des nôtres, pas encore. Rien ni personne ne t'empêche de repartir chez toi quand tu le souhaites et à n'importe quel moment.

— Vous m'avez prévenue que, si je m'en allais, je n'aurais pas la possibilité de revenir.

— Exact. »

Ce dernier mot la contrista. *Syrio disait la même chose aussi*, se ressouvint-elle. *Il le répétait tout le temps*. Syrio Forel lui avait enseigné les travaux d'aiguille, et il était mort pour elle. « Je n'ai pas envie de m'en aller.

— Alors, reste… mais, ne l'oublie pas, la Demeure du Noir et du Blanc n'est pas un orphelinat. Tous ceux qu'elle abrite sous son toit sont tenus de servir. *Valar dohaerys* est notre façon de le dire, ici. Reste, si tu veux, mais sache bien que nous exigerons ton obéissance. En tous temps et en toutes choses. Si tu n'es pas capable d'obéir, tu devras partir.

— Je suis capable d'obéir.

— Nous verrons. »

Elle avait d'autres tâches que d'aider Umma. Elle balayait les dalles du temple ; elle passait les plats et versait à boire au cours des repas ; elle triait les tas de vêtements des morts, vidait leur bourse et comptait des piles de pièces bizarres. Tous les matins, quand l'homme plein de gentillesse faisait sa tournée du temple pour découvrir les morts, elle l'escortait. *Silencieux comme une ombre*, se ressassait-elle en se remémorant Syrio. Elle portait une lanterne assourdie par un épais volet de fer. À chaque alcôve, elle entrebâillait le volet pour la recherche de cadavres éventuels.

Les morts n'étaient pas durs à trouver. Ils arrivaient à la Demeure du Noir et du Blanc, priaient durant une heure, un jour ou une année, buvaient l'eau douce et noire du bassin, puis allaient s'étendre sur une banquette de pierre derrière tel ou tel dieu. Ils fermaient les paupières et s'endormaient pour ne plus jamais se réveiller. « Le présent du dieu Multiface prend des myriades de formes, l'avisa l'homme plein de gentillesse, mais il est toujours un délice, ici. » Lorsqu'ils découvraient un corps, lui s'assurait que la vie s'en était enfuie puis prononçait une prière, et elle allait chercher les serviteurs auxquels incombait la tâche d'emporter le défunt au sous-sol. Là, des acolytes le déshabillaient et faisaient sa toilette. Ses vêtements, ses objets de valeur, son argent, tout allait dans une corbeille de tri. Sa chair froide, on la descendait ensuite tout en bas, dans ce cœur du sanctuaire où les prêtres étaient seuls admis à pénétrer ; ce qui s'y passait alors, Arya n'avait pas le droit de le savoir. Une fois, elle se trouvait en train de dîner quand un abominable soupçon s'empara de son être ; reposant son couteau, elle se mit à considérer fixement la tranche de viande blanchâtre placée sous son nez. L'homme plein de gentillesse s'aperçut de sa mine horrifiée. « C'est du porc, enfant, lui dit-il, simplement du porc. »

Elle avait une couchette en pierre qui lui remémorait Harrenhal et le lit qu'elle avait occupé du temps où elle récurait des escaliers pour Weese. Son matelas d'ici était bourré non de paille mais de chiffons, ce qui le rendait plus grumeleux que celui de là-bas, mais aussi moins rêche. On lui avait accordé autant de couvertures qu'elle en désirait ; de grosses couvertures de laine, rouges et vertes et à carreaux. Et sa cellule était pour elle toute seule. C'était là qu'elle gardait ses trésors : la fourchette d'argent, les mitaines et le chapeau mou que lui avaient offerts les matelots de *La Fille du Titan*, sa dague, ses bottes et son baudrier, son pauvre petit pécule, les vêtements qu'elle avait portés naguère, et…

Et Aiguille.

Ses diverses tâches avaient beau lui laisser peu de loisir pour les travaux d'aiguille, elle s'exerçait quand c'était possible, affrontant son ombre à la lueur d'une chandelle bleue. Un soir, la gamine sans feu ni lieu se trouva passer par là, d'aventure, et elle la vit s'escrimer. Elle ne dit pas un mot mais, le lendemain, l'homme plein de gentillesse reconduisit Arya dans son repaire. « Il faut te défaire de tout ceci », dit-il de ses trésors.

Arya se sentit accablée. « C'est à moi.

— Et qui es-tu ?

— Personne. »

Il s'empara de sa fourchette d'argent. « Ceci appartient à Arya, de la maison Stark. Toutes ces affaires lui appartiennent. Il n'y a pas de place pour elles, ici. Il n'y a pas de place pour elle-même. Son nom est un nom trop fier, et nous n'avons pas de place pour la fierté. Ici, nous sommes des serviteurs.

— Je sers », fit-elle, blessée. Elle l'aimait bien, sa fourchette d'argent.

« Tu joues à être une servante, mais, dans ton cœur, tu es une fille de grand seigneur. Tu as revêtu d'autres noms, mais tu les as portés avec autant de légèreté que tu aurais pu le faire d'une robe. Dessous, il y avait toujours Arya.

— Je ne porte pas de *robes*. On ne peut pas se battre, attifée d'une stupide *robe*.

— Pourquoi aurais-tu envie de te battre ? Es-tu l'un de ces spadassins qui se pavanent à travers les rues, brûlant de faire couler du sang ? » Il soupira. « Avant de boire à la coupe froide, tu dois faire offrande au dieu Multiface de tout ce que tu es. Ton corps. Ton âme. *Toi-même*. S'il ne t'est pas possible de te contraindre à faire cela, tu dois quitter ces lieux.

— La piécette en fer…

— … a payé ta traversée. Dorénavant, c'est à toi de payer de tes propres deniers, et le coût est cher.

— Je ne possède pas la moindre pièce d'or.

— L'or ne saurait acheter ce que nous proposons. Le coût, c'est la totalité de ton être. Les humains empruntent bien des voies pour traverser cette vallée de larmes et de douleur. La nôtre est la plus ardue. Peu sont faits pour y marcher. Elle exige une vigueur rare de corps et d'esprit, et un cœur tout à la fois dur et fort. »

J'ai un trou là où devrait se situer mon cœur, songea-t-elle, *et nulle autre part où aller.* « Je suis forte. Aussi forte que vous. Je suis dure.

— Tu te figures qu'il n'y a pas d'autre endroit pour toi que celui-ci. » À croire qu'il avait entendu ses pensées. « Tu fais erreur à cet égard. Tu trouverais un service moins éprouvant dans la maisonnée de quelque marchand. À moins que tu n'aimes mieux être une courtisane et susciter des chansons vantant ta beauté ? Parle, et nous t'enverrons à *La Perle Noire* ou à *La Fille du Crépuscule*. Tu dormiras sur des pétales de rose, et tu porteras des jupes de soie qui froufrouteront à chacun de tes pas, et des grands seigneurs se ruineront pour le sang de ta virginité. Mais si c'est d'un mariage et d'enfants que tu as envie, dis-le-moi, et nous te découvrirons un époux. Quelque honnête jeune apprenti, un vieillard riche, un marin, n'importe, à ta guise. »

Elle n'aspirait à rien de tout cela. Frappée de mutisme, elle secoua la tête.

« C'est de Westeros que tu rêves, enfant ? *La Dame étourdissante* de Luco Prestayn appareille dès demain matin pour Goëville, Sombreval, Port-Réal et Tyrosh. La prierons-nous de te prendre à son bord ?

— C'est précisément de Westeros que je viens tout juste d'*arriver.* » Il lui semblait parfois qu'il s'était écoulé mille ans depuis sa fuite de Port-Réal, et parfois que cela ne datait que de la veille, mais elle savait que retourner en arrière n'était pas possible. « Je m'en irai, si vous ne voulez pas de moi, mais sûrement pas pour retourner *là-bas*.

— Ce que je veux ne compte pas, répondit l'homme plein de gentillesse. Il se peut que le dieu Multiface t'ait conduite ici pour être Son instrument mais, quand je te regarde, je vois un enfant… et, qui pis est, *une* enfant. Foule furent ceux qui L'ont servi au fil des siècles, mais Il n'a eu pour serviteurs qu'un tout petit nombre de femmes. Les femmes apportent la vie dans le monde. Nous autres, nous y apportons le présent de la mort. Il n'est au pouvoir de personne de faire les deux à la fois. »

Il cherche à m'effrayer pour me dissuader, songea-t-elle, *comme il a déjà cherché à le faire avec l'asticot*. « Je m'en moque.

— Tu ne devrais pas. Reste, et le dieu Multiface te prendra tes oreilles, ton nez, ta langue. Il te prendra ces tristes prunelles grises qui ont vu tant de choses. Il te prendra tes mains, tes pieds, tes bras et tes jambes, tes parties intimes. Il te prendra tes espoirs et tes rêves, tes amours et tes haines. Ceux qui entrent à Son service doivent renoncer à tout ce qui constitue leur personnalité propre. Es-tu capable de faire cela ? » Il lui cueillit le menton au creux de sa paume et la scruta jusqu'au fond des yeux, tellement à fond qu'elle en frissonna. « Non, déclara-t-il, je ne pense pas que tu en sois capable. »

Arya lui rabattit brutalement la main. « J'en serais capable si je le *voulais*.

— C'est ce que prétend Arya, de la maison Stark, mangeuse de vers de tombe.

— Je suis capable de renoncer à *n'importe quoi*, pourvu que je le veuille ! »

Il désigna d'un geste ses trésors. « Alors, commence avec ces objets-là. »

Après le dîner, le soir de ce même jour, Arya regagna sa cellule et, une fois déshabillée, chuchota sa litanie de noms, mais ensuite le sommeil refusa de la prendre. Elle se tourna et se retourna sur son matelas bourré de chiffons en se mâchouillant la lèvre, avec un sentiment trop net du trou qui occupait en elle la place où son cœur s'était autrefois trouvé.

Au plus noir de la nuit, elle se releva, enfila les vêtements qu'elle avait portés jusqu'à son arrivée de Westeros, boucla son baudrier. Aiguille battait l'une de ses hanches, sa dague l'autre. Coiffée de son chapeau mou, ses mitaines fourrées dans sa ceinture et les doigts serrés sur sa fourchette d'argent, elle grimpa furtivement les escaliers. *Il n'y a pas de place ici pour Arya, de la maison Stark*, songeait-elle. La place d'Arya, c'était Winterfell. Seulement, Winterfell avait disparu. *Lorsque la neige se met à tomber et la bise blanche à souffler, le loup solitaire meurt, mais la meute survit.* Sauf qu'elle n'avait pas de meute. Sa meute, ils la lui avaient massacrée, ser Ilyn, ser Meryn et la reine, et, quand elle avait essayé de s'en faire une nouvelle, tout son monde avait déguerpi, Tourte-chaude comme Gendry, Yoren comme Lommy Mains-vertes et comme Harwin lui-même, qui avait pourtant été l'un des hommes de Père. Elle franchit les portes et s'aventura dans la nuit, dehors.

C'était la première fois qu'elle s'y retrouvait, depuis son entrée dans le temple. Le ciel était nébuleux, et un brouillard semblable à une courtepointe grise tout effilochée tapissait le sol. Quelque part sur sa droite, on pagayait sur le canal. *Braavos, la Cité Secrète*, pensa-t-elle. L'appellation semblait on ne peut plus congrue. Les pieds environnés de brumes virevoltantes, Arya descendit prudemment les marches abruptes qui menaient à l'embarcadère couvert. Le brouillard était désormais si épais qu'il l'empêchait de discerner l'eau, mais elle entendait celle-ci laper doucement les piles de pierre. Dans le lointain, les ténèbres étaient empourprées d'un vague halo : les flambées nocturnes, au temple des prêtres rouges, se dit-elle.

Parvenue au bord de l'eau, elle s'arrêta, sa fourchette d'argent à la main. C'était de l'argent, du vrai, de l'argent massif, et de part en part. *Elle n'est pas à moi. C'est à Saline qu'il l'avait donnée.* Elle la jeta de façon sournoise, mais perçut quand même son menu *plouf* dans le canal au moment où elle y sombrait.

Son chapeau mou suivit, puis ses mitaines. Eux aussi étaient à Saline. Elle vida sa bourse au creux de sa paume ; cinq cerfs d'argent, neuf étoiles de cuivre, quelques sols, demi-sols et quelques liards. Elle les éparpilla à la volée sur l'eau. C'est leur plongeon qui fit le plus de bruit. Là-dessus vint le tour de sa dague, celle dont elle avait dépouillé l'archer qui venait de conjurer le Limier de lui donner le coup de grâce. Puis le canal hérita aussi de son baudrier. Et puis de son manteau, de sa tunique, de ses chausses, de ses sous-vêtements, de tout, d'absolument tout. De tout, sauf d'Aiguille.

Elle demeura plantée tout au bord de l'embarcadère, blafarde et toute cloquée par la chair de poule et grelottante dans le brouillard. Elle avait l'impression qu'Aiguille, dans son poing, lui chuchotait des choses. *Frappe-les d'estoc*, disait-elle, et : *Surtout, jamais un seul mot à Sansa !* Mikken avait apposé sa marque sur la lame. *Ce n'est qu'une épée*. En cas de besoin, des épées, il y en avait une centaine sous le temple. Aiguille était trop petite pour être une épée *digne de ce nom*, elle était à peine plus qu'un joujou. Lorsque Jon l'avait fait forger tout exprès pour elle, qu'était-elle, hein ? une stupide petite fille. « Ce n'est qu'une épée », dit-elle, tout haut, cette fois…

… mais ce n'était pas qu'une épée.

Aiguille était Robb et Bran et Rickon, elle était Père et Mère, elle était même Sansa. Aiguille était Winterfell et ses murailles grises et les rires de ses habitants. Aiguille était les neiges d'été, les histoires de Vieille Nan, l'arbre-cœur avec ses feuilles rouges et sa face angoissante, la chaude odeur d'humus des jardins de verre, le tapage du vent du nord s'acharnant contre les volets de sa chambre. Aiguille était le sourire de Jon Snow. *Il m'ébouriffait les cheveux et m'appelait « sœurette »*, se rappela-t-elle, et voilà que, subitement, il y eut des larmes dans ses yeux.

Aiguille, Polliver la lui avait volée quand les hommes de la Montagne l'avaient faite prisonnière, mais, lorsqu'elle était entrée dans l'auberge du carrefour en compagnie du Limier, l'épée s'y trouvait. *Les dieux ont voulu que je l'aie.* Pas les Sept, ni le Multiface, mais les dieux de Père, les bons vieux dieux du Nord. *Le dieu Multiface peut avoir le reste*, songea-t-elle, *mais l'avoir, elle, il n'en est pas question.*

Elle regrimpa les marches à pas feutrés, nue comme au jour de sa naissance, mais étreignant Aiguille plus que jamais. Vers le milieu de l'escalier, l'une des dalles oscilla sous ses pieds. Arya s'agenouilla et se mit à en creuser le pourtour avec ses doigts. Il lui fut d'abord impossible de l'ébranler, mais elle n'en persista pas moins, quitte à utiliser ses ongles pour faire sauter le mortier vétuste des joints. Finalement, la pierre joua, descellée. Arya faufila ses deux mains dans les interstices et, avec un grognement, tira. Une crevasse apparut sous ses yeux, béante.

« Ici, tu ne risqueras rien, dit-elle à Aiguille. Personne d'autre que moi ne saura où tu es. » Après avoir dissimulé l'épée et son fourreau dans cette cachette improvisée, elle rabattit la marche à sa place et la rajusta de manière que rien ne la distingue de ses pareilles. Tout en remontant vers le temple, elle compta les degrés pour être sûre de retrouver son bien sans difficulté. Il se pouvait qu'un jour elle en ait besoin. « Un jour… », murmura-t-elle pour elle seule.

Elle eut beau ne pas lui souffler mot de ce qu'elle avait fait, l'homme plein de gentillesse le sut pourtant. La nuit suivante, il vint la rejoindre dans sa cellule après le dîner. « Enfant, dit-il, viens t'asseoir près de moi. J'ai une histoire à te raconter.

— Quel genre d'histoire ? demanda-t-elle, sur ses gardes.

— L'histoire de nos débuts. Si tu étais des nôtres, tu aurais mieux su qui nous sommes et de quelle manière nous en sommes venus à l'être. En dépit de ce qui se chuchote à propos du dieu Multiface de Braavos, nous sommes plus anciens que la Cité Secrète. Avant l'érection du Titan, avant le Démasquernent d'Usthro, avant la Fondation, nous étions. Si nous avons fleuri à Braavos, au sein de ces brouillards du nord, nous avons d'abord pris racine à Valyria, parmi les malheureux esclaves qui s'échinaient dans les mines abyssales creusées sous les Quatorze Flammes qui illuminaient jadis les nuits des Possessions. Alors qu'une humidité glaciale règne dans la plupart des mines, taillées à même le froid de la pierre morte, les Quatorze Flammes étaient, elles, des montagnes vivantes, avec des veines de roche en fusion et des cœurs de feu. Aussi l'atmosphère des mines de l'antique Valyria était-elle toujours bouillante, et elle se faisait de plus en plus bouillante au fur et à mesure que les puits se faisaient de plus en plus profonds, encore et toujours plus profonds. C'était dans un vrai four que les esclaves s'éreintaient. La roche qui les environnait était trop chaude pour qu'on la touche. L'air qu'il leur fallait respirer empestait le soufre et leur calcinait les poumons. Ils avaient la plante des pieds brûlée, quelque épaisse que fût la semelle de leurs sandales, et cloquée d'ampoules. Des fois, quand la quête de l'or leur faisait abattre une paroi, c'était de la vapeur qu'ils trouvaient à la place, ou bien de l'eau bouillante, quand ce n'était pas de la roche en fusion. Certaines des galeries étaient si basses de plafond qu'ils ne pouvaient pas s'y tenir debout mais devaient y ployer l'échine ou même s'accroupir. Et il y avait en plus des veurs, dans ces ténèbres rouges.

— Des vers de terre ? demanda-t-elle en plissant le front.

— Des *veurs* de feu. D'aucuns les prétendent apparentés aux dragons, car ils crachent des flammes, eux aussi. Mais, au lieu de planer dans le ciel, ils forent la pierre et la terre. S'il faut en croire les contes d'autrefois, les Quatorze Flammes étaient peuplées de veurs même avant l'arrivée des dragons. Jeunes, ils ne sont pas plus grands que ton maigrichon de bras, mais ils sont susceptibles d'atteindre des dimensions monstrueuses, et ils ne portent pas l'homme dans leur cœur.

— Ils tuaient les esclaves ?

— On découvrait souvent des cadavres carbonisés dans les puits où la roche était lézardée et criblée de trous. Mais cela n'empêchait pas les mines de s'approfondir. Les esclaves mouraient par dizaines, mais leurs maîtres n'en avaient cure. On considérait que l'or rouge, l'or jaune et l'argent étaient plus précieux que des vies d'esclaves, car les esclaves ne coûtaient pas cher, jadis, dans les Possessions. En temps de guerre, les Valyriens en capturaient par milliers. En temps de paix, ils en élevaient, mais ils n'envoyaient crever au fond des ténèbres rouges que le rebut.

— Les esclaves ne se soulevaient pas, les armes à la main ?

— Certains le firent, dit-il. Les révoltes étaient assez courantes, dans les mines, mais fort peu aboutirent à grand-chose. Les seigneurs du dragon des Possessions de cette époque-là s'y connaissaient en sorcellerie, et leurs inférieurs ne les défiaient qu'à leurs risques et périls. Le tout premier Sans-Visage fut l'un de ces audacieux.

— Qui était-il ? lâcha-t-elle étourdiment.

— Personne, répondit-il. Un esclave lui-même, d'après les allégations de certains. D'autres affirment au contraire qu'il était de noble naissance et le fils d'un propriétaire foncier. Il s'en trouvera même pour te dire qu'il était contremaître, et que c'est par l'exercice de ses fonctions qu'il en vint à s'apitoyer. La vérité vraie, c'est que personne n'en sait rien. Toujours est-il que, quelle que fût son identité, il alla se mêler aux esclaves et les écouta prier. Des hommes issus de cent nations différentes travaillaient dans les mines, et chacun adressait ses prières à son propre dieu dans sa propre langue, mais ils priaient tous pour obtenir la même chose. C'était leur libération qu'ils demandaient, un terme à leurs peines. Une toute petite chose, et toute simple. Mais leurs dieux ne répondaient rien, et leurs souffrances continuaient. *Leurs dieux sont-ils tous sourds ?* s'interrogeait-il, quand une brusque illumination fondit finalement sur lui, une nuit, dans les ténèbres rouges.

« Chacun des dieux possède ses instruments personnels, des hommes et des femmes qui le servent et qui contribuent à l'accomplissement de sa volonté sur terre. Les cris des esclaves ne s'élevaient pas, contrairement aux apparences, vers une centaine de dieux différents, mais vers un dieu unique doté de cent visages différents. Et c'était de ce dieu-là qu'il était l'instrument, *lui*. C'est au cours de cette même nuit qu'il choisit le plus misérable des esclaves, celui qui avait mis le plus d'ardeur à réclamer sa libération dans ses prières, et qu'il l'affranchit de sa sujétion. Le premier présent venait d'être donné. »

Arya s'écarta du prêtre. « Il tua *l'esclave* ? » Cela lui semblait révoltant. « Ce sont *les maîtres* qu'il aurait dû tuer !

— À eux aussi, il devait par la suite apporter le présent, mais autant reporter le récit de cette histoire à une autre fois, le mieux étant de n'en faire confidence à qui que ce soit. » Il inclina sa tête de côté. « Et toi, qui es-tu, enfant ?

— Personne.

— Mensonge.

— Comment pouvez-vous le *savoir* ? Par magie ?

— On n'a pas besoin d'être sorcier pour distinguer le vrai du faux, si l'on a des yeux. On a seulement besoin d'apprendre à déchiffrer les physionomies. À regarder les yeux. La bouche. Ces muscles-ci, à l'angle des mâchoires, et ceux-ci, à l'attache des épaules et du cou. » Deux de ses doigts les lui effleurèrent. « Il y a des menteurs qui cillent. D'autres qui ont le regard fixe. D'autres qui le détournent. D'autres qui se lèchent les lèvres. Beaucoup se couvrent la bouche juste avant de proférer un mensonge, comme afin de camoufler leur fraude. Certains indices peuvent prendre des formes plus subtiles, mais n'empêche, ils sont toujours là. Un sourire sincère et un sourire fallacieux peuvent bien paraître identiques, ils diffèrent autant l'un de l'autre que l'aurore du crépuscule. Es-tu capable de distinguer l'aurore du crépuscule ? »

Elle acquiesça d'un hochement, bien qu'elle ne fût pas tout à fait certaine de savoir le faire.

« Alors, tu peux apprendre à voir un mensonge. Et une fois que tu l'auras appris, nul secret, si bien gardé soit-il, n'échappera à ta vigilance.

— Enseignez-moi. » Elle serait volontiers *personne*, si tel était le prix à payer pour cet apprentissage. Au-dedans de *personne*, il n'y avait pas de trous.

« C'est *elle* qui t'enseignera », dit l'homme plein de gentillesse, tandis que la gamine solitaire apparaissait devant la porte de la cellule. « En débutant par la langue de Braavos. De quelle utilité es-tu si tu ne peux ni parler ni comprendre ? Et toi, tu lui enseigneras ta propre langue. Vous apprendrez ensemble toutes les deux, l'une grâce à l'autre. Y consens-tu ?

— Oui », dit-elle, et de cet instant data son noviciat dans la Demeure du Noir et du Blanc. On lui retira sur-le-champ sa tenue de servante, et on lui fit revêtir une robe, une robe en noir et blanc d'une douceur aussi moelleuse que la vieille couverture rouge qu'elle avait eue jadis à Winterfell. Du lin blanc le plus fin, ses dessous étaient complétés par une camisole noire qui lui descendait jusqu'au bas des genoux.

Désormais, la petite solitaire et elle passèrent leur temps de conserve à toucher, désigner des objets, chacune s'efforçant d'apprendre à l'autre quelques mots de sa propre langue. Des termes rudimentaires, pour commencer, tels que coupe, chandelle et chaussure ; puis de plus difficiles ; et puis des phrases. Autrefois, sous la férule de Syrio Forel, Arya devait se tenir en équilibre sur une seule jambe jusqu'à trembler d'épuisement. Par la suite, il lui faisait pourchasser des chats. Elle avait dansé la danse d'eau sur des branches d'arbres, un bâton pour épée au poing. Ç'avait été sacrément dur, tout ça, mais ses exercices actuels étaient beaucoup plus durs.

Même la couture était plus amusante que les langues, se dit-elle, au terme d'une nuit où elle avait oublié la moitié des mots qu'elle croyait savoir, et où elle prononçait l'autre moitié si mal que la sans feu ni lieu s'était gaussée d'elle. *Mes phrases sont aussi incohérentes que l'étaient mes points*. Si l'autre mioche n'avait pas été si petiote et si famélique, elle te lui aurait écrabouillé son museau stupide. Au lieu de quoi elle se dévora la lèvre. *Trop stupide pour apprendre et trop stupide pour laisser tomber.*

La gamine faisait des progrès plus rapides en Langue Commune. Un soir, pendant le dîner, elle se tourna vers Arya et lui demanda : « Qui es-tu ?

— Personne, répondit-elle en braavien.

— Mensonge, riposta sa compagne. Il faut que tu mentes plus bien. »

Arya s'esclaffa. « Plus bien ? Tu veux dire *mieux*, stupide !

— Mieux stupide. Je te montrerai. »

Le lendemain, elles commencèrent à jouer au menteur en se posant des questions l'une l'autre à tour de rôle. Elles répondaient parfois franchement, parfois en trichant. La questionneuse devait essayer de dire ce qui était vrai et ce qui était faux. La solitaire avait toujours l'air de savoir. Arya se voyait réduite à deviner. La plupart du temps, elle devinait de travers.

« Tu as combien d'années ? lui demanda la gamine, un jour, en Langue Commune.

— Dix », répondit-elle en brandissant dix doigts. Elle *pensait* véritablement qu'elle en avait encore dix, mais il était difficile de le savoir avec certitude. Les gens de Braavos comptaient les jours d'une autre manière que ceux de Westeros. À sa connaissance du moins, celui de son anniversaire était arrivé puis passé.

La petiote hocha la tête. Arya lui retourna son hochement puis, dans son meilleur braavien, sa propre question : « Et *toi*, tu as combien d'années ? »

L'autre montra dix doigts. Puis dix encore et puis dix de plus. Puis six. Sa physionomie demeura aussi lisse qu'une eau paisible. *Il est impossible qu'elle ait trente-six ans*, songea Arya. *Ce n'est qu'une mioche.* « Mensonge », décréta-t-elle. La solitaire secoua la tête et lui montra de nouveau : dix plus dix plus dix plus six. Après quoi elle prononça les mots signifiant trente-six et les lui fit soigneusement répéter.

Le lendemain, Arya fit part de l'assertion de sa partenaire à l'homme plein de gentillesse. « Elle n'a pas menti, fit le prêtre en gloussant. Celle que tu traites de *mioche* est une femme faite qui a passé son existence à servir le dieu Multiface. Elle Lui a donné tout ce qu'elle était, tout ce qu'elle aurait jamais pu être, toutes les vies qui se trouvaient en elle. »

Arya se mordit la lèvre. « Est-ce que je serai comme elle ?

— Non, répondit-il. Non, à moins que tu ne le désires. Ce sont les poisons qui l'ont rendue telle que tu la vois. »

Les poisons. Elle comprit alors. Chaque soir, après la prière, la solitaire vidait le contenu d'un flacon de pierre dans les eaux noires du bassin.

La « mioche » et l'homme plein de gentillesse n'étaient pas les seuls serviteurs du dieu Multiface. De temps en temps, d'autres venaient en visite à la Demeure du Noir et du Blanc. Le gros lard avait des prunelles noires féroces, un nez crochu et une large bouche farcie de dents jaunes. La bouille austère ne souriait jamais ; il avait des yeux pâles, une lippe sombre et charnue. Le beau type avait une barbe dont la couleur était différente chaque fois qu'elle le voyait, et un nez toujours différent, mais sans qu'il descende jamais en dessous du superbe. Ces trois-là étaient les plus assidus, mais il y en avait d'autres : le bigleux, le nobliau, le crève-la-faim… Une fois, le gros lard et le bigleux arrivèrent ensemble. Umma chargea Arya de leur servir à boire. « Quand tu n'es pas en train de le faire, tu dois conserver une immobilité aussi parfaite que si l'on t'avait sculptée dans la pierre, la prévint l'homme plein de gentillesse. Es-tu capable de faire cela ?

— Oui. » *Avant de pouvoir apprendre à bouger, tu dois apprendre à rester immobile*, lui avait enseigné voilà bien longtemps Syrio Forel à Port-Réal, et elle avait appris à le faire. À Harrenhal, elle avait tenu lieu d'échanson à Roose Bolton, et il vous écorchait vif pour une éclaboussure malencontreuse.

« Bien, dit l'homme plein de gentillesse. L'idéal serait que tu sois également sourde et aveugle. Il se peut que tu entendes des choses, mais il te faudra les laisser entrer par une oreille et ressortir par l'autre. N'écoute pas. »

Elle en entendit force et plus que force ce soir-là, mais, comme presque toute la conversation se tenait dans la langue de Braavos, c'est à peine si elle comprit un mot sur dix. *Immobile comme la pierre*, se dit-elle. Le plus dur fut de lutter pour ne pas bâiller. La soirée n'était pas achevée que son esprit battait la campagne. Debout, là, sa carafe aux mains, elle rêva qu'elle était un loup, et qu'elle galopait en toute liberté dans une forêt baignée par le clair de lune, suivie par une immense meute hurlant sur ses talons.

« Vos hôtes sont-ils des prêtres, eux aussi ? demanda-t-elle à l'homme plein de gentillesse le lendemain matin. Et le visage qu'ils avaient, était-ce leur vrai visage ?

— Qu'en penses-tu, enfant ? »

Elle pensait *non*. « Jaqen H'ghar est-il un prêtre, lui aussi ? Savez-vous si Jaqen va revenir à Braavos ?

— Qui ? fit-il, l'innocence même.

— Jaqen *H'ghar*. C'est lui qui m'avait donné la pièce en fer.

— Je ne connais personne de ce nom, enfant.

— Je lui ai demandé comment il changeait de visage, et il a dit que ce n'était pas plus difficile que de prendre un nouveau nom, si l'on connaissait la méthode.

— Ah bon ?

— Est-ce que vous voudrez bien me montrer comment faire pour changer le mien ?

— Si tu le souhaites. » Il lui cueillit le menton dans le creux de sa main puis lui fit pivoter la tête. « Gonfle les joues et tire la langue. »

Elle gonfla ses joues et tira sa langue.

« Voilà. Ton visage est changé.

— Ce n'est pas de cette façon que je voulais dire. Jaqen utilisait la magie.

— Toute sorcellerie se paie son prix, enfant. Il faut des années de prières et de sacrifices et d'études pour élaborer un prestige digne de ce nom.

— Des *années* ? s'exclama-t-elle, consternée.

— Si c'était facile, tout le monde le ferait. On doit marcher, avant de courir. Pourquoi recourir à un sortilège, dans un domaine où les trucs d'un mime feront l'affaire ?

— Les trucs de mime, je n'en connais pas non plus.

— Alors, exerce-toi à faire des grimaces. Sous ta peau se trouvent des muscles. Apprends à t'en servir. C'est ton visage. Tes joues, tes lèvres, tes oreilles. Les sourires et les mines renfrognées ne devraient pas te tomber dessus comme des bourrasques soudaines. Le sourire devrait être à tes ordres, comme un domestique, et ne se présenter que lorsque tu le convoques. Apprends à *gouverner* ton visage.

— Montrez-moi comment.

— Gonfle tes joues. » Elle les gonfla. « Hausse tes sourcils. Non, plus haut. » Elle le fit aussi. « Bien. Vois combien de temps tu peux tenir la pose. Ce ne sera pas long. Essaie de nouveau demain. Tu trouveras un miroir de Myr dans les caves. Entraîne-toi devant lui pendant une heure chaque jour. Yeux, joues, narines, oreilles, lèvres, apprends à les gouverner tous. » Il lui cueillit à nouveau le menton. « Qui es-tu ?

— Personne.

— Mensonge. Un triste brin de mensonge, enfant. »

Elle découvrit le lendemain le miroir de Myr, et, tous les soirs et tous les matins, s'installa devant, flanquée de deux chandelles, pour sa séance de grimaces. *Gouverne ton visage*, s'enjoignait-elle, *et tu seras capable de mentir.*

Peu de temps après, l'homme plein de gentillesse lui commanda d'aider les autres acolytes à préparer les cadavres. La besogne n'était pas aussi rude, tant s'en fallait, que celle de récurer des escaliers pour Weese. Parfois, si elle avait affaire à celui d'un grand gaillard ou d'un gros plein de soupe, le poids lui donnait du mal, mais la plupart des morts n'étaient que de vieux os secs dans de la peau ridée. Pendant qu'elle les lavait, elle les regardait en se demandant ce qui les avait amenés jusqu'au bassin noir. Elle se ressouvint d'une histoire racontée par Vieille Nan et d'après laquelle il était arrivé parfois que des gens qui avaient vécu fort au-delà de leur lot d'années déclarent, au cours d'un long hiver, qu'ils partaient chasser. *Et leurs filles se mettaient à pleurer, et leurs fils se détournaient pour fixer les flammes*, disait Vieille Nan dont elle entendait encore la voix, *mais personne ne les retenait, personne ne les interrogeait sur le gibier qu'ils comptaient poursuivre, alors que les neiges étaient si profondes et que hurlait la bise glacée*. Arya se demanda ce que les vieux Braaviens racontaient à leurs fils et à leurs filles, avant de s'acheminer vers la Demeure du Noir et du Blanc.

La lune changea et changea de nouveau, mais sans qu'elle la voie jamais. Elle servait, lavait les morts, faisait des grimaces au miroir, apprenait la langue de Braavos et tâchait de ne pas oublier qu'elle n'était personne.

Un jour, l'homme plein de gentillesse l'envoya chercher. « Ton accent est une horreur, dit-il, mais tu possèdes assez de mots pour faire comprendre tant bien que mal de quoi tu as besoin. L'heure a sonné que tu nous quittes pour un certain temps. Le seul moyen que tu aies de maîtriser jamais vraiment notre langue est de la parler tous les jours depuis l'aube jusqu'au crépuscule. Tu dois t'en aller.

— Quand ? le questionna-t-elle. Où ?

— Dès aujourd'hui, répondit-il. Par-delà ces murs, tu découvriras les cent îles de Braavos la maritime. On t'a enseigné les termes signifiant moules, coques et palourdes, n'est-ce pas ?

— Oui. » Elle les répéta, dans son meilleur braavien possible.

Son meilleur braavien possible le fit sourire. « Ça fera l'affaire. Le long des quais que surplombent les vestiges de la Ville Engloutie, tu trouveras un poissonnier nommé Brusco, qui a un bon cœur et un méchant dos. Il a besoin d'une fillette pour tirer sa carriole et vendre ses coques, palourdes et moules aux matelots en goguette. Tu seras cette fillette-là. Est-ce que tu comprends ?

— Oui.

— Et quand Brusco te demandera : “Qui es-tu ?”

— Personne.

— Non. Cela n'ira pas, en dehors de cette Demeure. »

Elle hésita. « Je pourrais être Saline, de Salins.

— Saline, Ternesio Terys et les membres de l'équipage de *La Fille du Titan* la connaissent déjà. Vu ta façon de parler caractéristique, il faut forcément que tu sois une fille de Westeros, mais une fille différente, à mon avis. »

Elle se mordit la lèvre. « Est-ce qu'il me serait possible d'être Cat ?

— *Chat…* » Il réfléchit. « Oui. Braavos fourmille de chats. Un de plus ne se remarquera pas. Tu es donc Cat, une orpheline de…

— Port-Réal. » Elle était allée deux fois à Blancport avec Père, mais elle connaissait mieux Port-Réal.

« Exact. Ton père était maître de nage sur une galère. À la mort de ta mère, il t'a prise en mer avec lui. Ensuite, il est mort à son tour, et, comme son capitaine n'avait que faire de toi, il t'a débarquée à Braavos. Et quel était le nom du navire ?

— *Nyméria* », répondit-elle du tac au tac.

Le soir même, elle quittait la Demeure du Noir et du Blanc. Un long coutelas de fer chevauchait sa hanche droite ; il était dissimulé par l'espèce de manteau rapetassé, délavé qui pouvait seul convenir à son statut d'orpheline. Ses souliers lui comprimaient les orteils, et sa tunique était tellement râpée que le vent la transperçait comme en se jouant. Mais Braavos s'étendait sous ses yeux. L'atmosphère nocturne sentait la fumée, le sel et le poisson. Les canaux faisaient des tas de détours, de crochets, les ruelles en faisaient encore davantage. Les gens qu'elle croisait la lorgnaient avec curiosité, et des petits mendiants criaient des paroles dont elle ne comprenait pas un traître mot. Elle ne fut pas longue à se retrouver complètement perdue.

« Ser Gregor… », psalmodia-t-elle alors qu'elle franchissait un pont de pierre que supportaient quatre arches. Du milieu du tablier s'apercevaient les mâts de vaisseaux mouillés dans la rade du Chiffonnier. «… Dunsen, Raff Tout-miel, ser Ilyn, ser Meryn, la reine Cersei. » Il se mit à pleuvoir. Habitée d'une telle jubilation qu'elle en aurait gambadé, Arya se démancha le col pour laisser les gouttes baigner sa figure. « *Valar morghulis, dit-elle, valar morghulis, valar morghulis.* »

ALAYNE

Le soleil levant se déversait à flots par les fenêtres quand Alayne s'assit dans son lit et s'étira. En l'entendant bouger, Gretchel se leva tout de suite pour aller lui chercher sa robe de chambre. Un froid de gueux s'était emparé des pièces durant la nuit. *Ce sera bien pire lorsque l'hiver aura refermé son étreinte sur nous*, songea-t-elle. *L'hiver rendra cet endroit aussi glacial qu'une tombe*. Elle enfila la robe et en noua la ceinture. « Le feu est presque éteint, fit-elle observer. Mettez-y une nouvelle bûche, s'il vous plaît.

— Qu'il en soit selon le désir de ma dame », opina la vieille.

Situés dans la tour de la Vierge, les appartements d'Alayne étaient vastes et beaucoup plus luxueux que la petite chambre où elle s'était vu reléguer du vivant de lady Lysa. Elle disposait à présent d'une garde-robe et de lieux d'aisances personnels, ainsi que d'un balcon de pierre blanche sculptée jouissant d'une vue panoramique. Pendant que Gretchel s'activait à ranimer le feu, Alayne traversa la chambre à pas de velours, nu-pieds, pour se glisser à l'extérieur. Le dallage lui gelait les orteils, et le vent soufflait avec violence, comme il le faisait invariablement ici, tout en haut, mais le spectacle lui fit oublier une seconde ces trivialités. Des sept tours fuselées des Eyrié, celle de la Vierge étant la plus à l'est, elle avait sous les yeux l'ensemble du Val, avec ses forêts, ses rivières et ses champs tout brumeux dans la lumière du matin. Et le soleil frappait les montagnes d'une façon qui leur donnait l'air d'être en or massif.

Ce que c'est joli... La cime enneigée de la Lance du Géant la surplombait, et sa prodigieuse masse de roche et de glace faisait paraître minuscule le château juché sur son épaule. Des stalactites longues de vingt pieds drapaient le rebord du précipice où cascadaient, l'été, les Larmes d'Alyssa. Un faucon planait au-dessus de la chute gelée, ses ailes bleues largement déployées sur la transparence du ciel. *Que n'ai-je des ailes, moi aussi !*

Elle appuya ses mains sur la balustrade de pierre ouvragée et se contraignit à jeter un regard dans le vide. Six cents pieds plus bas se distinguaient Ciel et l'escalier taillé dans le flanc de la montagne, le sentier sinueux qui finissait, via Neige et Pierre, par aboutir au niveau de la vallée. Là se discernaient, pas plus gros que des joujoux puérils, les tours et les remparts des portes de la Lune. Autour des murailles s'agitaient les armées des Seigneurs Déclarants. Les fourmis qu'elles déversaient au-dehors faisaient ressembler les tentes à des fourmilières. *Si c'étaient seulement de vulgaires fourmis*, songea-t-elle, *il nous suffirait de les piétiner pour les écraser*.

Lord Veneur le Jeune et ses troupes étaient venus grossir les autres l'avant-veille. Nestor Royce avait eu beau fermer les portes pour bloquer le passage, sa garnison comprenait moins de trois cents hommes. Chacun des Seigneurs Déclarants en avait amené un millier, et ils étaient six. Alayne connaissait leurs noms aussi bien que le sien. Benedar Belmore, sire de Forchant, Symond Templeton, chevalier de Neufétoiles, Horton Rougefort, sire de Rougefort, Anya Vanbois, dame des Chênes-en-fer, Gilbois Veneur, appelé le Jeune par tout le monde, sire de Longarc. Et le redoutable Yohn Royce enfin, Yohn le

Bronzé, le plus puissant d'entre eux, sire de Roche-aux-runes, cousin de Nestor et chef de la branche aînée de la maison Royce. Les six s'étaient réunis à Roche-aux-runes après la chute mortelle de Lysa Arryn, et le pacte qu'ils avaient conclu les engageait solennellement à défendre son fils, le petit lord Robert, le Val, et à se prêter mutuelle assistance. Leur déclaration ne mentionnait pas le lord Protecteur, mais elle dénonçait une « mauvaise administration », invoquait la nécessité d'y mettre un terme, tout en évoquant « des amis fallacieux et d'exécrables conseillers ».

Une bourrasque lui frigorifia les jambes. Alayne retourna dans la chambre choisir une robe à passer avant de déjeuner. Petyr lui avait donné le vestiaire de sa défunte épouse, un inépuisable filon de soieries, de satins, de velours et de fourrures dont les fastes passaient ses rêves les plus extravagants, même si l'immense majorité de tous ces atours étaient beaucoup trop grands pour elle ; lady Lysa avait énormément forci durant sa kyrielle interminable de grossesses, de fausses couches et de mises au monde d'enfants mort-nés. Un petit nombre de ses tenues les plus anciennes avaient été cependant confectionnées du temps où elle était encore la toute jeune Lysa Tully de Vivesaigues, et Gretchel avait eu le talent d'en retoucher d'autres pour les mettre aux mesures d'Alayne, qui avait la jambe presque aussi longue à treize ans que sa tante à vingt.

Ce matin-là, son œil fut captivé par une robe bariolée aux couleurs Tully, rouge et bleu, et bordée de vair. Gretchel l'aida à insérer ses bras dans les manches cloches puis la lui laça dans le dos, avant de brosser ses cheveux et de les épingler. Alayne avait de nouveau assombri la teinte de ceux-ci la veille au soir avant de se coucher. La lotion donnée par sa tante éteignait le flamboiement de l'auburn naturel qui était le sien au profit du ton brun-roux d'Alayne, mais les racines tardaient rarement à se laisser regagner par le rouge. *Et que me faudra-t-il faire quand j'aurai épuisé la teinture ?* Le produit avait été importé de Tyrosh, sur l'autre rive du détroit.

Lorsqu'elle descendit déjeuner, le mutisme des Eyrié la frappa une fois de plus. Il n'existait pas de château plus silencieux dans toutes les Sept Couronnes. Les serviteurs des lieux étaient une poignée, âgés, et ils ne parlaient qu'à voix basse pour épargner les nerfs fragiles de leur jeune maître. Il ne se trouvait pas de chevaux, à cette hauteur de la montagne, non plus que de chiens pour aboyer ou gronder, ni de chevaliers pour s'entraîner dans la cour. Les pas des gardes eux-mêmes semblaient étrangement feutrés, tandis qu'ils arpentaient les salles de pierre pâle. Elle entendait bien le vent geindre et soupirer autour des tours, mais c'était là tout. À son arrivée aux Eyrié, il y avait en plus le murmure des Larmes d'Alyssa, mais maintenant le gel les avait pétrifiées. Et Gretchel assurait qu'elles allaient demeurer muettes jusqu'au retour du printemps.

Lord Robert était tout seul lorsqu'elle pénétra dans la salle du Matin, au-dessus des cuisines. Armé d'une cuillère en bois, il tripatouillait sans grand enthousiasme une grosse bolée de bouillie d'avoine au miel. « Je voulais des œufs, se lamenta-t-il dès qu'il l'aperçut. Je voulais *trois* œufs à la coque, mollets, et une tranche de lard maigre. »

Des œufs, ils n'en avaient pas, pas plus que du lard. Les greniers des Eyrié contenaient suffisamment d'avoine, de maïs et d'orge pour les nourrir toute une année, mais, pour les vivres frais, ils dépendaient de Mya Stone, une jeune fille bâtarde, qui les leur apportait d'en bas, dans la vallée. Or, il lui était matériellement impossible de franchir le barrage que constituaient les Seigneurs Déclarants campés au pied de la montagne. Lord

Belmore, le premier des six à s'être présenté devant les portes, avait dépêché un oiseau prévenir que plus aucune espèce de nourriture ne monterait aux Eyrié tant que Littlefinger n'en aurait pas fait redescendre lord Robert. Il ne s'agissait pas tout à fait d'un siège, pas encore, mais c'était incessamment ce qui s'ensuivrait de mieux.

« Tu auras des œufs quand Mya viendra. Autant qu'il te plaira, promit-elle au noble moutard. Elle apportera des œufs, du beurre et des melons, tout plein de victuailles délicieuses. »

Il ne s'apaisa pas pour autant. « C'est *aujourd'hui* que je voulais des œufs.

— Doux Robin de mon cœur, il n'y a pas d'œufs, tu le sais. S'il te plaît, mange ta bouillie d'avoine, elle est très très bonne. » Elle avala une cuillerée de la sienne.

Robert se remit à touiller dans un sens, dans l'autre, mais sans seulement esquisser le geste de porter la cuillère à ses lèvres. « Je n'ai pas faim, décida-t-il. Je veux retourner au lit. Je n'ai pas dormi du tout la nuit dernière. J'ai entendu *chanter*. Mestre Colemon m'avait donné du vinsonge, mais j'ai quand même entendu chanter. »

Alayne posa sa cuillère. « Si l'on avait chanté, je l'aurais entendu aussi. Tu as fait un mauvais rêve, et c'est tout.

— Non, ce n'était *pas* un rêve. » Ses yeux s'emplirent de larmes. « Marillion était de nouveau en train de chanter. Ton père dit qu'il est mort, mais il n'est *pas* mort.

— Si fait. » Elle était terrifiée de l'entendre dire des choses pareilles. *Assez calamiteux déjà qu'il soit malingre et souffreteux, mais s'il est fou par-dessus le marché*… « Si fait, doux Robin de mon cœur, il est mort. Marillion aimait trop ta mère, et il n'a pas supporté de vivre après ce qu'il lui avait fait, alors, il s'est avancé dans le vide. » Pas plus que Robert, elle n'avait vu le corps, mais elle ne doutait pas du fait que le chanteur était bel et bien mort. « Il est mort, vraiment.

— Mais je l'entends toutes les nuits... Même quand je ferme les volets et que je me mets un *oreiller* sur la tête. Ton père aurait dû lui faire arracher la langue. Je le lui ai bien *dit*, mais il n'a jamais voulu ! »

Il avait besoin d'une langue pour les aveux. « Sois un gentil garçon, et mange ta bouillie d'avoine, implora-t-elle. S'il te plaît ? Pour moi ?

— Je ne veux pas de bouillie d'avoine. » Robert balança sa cuillère à travers la pièce. Elle alla rebondir sur une tapisserie suspendue au mur, et une lune de soie blanche se retrouva maculée par une traînée de bouillie d'avoine. « Sa *Seigneurie veut des œufs* !

— Sa Seigneurie mangera de la bouillie d'avoine, et Elle se sentira mieux après », dit la voix de Petyr, derrière eux.

Alayne se retourna tout d'une pièce et le vit campé sur le seuil de la porte en plein cintre, le mestre à ses côtés. « Vous devriez écouter le lord Protecteur, messire, conseilla ce dernier. Les bannerets de Votre Seigneurie sont en train de faire l'ascension de la montagne pour venir vous rendre hommage, de sorte que vous aurez besoin de toute votre vigueur. »

L'enfant se frotta l'œil gauche avec son index replié. « Renvoyez-les. Je ne *veux* pas d'eux. Qu'ils viennent, et je les ferai voler.

— Vous me tentez terriblement, messire, mais je crains de leur avoir promis un sauf-conduit, déclara Petyr. De toute manière, il est trop tard pour leur commander de rebrousser chemin. Ils risquent actuellement d'être déjà parvenus à Pierre.

— Pourquoi ne nous laissent-ils pas tranquilles ? gémit Alayne. Nous ne leur avons jamais fait de mal. Qu'est-ce qu'ils nous *veulent* ?

— Ils veulent uniquement lord Robert. Et le Val. » Petyr sourit. « Ils seront huit. Lord Nestor leur tient lieu d'escorte, et Lyn Corbray fait partie du lot. Ser Lyn n'est pas homme à rester dans son coin lorsqu'il y a du sang dans l'air. »

Ce discours n'était pas franchement de nature à la rassurer beaucoup. Lyn Corbray avait tué presque autant d'adversaires en duel que sur le champ de bataille. Elle savait qu'il avait gagné ses éperons pendant la Rébellion de Robert en se battant pour débuter contre lord Jon Arryn aux portes de Goëville puis sous ses bannières au Trident, où il avait terrassé le prince Lewyn de Dorne, un blanc chevalier de la Garde Royale. Quitte à raconter que ce dernier se trouvait déjà grièvement blessé lorsque la marée des combats l'avait balayé pour entamer son ultime danse avec Dame Affliction, Petyr ajoutait : « Mais c'est un point que tu peux t'abstenir d'aborder avec Corbray. Ceux qui le font se voient bientôt procurer l'occasion de descendre questionner Martell en personne sur la véracité du fait dans les demeures infernales. » S'il fallait en croire ne serait-ce que la moitié de ce qu'elle avait entendu débiter par les gardes de lord Robert, Lyn Corbray était plus dangereux à lui seul que les six Seigneurs Déclarants mis ensemble. « Pourquoi vient-il, *lui* ? demanda-t-elle. Je croyais que les Corbray étaient de votre parti.

— Lord Lyonel Corbray se montre assez favorable à ma gouvernance, mais son frère suit ses propres voies. Au Trident, lorsque leur père s'effondra, ce fut Lyn qui, tuant celui qui l'avait blessé, ramassa Dame Affliction. Pendant que Lyonel remportait le vieil homme à l'arrière pour le confier aux mestres, Lyn conduisit sa propre charge contre les Dorniens qui menaçaient la gauche de Robert, mit leurs lignes en pièces et tua Lewyn Martell. Aussi est-ce à son cadet qu'en mourant le vieux lord

Corbray légua la Dame. Lyonel eut beau hériter pour sa part des terres, du château, du titre et de tout le magot paternels, il n'en conserve pas moins le sentiment d'avoir été dépouillé de son droit d'aînesse, tandis que ser Lyn… ma foi, l'adore tout autant qu'il m'adore. Il brûlait de s'adjuger la main de Lysa.

— Je n'aime pas ser Lyn, protesta Robert. Je ne veux pas de lui ici. Vous le renverrez en bas. Je ne lui ai jamais, moi, donné l'autorisation de venir. Jamais *ici*. Les Eyrié sont *imprenables*, disait Maman.

— Votre mère n'est plus, messire. Jusqu'à votre seizième anniversaire, c'est *moi* qui gouverne, aux Eyrié. » Petyr se retourna vers la servante voûtée qui plantonnait près de l'escalier des cuisines. « Mela, allez chercher une nouvelle cuillère pour Sa Seigneurie. Elle a envie de manger sa bouillie d'avoine.

— Je n'en ai *pas* envie ! Elle n'a qu'à *voler*, ma bouillie d'avoine ! » Cette fois, Robert balança le bol, bouillie d'avoine et miel et tout. Petyr Baelish baissa la tête en s'écartant lestement, mais mestre Colemon ne fut pas si prompt. Le récipient de bois l'atteignit en pleine poitrine, et l'explosion du contenu lui barbouilla la figure et les épaules. Pendant qu'il glapissait d'une manière on ne peut moins compatible avec sa mestrise, Alayne essaya de calmer le petit, mais son intervention venait trop tard, déjà la crise s'était emparée de lui. Saisi d'une main fébrile, un pichet de lait prit l'air à son tour. En voulant se lever, Robert renversa son fauteuil, s'y empêtra, tomba par-dessus. L'un de ses pieds décocha dans le ventre de la jeune fille une ruade si violente qu'elle en eut le souffle coupé. « Oh, bons dieux de bons dieux ! » entendit-elle Petyr s'exclamer, d'un ton écœuré.

Le visage et les cheveux tout parsemés de grumeaux de bouillie d'avoine, mestre Colemon s'agenouilla pour s'incliner sur son patient et lui murmurer des paroles apaisantes. Semblable à une larme gélatineuse beigeasse, une grosse éclaboussure dégoulinait lentement le long de sa joue droite. *C'est un accès moins dramatique que le dernier*, se dit Alayne, en s'efforçant d'espérer quand même. Lorsque les tremblements finirent par s'arrêter, les appels de Petyr avaient fait survenir deux gardes en manteau bleu ciel et chemise de maille argentée. « Allez le recoucher, et appliquez-lui des sangsues », leur ordonna le lord Protecteur, et le plus grand des deux cueillit le petit dans ses bras. *Je pourrais le porter moi-même*, songea Alayne. *Il ne pèse pas plus lourd qu'une poupée.*

Colemon s'attarda un court moment. « Messire, peut-être vaudrait-il mieux remettre les pourparlers à un autre jour. Les crises de Sa Seigneurie ont empiré depuis la disparition de lady Lysa. Tant pour la fréquence que pour la violence. J'ai beau pratiquer des saignées aussi souvent que j'ose le faire, j'ai beau préparer des potions de vinsonge et de lait de pavot pour faciliter l'endormissement, n'empêche que…

— Il dort douze heures par jour, répliqua Petyr. J'ai besoin qu'il soit éveillé de temps en temps. »

Le mestre se passa la main dans les cheveux, criblant le sol de parcelles de bouillie d'avoine. « Lady Lysa lui donnait le sein chaque fois qu'il se mettait dans tous ses états. Archimestre Ebrose affirme que le lait maternel possède des quantités de vertus salutaires.

— Est-ce là ce que vous nous conseillez, mestre ? De chercher une nourrice pour le sire des Eyrié, Défenseur du Val ? Alors, quand le sèvrerons-nous donc, le jour de ses noces ? Cette solution lui permettrait de passer directement des tétons de sa nourrice à ceux de son épouse. » Les éclats de rire de lord Petyr interdisaient de se méprendre sur le bien qu'il pensait de l'idée. « Non, m'est avis que non. Je vous suggère de trouver quelque chose d'autre. Le garçon raffole des friandises, n'est-ce pas ?

— Des friandises ? s'ébahit Colemon.

— Des friandises. De tartes et de gâteaux, de confitures et de gelées, de miel en rayons. Il se pourrait même qu'une simple pincée de bonsomme dans son lait fasse l'affaire, avez-vous tenté l'expérience ? Juste une pincée, pour le tranquilliser et arrêter sa maudite tremblote...

— Une pincée ? » Le mestre déglutit, ce qui fit monter puis redescendre la pomme qu'il avait en travers du gosier. « Une seule petite pincée... peut-être bien, peut-être bien. Pas trop ni trop souvent, oui, je pourrais essayer...

— Une pincée, repartit lord Petyr, avant de l'exhiber à la réunion de nos visiteurs.

— À vos ordres, messire. » Le mestre s'empressa de sortir, talonné par le tintinnabulement de sa chaîne.

« Père, s'enquit Alayne après qu'il eut disparu, vous plairait-il de prendre un grand bol de bouillie d'avoine pour votre petit déjeuner ?

— Je fais fi de la bouillie d'avoine. » Il la dévisageait maintenant à la manière de Littlefinger. « Je préférerais un baiser, pour mon petit déjeuner. »

Une fille authentique ne refusant pas un baiser à son géniteur, Alayne s'avança pour le lui donner, sous la forme d'un coup de bec sec et rapide sur la joue, puis, tout aussi rapidement, reprit ses distances.

« Est-ce... consciencieux ! » Un sourire parut sur les lèvres de Littlefinger, mais pas dans ses yeux. « Eh bien, le hasard veut justement que j'aie d'autres corvées à te confier. Va dire à la cuisinière de faire chauffer du vin rouge avec des épices, du miel et des raisins secs. Au terme de leur interminable escalade, nos hôtes auront soif et froid. Il t'incombera de les accueillir à leur arrivée et de leur offrir de quoi se restaurer. Vin, pain et fromage. Que nous reste-t-il, comme variétés de fromage ?

— Du blanc qui pique et du bleu qui empeste.

— Va pour le blanc. Et tu ferais également mieux de changer de tenue. »

Elle considéra tour à tour la coupe de sa robe et ses coloris, le rouge sombre intense et le bleu sombre de Vivesaigues. « Vous la trouvez trop…

— Elle est trop *Tully*. Les Seigneurs Déclarants ne seraient pas spécialement ravis de voir ma fille bâtarde se pavaner dans les toilettes de ma défunte épouse. Choisis quelque chose d'autre. Me faut-il encore te préciser d'éviter les crème et bleu ciel ?

— Non. » C'étaient les couleurs de la maison Arryn. « Huit, avez-vous dit… Yohn le Bronzé fait partie du nombre ?

— Et le seul qui compte.

— Mais il me *connaît* ! lui rappela-t-elle. Il a été l'hôte de Winterfell, quand son fils est passé par là pour aller prendre le noir. » Elle était tombée follement amoureuse de ser Waymar, se souvenait-elle mais de façon vague, cet épisode-là remontant à des lustres, alors qu'elle était encore une stupide petite fille. « Et ce n'est pas la seule fois où lord Royce a vu… Sansa Stark, il l'a revue à Port-Réal, pendant le tournoi de la Main. »

Petyr lui mit un doigt sous le menton. « Qu'il ait aperçu ce ravissant minois, je n'en doute pas, mais c'était une figure entre mille. Lorsqu'on participe à des joutes, on a bien trop de soucis en tête pour s'occuper d'une enfant perdue dans la foule. Et, à Winterfell, Sansa n'était qu'une fillette à cheveux auburn. Ma fille à moi est une grande et belle jouvencelle, et elle a les cheveux châtains. Les gens voient seulement ce qu'ils s'attendent à voir, Alayne. » Il l'embrassa sur le nez. « Ordonne à

Maddy de faire du feu dans la loggia. C'est là que je recevrai nos Seigneurs Déclarants.

— Pas dans la Grande Salle ?

— Non. Les dieux les gardent de m'apercevoir auprès du trône des Arryn, ils risqueraient de s'imaginer que j'ai l'intention de m'y asseoir. Des fesses d'une naissance aussi basse que les miennes ont le devoir de n'aspirer jamais à des coussins aussi altiers.

— La loggia. » Elle aurait dû s'en tenir là, mais les mots rompirent leurs digues. « Si vous leur donniez Robert…

— Et le Val ?

— Le Val, ils l'*ont*.

— Hum, en grande partie, c'est vrai. Mais pas en totalité. On m'aime fort, à Goëville, et je ne suis pas sans avoir moi-même dans ma poche quelques amis d'assez jolie noblesse : les sires Grafton, Lynderly, Lyonel Corbray… Je t'accorderai toutefois qu'ils ne font pas le poids face aux Seigneurs Déclarants. Cela dit, où voudrais-tu que nous allions, Alayne ? Tu es tentée de revenir à ma puissante forteresse des Doigts ? »

Elle avait déjà réfléchi à cette éventualité. « Joffrey vous a fait présent d'Harrenhal. Vous êtes le seigneur et maître légitime, là-bas.

— En titre. Pour épouser Lysa, j'avais besoin d'une résidence prestigieuse, et les Lannister n'étaient pas près de m'attribuer Castrai Roc.

— Soit, mais le château vous *appartient*.

— Tu parles, et quel château ! Salles caverneuses, tours démolies, fantômes et courants d'air, ruineux à chauffer, impossible à munir d'une garnison… Ce pour ne point mentionner cette menue babiole de malédiction.

— Les malédictions n'existent que dans les contes et dans les chansons. »

La remarque eut l'air d'amuser Petyr. « Quelqu'un a-t-il consacré une chanson à la mort de Gregor Clegane empoisonné par un coup de lance ? Ou à celle du mercenaire dont le même ser Gregor avait tranché les membres tour à tour ? Le bonhomme avait pris le château à ser Armory Lorch, qui le tenait de lord Tywin. Un ours a tué le premier, ton nain le second. Lady Whent est morte elle aussi, si je ne m'abuse. Les Lothston, Strong, Harroway, Strong encore… Harrenhal a desséché successivement toutes les mains qui ont eu la témérité d'y toucher.

— Alors, donnez-le à lord Frey. »

Il éclata de rire. « Peut-être bien que je le ferai. Ou, mieux encore, à notre bien-aimée Cersei. Encore que je ne devrais pas dire d'horreurs sur elle, alors qu'elle est en train de m'expédier de splendides tapisseries. N'est-ce pas gentil de sa part ? »

La simple évocation de la reine suffit à la hérisser. « Elle n'est pas gentille. Elle me fait peur. Si elle apprenait où je me trouve…

— … je risquerais de me voir contraint à l'éliminer de la partie qui se joue plus tôt que je ne l'avais projeté. À supposer qu'elle ne s'en élimine pas d'ici là toute seule. » Petyr la taquina d'un petit sourire entendu. « Dans le jeu des trônes, même les pièces les plus humbles peuvent avoir des volontés de leur propre cru. Elles refusent quelquefois d'accomplir les mouvements que l'on a programmés pour elles. Note aussi ce détail, Alayne. C'est une leçon que Cersei Lannister a encore à apprendre. Maintenant, n'as-tu pas quelques tâches à remplir ? »

Elle obtempéra, naturellement. Elle s'occupa d'abord de faire chauffer le vin, de dénicher une meule de fromage blanc piquant à point, de commander à la cuisinière d'enfourner suffisamment de pain pour vingt personnes, au cas où les Seigneurs Déclarants surviendraient avec une suite plus nombreuse que prévu. *Du moment qu'ils auront partagé avec nous le pain et le sel, ils seront nos hôtes et ne pourront nous faire de mal.* Les

Frey avaient eu beau bafouer toutes les lois de l'hospitalité en assassinant dame sa mère et son frère Robb aux Jumeaux, n'empêche, elle ne parvenait pas à croire qu'un seigneur aussi noble que Yohn le Bronzé s'abaisserait jamais à se comporter de même.

Ensuite, la loggia. Le sol en étant couvert de tapis de Myr, on était dispensé d'y répandre des joncs. Alayne pria deux serviteurs de dresser la table à tréteaux puis de monter neuf des lourds sièges en chêne tendus de cuir. Pour un festin, elle en aurait disposé un à la tête de la table, un au pied, et quatre et trois face à face, mais il n'allait pas s'agir d'un festin. Aussi en fit-elle installer sept d'un côté, deux de l'autre. À cette heure, les Seigneurs Déclarants devaient plus ou moins se trouver à la hauteur de Neige. L'ascension totale prenait presque une journée, même à dos de mulet. À pied, elle réclamait généralement plusieurs jours.

Comme il se pouvait que les conversations se prolongent fort avant dans la nuit, pourvoir au renouvellement des chandelles s'imposait. Une fois le feu allumé, Alayne envoya Maddy chercher en bas les bougies de cire d'abeille parfumée que lord Cirley avait offertes à lady Lysa dans l'espoir de conquérir sa main. Après quoi elle se rendit aux cuisines encore une fois pour être tout à fait tranquille sur le chapitre du pain et du vin. Les préparatifs y allaient bon train, et elle avait encore assez de temps pour prendre un bain, se laver les cheveux et se changer.

Après avoir longuement hésité entre une robe de soie violette et une autre, en velours bleu sombre à crevés d'argent, qui aurait admirablement fait valoir la couleur de ses yeux, elle finit par se rappeler qu'Alayne était une bâtarde, tout compte fait, et qu'elle ne devait pas prétendre à s'habiller au-dessus de son état. La robe qu'elle en vint à choisir était en laine d'agneau, marron sombre et de coupe simple, avec un corsage, des manches et le bas de la jupe brodés de feuilles de vigne et de grappes en fil d'or. C'était modeste et seyant, quoique à peine plus riche que ce qu'aurait pu porter une jeune servante. Petyr lui avait également donné les bijoux de lady Lysa, et elle essaya plusieurs colliers, mais ils lui semblèrent tous ostentatoires. Finalement, elle se contenta d'un ruban de velours mordoré comme feuille d'automne et, une fois devant le miroir d'argent qu'était allée lui quérir Gretchel, elle en trouva la teinte littéralement parfaite pour rehausser l'opulente chevelure châtain sombre d'Alayne. *Ma foi, pour un peu, je ne me reconnaîtrais pas moi-même…*

Avec le sentiment d'être presque aussi effrontée que Petyr Baelish, Alayne Stone enfila son sourire et descendit accueillir leurs hôtes.

Les Eyrié étaient l'unique château des Sept Couronnes dont l'entrée principale se situait plus bas que les oubliettes. Les marches abruptes taillées à même le roc qui s'accrochaient au flanc de la montagne et se faufilaient sous les forts de Pierre et de Neige s'arrêtaient brusquement à celui de Ciel. Les six cents derniers pieds de l'ascension se faisaient à la verticale, ce qui obligeait les visiteurs éventuels à abandonner leurs mulets et les plaçait devant le dilemme soit de prendre place à bord de la nacelle de bois brinquebalante qui servait à monter les fournitures, soit de se hisser tout du long dans une espèce de cheminée rocheuse excavée régulièrement pour cramponner les mains et caler les pieds.

Les plus âgés des Déclarants, lord Rougefort et lady Vanbois, préférèrent se laisser treuiller, puis la nacelle redescendit cueillir l'énorme lord Belmore. Leurs compagnons de fortune avaient, quant à eux, opté pour l'escalade. Alayne les reçut au fur et à mesure dans la Chambre du Croissant, près d'une flambée réconfortante, et, après leur avoir souhaité la bienvenue au nom de lord Robert, leur servit le pain, le fromage et leur versa le vin bouillant dans des coupes d'argent.

Petyr lui avait donné à étudier un registre d'armoiries, de sorte qu'elle connaissait l'héraldique de chacun, sinon son visage. À l'évidence, le château rouge était Rougefort ; un petit homme à barbe grise impeccable, aux yeux doux. Unique femme du groupe, lady Anya portait une pèlerine vert sombre sur laquelle des perles de jais figuraient la roue Vanbois. Six clochettes d'argent sur un champ violet, cela désignait Belmore, bedaine en poire et dos voûté. Sa barbe était une horreur d'un gris roussâtre qui jaillissait d'innombrables mentons. Noire était en revanche, avec une pointe effilée, celle de Symond Templeton, le chevalier de Neufétoiles. Le bleu glacial de ses prunelles et son bec de nez lui donnaient l'aspect d'un élégant oiseau de proie. Son doublet était frappé de neuf étoiles noires à l'intérieur d'un sautoir d'or. Lord Veneur le Jeune était emmitouflé dans un manteau d'hermine qui la plongea dans l'embarras jusqu'à ce qu'elle ait repéré la broche qui l'agrafait, cinq flèches d'argent en faisceau. Quant à l'âge qu'il pouvait avoir, elle l'aurait dit plus près de cinquante que de quarante ans. Après avoir régné en maître à Longarc près de soixante ans d'affilée, son père était mort si subitement que les bonnes langues l'accusaient tout bas d'avoir précipité la succession. Rouges comme des pommes, ses joues et son nez témoignaient en tout cas d'une certaine tendresse pour la bouteille. Aussi veilla-t-elle à lui remplir sa coupe aussi souvent qu'il la vidait.

L'homme le plus juvénile de l'assistance avait la poitrine ornée de trois corbeaux, chacun d'eux broyant dans ses serres un cœur rouge sang. Ses cheveux bruns lui balayaient l'épaule ; sur son front s'entortillait une mèche folle. *Ser Lyn Corbray*, songea-t-elle en louchant à la dérobée sur sa bouche dure et ses yeux de furet fiévreux.

Bons derniers arrivèrent enfin les Royce, lord Nestor et lord Yohn le Bronzé. Le sire de Roche-aux-runes ne le cédait pas pour la taille au Limier. Malgré les rides et les cheveux gris qui trahissaient son âge, il paraissait encore capable de briser la plupart de ses cadets comme des brindilles, avec ces pattes colossales et noueuses qu'il vous avait. La vue de sa figure solennelle et parcheminée suffit à ressusciter tous les souvenirs que Sansa gardait de son séjour à Winterfell. Elle le revoyait à table, en train de bavarder paisiblement avec Mère. Elle entendait encore sa voix tonnante ébranler les murs, le jour où il était revenu de la chasse avec un chevreuil en croupe. Elle le revoyait aussi dans la cour, une épée d'exercice au poing, marteler Père jusqu'à ce qu'il tombe puis s'en prendre à ser Rodrick et le déconfire à son tour. *Il va fatalement me reconnaître. Comment pourrait-il ne pas le faire ?* Elle envisagea de se jeter à ses pieds pour implorer sa protection. *Il ne s'est pas battu pour Robb, pourquoi se battrait-il pour moi ? La guerre est terminée, et Winterfell tombée.* « Messire, lui demanda-t-elle d'une voix timide, vous plairait-il de prendre une coupe de vin bien chaud, pour vous dégeler ? »

Il avait des yeux gris ardoise que dissimulaient à moitié les sourcils les plus broussailleux qu'elle eût jamais vus. Ils se plissèrent lorsqu'il les abaissa pour la regarder. « Est-ce que je te connais, petite ? »

Elle eut l'impression d'avoir avalé sa langue, mais lord Nestor vint à sa rescousse. « Alayne est la fille naturelle du lord Protecteur, dit-il à son cousin d'un ton bourru.

— Le petit doigt du Petit-Doigt n'a pas chômé », fit Lyn Corbray avec un sourire perfide. La subtilité du jeu de mots sur *Littlefinger* suscita la joie de Belmore, et sa délicatesse la rougeur confuse d'Alayne.

« Quel âge as-tu, mon enfant ? questionna lady Vanbois.

— Qua-quatorze ans, ma dame. » L'espace d'une seconde, elle avait oublié l'âge qu'Alayne était censée avoir. « Et je ne suis plus une enfant, j'ai connu ma floraison de jeune fille.

— Mais, on peut toujours espérer, pas ta défloraison... » Lord Veneur le Jeune avait la moustache tellement touffue qu'on ne discernait seulement pas sa bouche.

« Peut encore..., renchérit Lyn Corbray, avec autant d'égards que si elle n'était pas là. Mais mûre à point pour une cueillette imminente, je dirais.

— Est-ce que des propos pareils passent à Cœurmanoir pour de la courtoisie ? » Les cheveux d'Anya Vanbois grisonnaient, et elle avait des fanons flasques et les yeux cernés de pattes-d'oie, mais il émanait de sa personne une noblesse incontestable. « Vu son âge et sa parfaite éducation, cette petite a déjà subi suffisamment d'affronts. Surveillez votre langue, ser.

— Ma langue est mon affaire, répliqua Corbray. Votre Seigneurie devrait prendre soin de surveiller la sienne. Je n'ai jamais apprécié que quiconque me morigène, ainsi que pas mal de morts pourraient vous le confirmer. »

Lady Vanbois se détourna de lui. « Il serait préférable de nous introduire tout de suite auprès de ton père, Alayne. Plus tôt nous en aurons terminé de cette démarche, mieux cela vaudra.

— Le lord Protecteur vous attend dans la loggia. Si ma dame et messeigneurs veulent bien me suivre... » Au sortir de la Chambre du Croissant, ils gravirent une volée de degrés de marbre assez vertigineux qui contournait les cryptes et les oubliettes et passait sous trois assommoirs que les Seigneurs Déclarants affectèrent de ne pas remarquer. Belmore ne tarda guère à haleter comme un soufflet de forge, et la figure de Rougefort à devenir aussi grise que ses cheveux. Les gardes apostés sur le palier supérieur relevèrent la herse dès leur arrivée. « Par ici, si je puis me permettre. » Elle leur fit enfiler la galerie que décoraient une douzaine de tapisseries magnifiques. Ser Lothor Brune était planté devant l'entrée de la loggia. Il en ouvrit la porte et, après s'être effacé devant eux, la franchit à son tour.

Petyr était installé devant la table à tréteaux, une coupe de vin à portée de main, et les yeux fixés sur la blancheur crissante d'un parchemin. Il les releva quand les Seigneurs Déclarants pénétrèrent à la queue leu leu. « Soyez les bienvenus, messires. Et vous aussi, ma dame. L'escalade est épuisante, je le sais. Veuillez vous asseoir. Alayne, ma chérie, d'autre vin pour nos nobles hôtes.

— Votre humble servante, Père. » On avait dûment allumé les bougies, constata-t-elle avec plaisir ; la pièce embaumait la noix de muscade, entre autres épices de prix. Elle alla s'emparer du carafon pendant que les visiteurs se plaçaient tous côte à côte, tous hormis Nestor Royce qui, après un instant d'hésitation, fit le tour de la table pour venir occuper le fauteuil vacant auprès de lord Petyr, et Lyn Corbray, qui préféra aller se camper près du foyer. Le rubis en forme de cœur serti dans le pommeau de son épée rutila lorsqu'il tendit ses mains vers les flammes. Alayne le vit adresser un petit sourire des plus équivoques à ser Lothor Brune. *Il est très beau, pour un homme de son âge*, songea-t-elle, *mais sa façon de sourire ne me plaît pas du tout.*

« Je ne me suis pas lassé de lire et de relire votre remarquable déclaration, commença Petyr. Superbe. Quel qu'il soit, le mestre qui l'a rédigée a le don de l'éloquence. J'aurais seulement désiré que vous m'eussiez convié à la signer aussi. »

La conclusion les prit au dépourvu. « Vous ? fit Belmore. Signer ?

— Je manie une plume aussi bien que quiconque, et personne ne chérit Robert plus que je ne le fais. Et pour ce qui est des amis fallacieux et des exécrables conseillers, là, nul doute, à nous de les supprimer. Messires, je suis avec vous, de cœur et de main. Montrez-moi où signer, je vous en supplie. »

Tout en versant à boire, Alayne entendit Lyn Corbray glousser. Les autres avaient des mines ahuries. Finalement, Yohn Royce le Bronzé fit craquer ses phalanges et lâcha : « Ce n'est pas pour réclamer votre signature que nous sommes venus. Pas plus que pour discutailler avec vous, Littlefinger.

— Quel dommage. J'aime tellement les discutailleries plaisamment tournées. » Il mit le parchemin de côté. « À votre aise. Soyons clairs et nets. Que souhaiteriez-vous obtenir de moi, mes seigneurs et dame ?

— De vous, nous n'attendons strictement rien. » Symond Templeton attacha sur le lord Protecteur le bleu glacial de son regard. « Nous vous forcerons à partir.

— À partir ? » Petyr feignit la stupéfaction. « Pour où partirais-je ?

— La Couronne vous a fait sire d'Harrenhal, signala lord Veneur le Jeune. N'importe qui s'en contenterait.

— Le Conflans a besoin d'un maître, reprit le vieux Horton Rougefort. Vivesaigues se trouve assiégée, Bracken et Nerbosc sont en guerre ouverte, et des hors-la-loi vadrouillent sans entraves sur les deux rives du Trident, pillant et tuant tout leur soûl. Des cadavres privés de sépulture jonchent les campagnes, en quelque endroit que l'on se balade.

— Le tableau que vous en dressez rend la région merveilleusement attirante, lord Rougefort, répondit Petyr, mais il se trouve que des tâches urgentes me retiennent ici. Et puis il faut tenir compte de lord Robert. Vous voudriez que j'entraîne un enfant maladif au beau milieu d'un pareil carnage ?

— Sa Seigneurie ne quittera pas le Val, décréta Yohn Royce. J'ai l'intention de l'emmener chez moi, à Roche-aux-runes, et de l'éduquer pour en faire un chevalier dont Jon Arryn aurait lieu de s'enorgueillir.

— Pourquoi donc à Roche-aux-runes ? rêva Petyr. Pourquoi pas plutôt aux Chênes-en-fer ou à Rougefort ? Pourquoi pas à Longarc ?

— N'importe laquelle de ces demeures ferait aussi bien l'affaire, affirma lord Belmore, et Sa Seigneurie les visitera toutes à leur tour, en temps et lieu.

— Le fera-t-Elle ? » Le ton de Petyr semblait insinuer quelque scepticisme.

Lady Vanbois poussa un soupir. « Lord Petyr, si vous comptez nous dresser les uns contre les autres, tant vaut vous en épargner la peine. Ici, nous parlons tous d'une seule voix. Roche-aux-runes nous convient unanimement. Lord Yohn a élevé on ne peut mieux ses trois propres fils, il n'est personne de plus apte à prendre pour pupille Sa Seigneurie. Mestre Helliweg est beaucoup plus âgé et plus expérimenté que votre propre mestre Colemon, il est mieux à même de traiter les fragilités de l'enfant. À Roche-aux-runes, lord Robert bénéficiera des leçons de Sam Stone le Costaud pour apprendre les arts guerriers. On ne saurait espérer pour personne meilleur maître d'armes. Pour ce qui est de son instruction spirituelle, c'est septon Lucos qui l'assumera. À Roche-aux-runes, il trouvera également des garçons de son âge, soit des compagnons mieux appropriés que les vieilles femmes et les mercenaires qui composent son entourage actuel. »

Petyr Baelish tripota sa barbichette. « Sa Seigneurie a besoin de compagnons, je n'en disconviens nullement.

Alayne n'est pas précisément une vieille femme, cependant. Lord Robert aime ma fille de tout son cœur, il se fera un plaisir de vous le confirmer lui-même. Et il se trouve d'aventure que j'ai prié lord Grafton et lord Lynderly de me confier chacun la tutelle d'un de leurs fils. Ils ont tous les deux un garçon de l'âge de Robert. »

Lyn Corbray s'esbaudit. « Deux chiots chiés par une paire de chiens de manchon !

— La présence d'un gamin plus âgé serait aussi bénéfique à Robert. Un jeune écuyer prometteur, disons. » Petyr se tourna vers lady Vanbois. « Ce genre exact de gamin, vous le possédez vous-même aux Chênes-en-fer, ma dame. Peut-être seriez-vous d'accord pour m'envoyer Harrold Hardyng ? »

Anya Vanbois eut l'air amusée. « Lord Petyr, vous êtes le voleur le plus outrecuidant dont je me sois jamais flattée de croiser la route !

— Loin de moi l'envie de voler ce gosse, protesta-t-il, mais lord Robert et lui devraient être amis. »

Yohn Royce le Bronzé s'inclina par-dessus la table. « Il serait en effet bel et bon que lord Robert se lie d'amitié avec le jeune Harry, et il va le faire... Mais à Roche-aux-runes, sous ma tutelle, et comme mon pupille et mon écuyer.

— Remettez-le-nous, fit lord Belmore, et il vous sera loisible de quitter le Val sans encombre à destination de votre vraie demeure, Harrenhal. »

Petyr le regarda d'un air de doux reproche. « Voulez-vous dire par là qu'il pourrait m'arriver malheur, autrement, messire ? Je ne vois pas du tout pourquoi. Ma défunte épouse paraissait penser que ma vraie demeure était *celle-ci*...

— Lord Baelish, dit lady Vanbois, Lysa Tully était la veuve de Jon Arryn et la mère de l'enfant qu'il lui avait donné, et elle gouvernait ici comme sa régente. Vous...

Soyons francs, vous n'êtes pas un Arryn, et lord Robert n'est en aucune manière de votre sang. Sur quel droit fonderiez-vous vos prétentions à nous gouverner ?

— C'est Lysa qui m'a nommé lord Protecteur, il me semble me rappeler. »

Lord Veneur le Jeune intervint alors. « Lysa Tully n'a jamais été véritablement du Val, et elle n'avait pas non plus le droit de disposer de nous.

— Et lord Robert ? questionna Petyr. Votre Seigneurie va-t-elle aussi prétendre que lady Lysa n'avait pas le droit de disposer de son propre fils ? »

Nestor Royce, qui n'avait pas desserré les dents depuis le début, prit à cet instant la parole d'une voix forte. « Je me suis moi-même bercé d'épouser lady Lysa, dans le temps. Tout comme le faisaient le père de lord Veneur et le fils de lady Anya. Pendant six mois, Corbray ne l'a pour ainsi dire pas lâchée d'une semelle. Elle aurait jeté son dévolu sur n'importe lequel d'entre nous que personne ici ne contesterait à celui-ci le droit d'être lord Protecteur. Il se trouve qu'elle a préféré lord Baelish et qu'elle lui a confié le soin de son fils.

— Qui est également celui de Jon Arryn, cousin, se renfrogna Yohn le Bronzé en regardant le Gardien de travers. Il appartient au Val. »

Petyr affecta la dernière des perplexités. « Les Eyrié font autant partie du Val que Roche-aux-runes. À moins que quelqu'un ne les en ait déménagés ?

— Blaguez tant qu'il vous plaît, Littlefinger, fulmina lord Belmore. Le petit nous accompagnera.

— J'aimerais mieux ne pas vous désappointer, lord Belmore, mais mon beau-fils restera ici avec moi. Il n'est pas des plus robustes, ainsi que vous le savez tous pertinemment. Le voyage le soumettrait à très rude épreuve. En ma qualité de beau-père et de lord Protecteur, je ne saurais l'autoriser. »

Symond Templeton s'éclaircit la gorge avant de gronder : « Chacun d'entre nous aligne un millier d'hommes au pied de cette montagne, Littlefinger.

— Quel endroit mirifique pour eux.

— Le cas échéant, nous pouvons en faire venir beaucoup plus.

— Est-ce une menace de guerre à mon endroit, ser ? » Sa voix ne trahissait pas la moindre émotion.

« Nous *aurons* lord Robert », affirma lord Yohn.

Pendant un moment, l'impression générale fut qu'on avait abouti à une impasse. Là-dessus, Lyn Corbray se détourna du feu. « Tous ces papotages me rendent malade. Littlefinger finira par vous discuter vos petits dessous, si vous avez assez de patience pour écouter jusque-là. Le seul moyen de régler son sort est l'acier. » Il dégaina sa flamberge.

Petyr ouvrit ses mains. « Je ne porte pas d'épée, ser.

— Facile d'y remédier. » La flamme des bougies ridait tout du long l'acier gris fumée de la lame de Corbray, une lame si sombre qu'elle rappela brusquement à Sansa la gigantesque épée de Père, Glace. « Votre croqueur de pommes en a une. Dites-lui de vous la remettre, ou tirez cette dague de votre ceinture. »

Elle vit Lothor Brune esquisser le geste de tirer au clair, mais les fers n'eurent pas le temps de se croiser que Yohn le Bronzé se dressait, furibond. « *Rangez-moi ça, ser !* Êtes-vous un Corbray ou un Frey ? Nous sommes des hôtes, ici. »

Lady Vanbois fit une moue dégoûtée. « Quelle inconvenance ! éructa-t-elle.

— Rengainez, Corbray, reprit en écho lord Veneur le Jeune. Vous nous couvrez tous d'opprobre avec ces façons.

— Allons, Lyn…, le réprimanda Rougefort sur un ton moins âpre. Ça n'a ni rime ni raison. Dodo, Dame Affliction.

— Ma dame a la gorge sèche, s'obstina ser Lyn. Chaque fois qu'elle sort danser, elle aime bien boire une goutte de rouge.

— Votre dame n'a qu'à rester sur sa soif. » Lord Yohn vint carrément se planter en travers du passage de Corbray.

« Les Seigneurs Déclarants ! » Lyn Corbray renifla. « Vous auriez mieux fait de vous baptiser les Six Vieilles Femmes. » Il renfila l'épée sombre dans son fourreau puis quitta la pièce en bousculant Brune comme s'il ne se trouvait pas là. Alayne écouta s'éloigner le bruit de ses pas.

Horton Rougefort et Anya Vanbois échangèrent un coup d'œil. Veneur vida sa coupe et la tendit pour la faire remplir. « Lord Baelish, dit ser Symond, vous devez nous pardonner cette pantalonnade.

— Le dois-je ? » La voix de Littlefinger s'était singulièrement rafraîchie. « C'est vous qui avez amené ce tranche-montagne, messeigneurs. »

Yohn le Bronzé voulut protester. « Nous n'avons jamais eu l'intention…

— *C'est vous qui l'avez amené ici.* Je serais pleinement en droit d'appeler mes gardes et de vous faire tous arrêter. »

Veneur bondit si soudainement sur ses pieds qu'il faillit envoyer valser le carafon que tenait Alayne. « Vous nous avez promis un sauf-conduit !

— C'est exact. Sachez-moi gré d'avoir plus d'honneur que certains. » Sa voix vibrait d'une colère aussi violente que ses pires colères entendues jusqu'alors. « J'ai lu votre *déclaration*, et vous m'avez étourdi de vos exigences. À vous maintenant d'écouter les miennes. Écartez vos armées de cette montagne. Rentrez chez vous, et fichez la paix à mon beau-fils. Qu'il y ait eu mauvaise administration, je ne le nierai certes pas, mais ce fut l'ouvrage de

Lysa, pas le mien. Accordez-moi seulement un an, et, avec l'aide de lord Nestor, je vous promets qu'aucun d'entre vous n'aura plus le moindre motif de grief.

— C'est ce que vous dites, objecta Belmore. Mais comment vous ferions-nous confiance ?

— C'est *moi* que vous osez traiter d'indigne de foi ? Qui a dénudé l'acier pendant les pourparlers ? Vous *déclarez* défendre lord Robert en lui refusant tous vivres. Cela doit finir. Je n'ai rien d'un guerrier, mais je vous *combattrai*, si vous ne levez pas ce siège. Il y a d'autres seigneurs que vous, dans le Val, et Port-Réal dépêchera aussi des troupes. Si c'est la guerre que vous voulez, dites-le tout de suite, et le Val saignera. »

Alayne voyait désormais le doute nettement éclore dans les yeux des Seigneurs Déclarants.

« Un an, ce n'est pas un délai si long que cela, dit lord Rougefort d'une voix mal assurée. Il se pourrait… si vous donniez des garanties…

— La guerre, aucun d'entre nous n'en veut, reconnut lady Vanbois. L'automne décline, et nous devons nous préparer à affronter l'hiver. »

Belmore se racla le gosier. « Et, au bout d'un an…

— … si je n'ai pas rétabli les finances du Val, c'est spontanément que je me démettrai de ma charge de lord Protecteur, leur promit Petyr.

— Voilà une proposition que je qualifierais de plus qu'honnête, glissa lord Nestor.

— Il ne doit pas y avoir de représailles, insista Templeton. Il ne doit pas être question de trahison ni de rébellion. Vous devez nous le jurer aussi.

— De grand cœur, dit Petyr. C'est d'amis que j'ai envie, pas d'ennemis. Je vous pardonnerai à tous, noir sur blanc si vous le souhaitez. Même à Lyn Corbray. Son frère est homme de mérite, et que servirait-il de jeter le discrédit sur une maison noble, je vous prie ? »

Lady Vanbois se tourna vers ses aristocratiques co-Déclarants. « Messires, que diriez-vous de nous réunir pour débattre de tout cela ?

— Point n'est besoin. Il a gagné la partie, manifestement. » Les yeux gris de Yohn le Bronzé s'appesantirent sur Petyr Baelish. « J'en suis fâché, mais il semblerait que vous l'ayez, votre année. Mieux vaudra que vous en fassiez bon usage, milord. Nous ne sommes pas tous vos dupes. » Il ouvrit la porte en tel forcené qu'il manqua l'arracher de ses gonds.

Plus tard fut servie une espèce de banquet, mais d'une telle frugalité que Petyr se vit obligé d'en exprimer ses excuses. On y exhiba Robert en doublet crème et bleu ciel, et il joua fort gracieusement le petit maître de maison. Yohn le Bronzé n'assista pas à ce spectacle ; il était déjà reparti des Eyrié pour entreprendre la longue descente, et Lyn Corbray l'avait précédé. Leurs acolytes restèrent, eux, jusqu'au lendemain.

Il les a possédés, songea Alayne cette nuit-là tout en écoutant, couchée dans son lit, le vent ululer derrière les fenêtres. Elle n'aurait pu dire d'où lui venait ce soupçon, mais, une fois qu'il lui eut traversé l'esprit, il la tourmenta si bien qu'il ne lui permit pas de s'endormir. Elle se tourna et se retourna, s'acharnant sur lui comme un chien sur un vieil os. Finalement, elle se leva et, peu désireuse d'interrompre les rêves de Gretchel, se rhabilla par ses propres moyens.

Encore éveillé, Petyr gribouillait une lettre. « Alayne, fit-il. Ma chérie. Qu'est-ce qui t'amène si tard ici ?

— Il me fallait absolument savoir à quoi m'en tenir. Que se passera-t-il dans un an ? »

Il posa sa plume. « Rougefort et la Vanbois sont vieux. L'un ou l'autre, si ce n'est les deux, risque de mourir d'ici là. Gilbois Veneur sera assassiné par ses frères. Selon toute vraisemblance par le jeune Harlan, qui a déjà combiné la mort de lord Éon, leur père. Dans le coup pour un sol, dans le coup pour un cerf, je dis toujours. Belmore est vénal et peut s'acheter. Templeton, je le prendrai sous mon aile. Yohn Royce le Bronzé persistera à se montrer hostile, je crains, mais, aussi longtemps qu'il est seul de son bord, il ne constitue pas une menace bien redoutable.

— Et ser Lyn Corbray ? »

La flamme des bougies dansait dans les prunelles de Littlefinger. « Ser Lyn demeurera mon implacable ennemi. Il parlera de moi avec autant de mépris que de répugnance à tout ce qu'il rencontrera, et il prêtera son épée à chacun des complots secrets visant à m'abattre. »

Ce fut alors que les soupçons d'Alayne se muèrent en certitude. « Et vous le récompenserez de quelle manière, pour ce service-là ? »

Littlefinger se mit à rire à gorge déployée. « Avec de l'or, des petits garçons et des promesses, naturellement ! Ser Lyn a des goûts simples, mon petit cœur. Il n'aime en tout et pour tout que trois choses au monde : l'or, les petits garçons et la boucherie. »

CERSEI

Le roi faisait la tête. « Je veux m'asseoir sur le Trône de Fer, lui dit-il. Vous n'empêchiez jamais Joffrey de le faire.

— Joffrey avait douze ans.

— Mais je suis le roi ! C'est à moi que le trône *appartient*.

— Qui t'a dit cela ? » Cersei prit une profonde inspiration pour permettre à Dorcas de la lacer plus serré. La camériste était une grande bringue, beaucoup plus forte que Senelle, mais beaucoup moins adroite aussi.

Tommen devint cramoisi. « Personne.

— *Personne ?* Est-ce ainsi que tu appelles dame ton épouse ? » La reine flairait Margaery Tyrell dans tous les coins de cette rébellion. « Si tu me mens, je n'aurai pas d'autre solution que d'envoyer chercher Pat et de le faire fustiger jusqu'à ce qu'il saigne. » Pat était le fouetté suppléant de Tommen comme il avait été celui de Joffrey. « C'est cela que tu veux ?

— Non, marmonna le roi d'un ton maussade.

— Qui te l'a dit ? »

Il agita ses pieds. « Lady Margaery. » Il n'avait garde de l'appeler *reine* quand sa mère se trouvait à portée d'oreille.

« Voilà qui est mieux. Tommen, j'ai des décisions à prendre sur des sujets graves, des sujets que tu es infiniment trop jeune pour comprendre. Je n'ai que faire d'avoir en plus dans mon dos un petit garçon qui gigote sur le trône comme un imbécile et qui distraie mon attention par des tas de questions puériles. Je suppose que Margaery trouve que tu devrais être également présent aux réunions de mon Conseil ?

— Oui, admit-il. Elle dit qu'il faut que j'apprenne mon métier de roi.

— Quand tu seras plus vieux, tu pourras assister à autant de conseils que tu le souhaiteras, lui promit-elle. Seulement, crois-moi sur parole, tu en auras vite la nausée. Robert somnolait d'un bout à l'autre des séances. » *Quand il se donnait seulement la peine d'y assister.* « Il préférait chasser à courre et fauconner, pendant que le vieux lord Arryn se coltinait la corvée à sa place. Tu te souviens de lui ?

— Il est mort d'un mal de ventre.

— En effet, le pauvre. Puisque tu as tellement envie d'étudier, tu devrais peut-être apprendre par cœur les noms de tous les rois de Westeros *et* ceux des Mains qui les ont servis. Tu me les réciterais le matin.

— Oui, Mère, acquiesça-t-il docilement.

— Là, je retrouve mon gentil garçon. » Gouverner était son affaire à elle ; Cersei n'entendait pas y renoncer tant que son fils était mineur. *J'ai attendu, il peut donc en faire autant. Moi, j'ai attendu pendant la moitié de ma vie.* Elle avait joué la fille obéissante, la fiancée rougissante, l'épouse pliante. Elle avait supporté les pelotages ivres morts de Robert, la jalousie de Jaime, les railleries de Renly, les petits pouffements minaudiers de Varys, les sempiternels grincements de dents de Stannis. Elle s'était battue contre Jon Arryn, contre Ned Stark et contre son vil, traître, meurtrier, nabot de frère, tout en se promettant constamment qu'un jour elle aurait son tour. *Si Margaery Tyrell mijote de me flouer de mon heure au soleil, elle ferait sacrément bien d'y réfléchir à deux fois.*

Or, entamée par ce gâchis de petit déjeuner, sa journée ne prit pas de sitôt meilleure tournure. Cersei passa le restant de la matinée tête à tête avec lord Gyles et ses livres de comptes, à s'entendre tousser au nez des quintes d'étoiles, de cerfs et de dragons. Après lui survint lord Waters, porteur de la nouvelle que la construction des trois premiers dromons touchait à son terme et qu'il fallait encore de l'or pour les parachever avec le faste qu'ils méritaient. La reine se complut à satisfaire la requête. Pendant que Lunarion faisait des cabrioles, elle partagea le repas de midi avec des représentants des guildes de marchands qui la recrurent de leurs doléances à propos des moineaux qui vagabondaient dans les rues et couchaient sur les places. *Il me faut peut-être utiliser les manteaux d'or pour expulser de la ville ces maudits moineaux*, songeait-elle, quand Pycelle fit irruption.

Le Grand Mestre s'était montré d'humeur particulièrement grincheuse au Conseil, depuis quelque temps. Au cours de la dernière séance, il avait âprement critiqué les hommes choisis par Aurane Waters pour commander les nouveaux vaisseaux de course. Waters entendait les confier à des cadets, tandis que Pycelle se prononçait en faveur de l'expérience et n'en démordait pas, le commandement devait revenir aux capitaines réchappés de la fournaise de la Néra. « Des hommes chevronnés, d'une loyauté prouvée », les appelait-il. Cersei les avait traités de vieilles badernes et s'était rangée à l'avis du grand amiral. « L'unique preuve que ces capitaines aient donnée, c'est qu'ils savaient nager, avait-elle dit. De même qu'aucune mère ne devrait survivre à ses enfants, de même, aucun capitaine ne le devrait à son navire. » Pycelle avait essuyé la rebuffade avec une mauvaise grâce inouïe.

Il paraissait moins colérique, aujourd'hui, et s'extirpa même une espèce de sourire tremblotant. « Votre Grâce, heureuses nouvelles, annonça-t-il. Wyman Manderly a exécuté ponctuellement vos consignes, et il a fait décapiter le chevalier Oignon de lord Stannis.

— Nous pouvons tenir la chose pour certaine ?

— La tête et les mains sont empalées sur les murailles de Blancport. Lord Wyman l'affirme, et les Frey confirment. Ils y ont vu la tête, un oignon fourré dans la bouche. Ainsi que les mains, dont l'une identifiable à ses doigts raccourcis.

— Du gâteau, dit-elle. Dépêchez un oiseau à Manderly pour l'informer que son fils lui sera restitué toutes affaires cessantes, à présent qu'il a manifesté sa loyauté. » Blancport n'allait plus tarder à rentrer dans le giron de la paix du roi, tandis que Roose Bolton et son fils bâtard étaient en train de refermer leur tenaille sur Moat Cailin par le sud et le nord. Ce qui leur vaudrait sans doute l'allégeance des bannerets encore en lice de Ned Stark quand sonnerait l'heure de marcher contre lord Stannis.

Au sud, entre-temps, Mace Tyrell avait édifié une cité de tentes devant Accalmie, et ses deux douzaines de mangonneaux s'employaient à bombarder de projectiles les remparts massifs de la forteresse, il est vrai sans grand effet jusqu'à maintenant. *Lord Tyrell le guerrier…*, rêva la reine. *Son emblème le plus séant serait un gros lard affalé sur son cul.*

L'après-midi, le revêche émissaire de Braavos se présenta pour son audience. Après l'avoir fait poireauter depuis quinze jours, la reine aurait volontiers continué jusqu'à l'année suivante, mais lord Gyles clamait à cor et à cri qu'il se verrait dorénavant dans l'incapacité de conclure le moindre marché avec lui… Aveu dont elle profitait pour commencer à se demander s'il était capable de *rien* faire, sinon de tousser.

Noho Dimittis, ainsi s'appelait le Braavien. *Un nom horripilant pour un type horripilant.* Sa voix aussi l'était. Pendant qu'il lui assenait son prêchi-prêcha, Cersei n'arrêtait pas de se tortiller sur son siège et de se poser la question cruciale : devrait-elle encore se laisser longtemps chapitrer de la sorte ? Le Trône de Fer qui la surplombait, derrière, de toute sa masse hérissée de lames et de barbes aiguës projetait en travers du sol des grouillements d'ombres. Le droit de l'occuper étant exclusivement réservé au roi ou à sa Main, c'était à son pied que la régente se trouvait assise, dans un fauteuil de bois doré capitonné de coussins écarlates.

En constatant que le sermonneur marquait une pause pour reprendre haleine, elle fondit sur l'occasion. « Ces matières-là relèveraient plutôt de la compétence de notre lord Trésorier. »

Apparemment, cette réponse n'agréa point au noble Noho Dimittis. « J'en ai déjà entretenu lord Gyles à six reprises. Il me tousse au visage et s'éperd en excuses mais, Votre Grâce, j'attends toujours l'or.

— Entretenez-l'en une septième fois, suggéra-t-elle affablement. Le nombre sept est sacré, aux yeux de nos dieux.

— Votre Grâce se plaît à plaisanter, je vois.

— Quand je plaisante, je souris. Est-ce que vous me voyez sourire ? Est-ce que vous entendez résonner des rires ? Je vous assure, quand je plaisante, les gens rient.

— Le roi Robert…

— … est mort, acheva-t-elle d'une voix sèche. La Banque de Fer aura son or une fois matée notre rébellion. »

Il eut l'insolence de se renfrogner. « Votre Grâce…

— L'audience est terminée. » Elle avait eu largement son compte pour une journée. « Ser Meryn, reconduisez le noble Noho Dimittis à la porte. Ser Osmund, vous pouvez me raccompagner à mes appartements. » Ses invités arriveraient bientôt, et il fallait encore qu'elle se baigne et qu'elle se change. Et ce souper promettait lui aussi d'être une de ces barbes... Ah non ! ce n'était pas de tout repos, gouverner un royaume, et à plus forte raison sept.

Grand et mince dans ses blancs de membre de la Garde, ser Osmund Potaunoir vint se placer à côté d'elle dans l'escalier. Une fois certaine qu'ils se trouvaient tout à fait seuls, elle glissa son bras sous le sien. « Comment vont les affaires de votre petit frère, dites-moi ? »

Il eut l'air embarrassé. « Ben... plutôt pas si mal... seulement...

— *Seulement ?* » Elle laissa percer une once de mauvaise humeur. « Je suis obligée de l'avouer, ce cher Osney commence à mettre ma patience à bout. Il aurait déjà dû débourrer la petite pouliche. Je l'ai nommé bouclier juré de Tommen pour lui procurer le loisir de passer une partie de ses journées à se frotter aux jupes de Margaery. Que n'a-t-il encore cueilli la rose ? La petite reine est-elle aveugle sur ses charmes ?

— Ses charmes, y a pas de problème.'l est un Potaunoir, pas vrai ? M'esscuse... » Il fourragea dans la noirceur huileuse de sa tignasse. « C'est de son côté à elle que ça coince.

— Et pourquoi cela ? » Elle s'était mise à nourrir des doutes sur ser Osney. Peut-être un autre homme aurait-il été davantage au goût de Margaery. *Aurane Waters, avec sa chevelure argentée, ou bien un grand gaillard athlétique comme ser Tallad.* « Elle préférerait quelqu'un d'autre ? Est-ce la figure de votre frère qui lui déplaît ?

— Elle aime bien sa figure. Elle y a caressé ses cicatrices y a deux jours de ça, qu'il m'a raconté. “Qui c'est, la femme qui vous a fait ça ?” qu'elle y a demandé. Osney avait jamais parlé que c'était une femme, mais elle a compris. Ça se pourrait que quelqu'un l'avait rencardée. Elle est toujours en train de le tripoter quand y causent, tous les deux, qu'il dit. Vous y rajustant l'agrafe sur son manteau, vous y repoussant les mèches, et des trucs comme ça. Une fois même, au champ de tir, elle y a fait lui enseigner à tenir un arc, alors il a eu à mettre les bras autour d'elle. Osney lui raconte ses blagues cochonnes, et elle rit et elle revient avec des encore plus cochonnes. Non, elle mouille pour lui, ça, c'est clair, mais…

— Mais ? le pressa-t-elle.

— Y sont jamais seuls. Le roi est avec eux presque toute la plupart du temps, et, quand il y est pas, y a quelqu'un d'autre qu'est là. Elle a deux de ses dames qui partagent son lit, des différentes chaque nuit. Puis deux autres pour lui amener son petit déjeuner et pour l'aider à s'habiller. Elle fait ses prières avec sa septa, elle bouquine avec sa cousine Elinor, elle chante avec sa cousine Alla, elle fait de la couture avec sa cousine Megga. Quand elle part pas fauconner avec Janna Fossovoie et Merry Crâne, elle joue à viens-dans-mon-château avec la petite Bulwer. Elle sort jamais à cheval sans prendre une suite, quatre ou cinq compagnes et une douzaine de gardes au moins. Et elle a toujours des hommes autour d'elle, même dans la Crypte-aux-vierges.

— Des hommes. » Ça, ce n'était pas rien. Ça contenait des possibilités. « Quel genre d'hommes, je vous prie ? »

Ser Osmund haussa les épaules. « Des chanteurs. Elle a un gros faible pour les chanteurs, les jongleurs et le pareil au même. Puis des chevaliers, qui tournent autour de ses cousines. Ser Tallad est le pire, Osney dit. Ce grand balourd a pas l'air de savoir si c'est Elinor ou Alla qu'il veut, mais il sait qu'il la veut vachement dur. Les jumeaux Redwyne viennent aussi faire des visites. Baveur amène des fleurs et des fruits, et Horreur s'est entiché de gratter le luth. À entendre ce qu'Osney raconte, le son qu'il en tire, vous pourriez étrangler un chat que ça serait plus agréable. Et elle a toujours dans les jambes, en plus, le type des Îles d'Été.

— Jalabhar Xho ? » Cersei émit un reniflement narquois. « Il ne doit pas arrêter de lui quémander de l'or et des épées pour reconquérir sa patrie, je parie. » Sous ses plumes et ses bijoux, Xho n'était guère plus qu'un mendiant bien né. Pour mettre un terme à ses importunités, Robert n'aurait eu qu'à lui dire un « non » ferme et définitif, mais sa royale brute ivrogne de mari était fascinée par l'idée farfelue de conquérir les Îles d'Été ! Sans doute rêvait-il de gueuses au teint brou de noix, à poil sous leurs plumes, avec des nichons noirs comme du charbon. Alors, au lieu de « non », c'était toujours « l'année prochaine » qu'il disait à Xho, mais sans que l'année prochaine soit jamais arrivée.

« Je pourrais pas trop dire à Votre Grâce s'il quémande quoi que ce soit, répondit ser Osmund. Osney raconte qu'il leur enseigne la langue d'Été. Pas à lui, Osney, mais à la rei... – pouliche et à ses cousines.

— Un canasson parlant la langue d'Été, voilà qui ferait une formidable sensation ! trancha-t-elle sèchement. Dites à votre frère de garder ses éperons bien affûtés. Je lui trouverai un moyen de monter bientôt sa pouliche, vous pouvez compter là-dessus.

— J'y dirai, Votre Grâce. Il a follement envie de galoper avec, vous figurez pas qu'il a pas envie. C'est un mignon petit morceau, cette pouliche-là. »

C'est de moi qu'il a follement envie, butor ! songea-t-elle. *Il ne désire de Margaery que la seigneurie qu'il pêchera dans son entrejambe.* Tout entêtée qu'elle était d'Osmund, elle le trouvait parfois aussi lent que Robert. *Espérons qu'il a l'épée plus prompte que l'esprit. Tommen risque un de ces jours d'avoir besoin d'elle.*

Ils passaient dans l'ombre des ruines de la tour de la Main quand de bruyantes ovations déferlèrent sur eux.

De l'autre côté de la cour, un vague écuyer venait de courir la quintaine et d'en faire tournoyer le faquin comme une toupie. Plus que quiconque s'égosillaient Margaery Tyrell et toute sa volaille. *Beaucoup de tapage pour trois fois rien. Vous jureriez que le gosse a remporté un tournoi.* La stupeur la cloua sur place quand elle s'avisa que le cavalier du coursier n'était autre que son fils, tout revêtu de plates dorées.

Elle n'avait dès lors guère d'autre solution que d'arborer son plus beau sourire pour aller le féliciter. Elle l'aborda au moment où le Chevalier des Fleurs l'aidait à mettre pied à terre. Il était hors d'haleine et excité comme une puce. « Vous avez vu ? demandait-il à tout le monde. J'ai frappé juste comme ser Loras m'avait dit de faire. Vous avez vu, ser Osney ?

— Ça oui ! s'extasia celui-ci. Un joli spectacle !

— Vous avez une meilleure assiette que moi, sire, intervint ser Dermot.

— Et j'ai aussi brisé ma lance ! Vous avez entendu, ser Loras ?

— Comme un coup de tonnerre. » Une rose de jade et d'or épinglait à l'épaule son blanc manteau, et le vent feuilletait artistement ses mèches brunes. « Vous avez fait une course splendide, mais une fois ne suffit pas. Vous devez récidiver demain. Vous devez courir chaque jour, jusqu'à ce que chaque coup donne carrément dans le mille et que votre lance fasse autant partie de votre personne que votre bras.

— Je ne demande pas mieux.

— Vous vous êtes couvert de gloire. » Margaery se laissa choir sur un genou, embrassa le roi sur la joue, l'enlaça d'un bras. « Frère, prends garde, prévint-elle Loras. Mon valeureux époux te fera vider les étriers d'ici peu d'années, m'est avis. » Ses trois cousines abondèrent en chœur, et l'affreuse petite Bulwer se mit à sautiller de-ci de-là tout en scandant comme une comptine : « Tommen sera le *champion*, le *champion*, le *champion* !

— Une fois qu'il aura l'âge d'homme », dit Cersei.

Les sourires de l'assistance se flétrirent comme des roses baisées par le gel. La vieille septa grêlée de vérole fut la première à ployer le genou. Les autres imitèrent l'exemple, à l'exception de la petite reine et de son frère.

Tommen n'eut pas l'air de s'apercevoir que l'atmosphère s'était brusquement refroidie. « Mère, est-ce que vous m'avez vu ? rabâcha-t-il joyeusement. J'ai brisé ma lance contre l'écu, et le faquin ne m'a même pas effleuré !

— Je regardais de là-bas. Tu as fait merveille. Je n'attendais pas moins de toi. Tu as la joute dans le sang. Un jour, tu régneras sur les lices, comme ton père.

— Il n'y aura personne pour lui tenir tête. » Margaery gratifia la reine d'un sourire de sainte-nitouche. « Mais j'ignorais jusqu'à présent que le roi Robert était un jouteur aussi accompli. Daignez nous dire, Votre Grâce… quels tournois a-t-il remportés ? Quels prestigieux chevaliers a-t-il démontés ? Je suis sûre que le récit des victoires de son père enchanterait Sa Majesté. »

Cersei se sentit rougir. La petite garce venait de la prendre la main dans le sac. Robert Baratheon n'avait jamais été qu'un jouteur quelconque, à la vérité. Quand se donnaient des tournois, il préférait, et de loin, la violence des mêlées, qui lui permettait de rosser l'adversaire, tant à l'épée mouchetée qu'à la masse. C'est à Jaime qu'elle avait pensé en parlant à tort et à travers. *Ça ne me ressemble pas, de m'oublier moi-même.* « Robert remporta le tournoi du Trident, dit-elle pour se tirer vaille que vaille du guêpier. Il triompha du prince Rhaegar et m'élut pour sa reine d'amour et de beauté. Je n'en reviens pas que cette histoire vous soit inconnue, ma bru. » Elle ne laissa pas le loisir à Margaery d'élaborer une réplique. « Ser

Osmund, veuillez avoir l'obligeance d'aider mon fils à se désarmer. Ser Loras, vous m'accompagnez. Je souhaiterais vous dire un mot. »

Le Chevalier des Fleurs n'avait pas le choix. Il lui emboîta le pas, en chiot qu'il était. Cersei attendit d'avoir atteint les marches serpentines pour lui lancer : « Qui a eu cette idée saugrenue, je vous prie ?

— Ma sœur, admit-il. Ser Tallad, ser Dermot et ser Portifer couraient la quintaine, et la reine a suggéré que Sa Majesté pourrait prendre plaisir à le faire à son tour. »

C'est pour m'agacer qu'il la désigne sous ce titre. « Et votre rôle à vous, là-dedans ?

— J'ai aidé Sa Majesté à revêtir son armure puis lui ai montré comment s'y prendre pour coucher sa lance, répondit-il.

— Ce cheval était beaucoup trop grand pour lui. S'il en était tombé, dites ? Si le sac de sable l'avait assommé ?

— Ecchymoses et lèvres en sang font partie intégrante de l'état de chevalier.

— Je commence à comprendre pourquoi votre frère est un estropié. » L'observation torcha le sourire qui flottait sur le joli visage du jouvenceau, remarqua-t-elle avec délices. « Peut-être que le mien s'est donné le tort de ne pas vous expliquer vos devoirs, ser. Vous vous trouvez ici pour protéger mon fils de ses ennemis. L'exercer en vue de la chevalerie est le domaine spécifique du maître d'armes.

— Le Donjon Rouge ne possède plus de maître d'armes depuis qu'Aron Santagar a été lynché par la populace, répliqua-t-il avec une once de reproche dans la voix. Sa Majesté a près de neuf ans et le désir d'apprendre le tenaille. À son âge, il devrait être écuyer. Il faut bien que quelqu'un lui serve de professeur. »

Quelqu'un le fera, mais ce quelqu'un ne sera pas toi. « De qui donc avez-vous été l'écuyer, je vous prie, ser ?

demanda-t-elle d'un ton doucereux. De Lord Renly, si je ne me trompe ?

— J'ai eu cet honneur.

— Oui, c'est bien ce que je pensais. » Elle n'était pas sans avoir constaté par elle-même de quelle étroitesse finissaient par devenir les liens noués entre les écuyers et les chevaliers qu'ils servaient. Il n'était pas question pour elle de laisser croître l'intimité de Tommen avec un Loras Tyrell. Le genre d'homme qu'était le Chevalier des Fleurs ne pouvait tenir lieu de modèle à aucun petit garçon. « Je me suis montrée négligente. Avec un royaume à gouverner, une guerre à mener et un père à pleurer, j'ai en quelque sorte omis la tâche cruciale de nommer un nouveau maître d'armes. Je vais réparer tout de suite ce manquement. »

Ser Loras repoussa une boucle brune qui lui balayait le front. « Votre Grâce ne trouvera personne d'aussi habile au maniement de la lance et de l'épée que moi. »

Sommes-nous humble, hein ? « Tommen est votre roi, pas votre écuyer. Vous êtes censé vous battre et, si besoin est, mourir pour lui. C'est tout. »

Elle le quitta sur le pont-levis qui enjambait la douve sèche hérissée de piques de fer et pénétra seule dans la Citadelle de Maegor. *Où vais-je dénicher un maître d'armes ?* se demanda-t-elle tout en montant à ses appartements. Après avoir récusé ser Loras, elle n'osait recourir à aucun des autres chevaliers de la Garde Royale ; cela reviendrait à mettre du sel sur la plaie, sûr et certain de susciter l'ire de Hautjardin. *Ser Tallad ? Ser Dermot ? Il doit bien y avoir quelqu'un…* Tommen se prenait à chérir son nouveau bouclier juré, mais Osney se révélait moins capable qu'elle ne l'avait espéré pour faire son affaire à Margaery la Pucelle, et, quant à son Osfryd de frère, elle escomptait l'affecter à un autre usage. Il était bien dommage que le Limier ait attrapé la rage. La voix râpeuse et la gueule brûlée de Sandor Clegane avaient toujours effrayé Tommen, et ses mépris auraient été l'antidote idéal aux chichis chevaleresques de Loras Tyrell.

Aron Santagar était dornien, se souvint-elle soudain. *Je pourrais faire entreprendre des recherches à Dorne*. Des siècles de guerre et de sang gisaient entre Lancehélion et Hautjardin. *Oui, un Dornien pourrait correspondre à mes besoins. Il doit y avoir là-bas quelques fines lames.*

Quand elle entra dans sa loggia, lord Qyburn s'y trouvait, installé sur une banquette de fenêtre et en train de lire. « Si Votre Grâce veut bien me permettre, j'ai quelques informations à lui communiquer.

— Encore un ballot de complots et de trahisons ? s'impatienta-t-elle. J'ai eu une journée longue et fatigante. Soyez bref. »

Il eut un sourire compatissant. « Votre humble serviteur. Le bruit court que l'archonte de Tyrosh a fait des ouvertures à Lys pour que s'achève leur actuel conflit commercial. On avait répandu la rumeur que Myr était sur le point d'entrer dans la guerre aux côtés de Tyrosh, mais, sans la Compagnie Dorée, les Myriens n'ont pas cru qu'ils…

— Ce que croient les Myriens m'est égal. » Les Cités libres n'arrêtaient jamais de se chamailler. Leurs alliances et leurs retournements sempiternels signifiaient moins que rien pour Westeros. « Des nouvelles plus importantes ?

— D'Astapor, la révolte des esclaves a gagné Meereen, à ce qu'il paraîtrait. Des matelots débarqués d'une douzaine de navires parlent de dragons…

— Des harpies. À Meereen, ce sont des harpies. » Cela lui revenait d'elle ne savait où. Meereen se trouvait à l'autre bout du monde, vers l'est, bien au-delà de Valyria. « Libre aux esclaves de se révolter. Pourquoi faudrait-il que je m'en préoccupe ? Nous n'avons pas d'esclaves, à Westeros. C'est là tout ce que vous avez à me signaler ?

— Il y a des nouvelles de Dorne que Votre Grâce devrait juger plus dignes de son intérêt. Le prince Doran a fait incarcérer ser Daemon Sand, un bâtard, comme son nom l'indique, autrefois écuyer de la Vipère Rouge.

— Je me le rappelle. » Ce ser Daemon était l'un des chevaliers dorniens que le prince Oberyn avait amenés à Port-Réal. « Pour quelle faute ?

— Il réclamait la libération des filles du prince Oberyn.

— Le crétin.

— Encore ceci, reprit lord Qyburn, la fille du chevalier de Bois-moucheté a été fiancée de manière on ne peut plus inexplicable à lord Estremont, nous font savoir nos amis de Dorne. On l'a expédiée le soir même à Vertepierre, et le mariage aurait été déjà célébré.

— Un bâtard dans le ventre expliquerait la chose. » Cersei taquina l'une de ses mèches. « Quel âge a la rougissante donzelle ?

— Vingt-trois ans, Votre Grâce. Tandis que lord Estremont…

— … doit en avoir soixante-dix. Là, je suis au fait. » Les Estremont faisaient partie de sa belle-parenté, puisque lord Baratheon avait, dans ce qui devait avoir été un accès soit de luxure, soit de démence, pris pour femme une fille issue de cette maison. À l'époque où Robert l'avait elle-même épousée, dame sa mère était morte depuis longtemps, mais les frères de celle-ci s'étaient pointés tous les deux pour les noces et n'avaient pas décarré de six mois. Par la suite, le roi avait tenu à rendre la politesse par une visite à Estremont, petite île montagneuse au large du cap de l'Ire. Les quinze jours humides et lugubres qu'avait duré le séjour de Cersei à Vertepierre, la résidence de la famille, avaient été les plus longs de sa jeune vie. Au premier coup d'œil, Jaime avait surnommé le château « *Vertemerde* », et elle n'avait pas tardé à l'imiter. Ce d'autant plus volontiers qu'elle passait son temps à regarder son royal époux fauconner, courre et picoler avec ses oncles, quand ce n'était pas matraquer comme un forcené divers cousins mâles dans la cour de Vertemerde.

Il y avait également là en guise de cousine un petit bout de veuve viandu précédé de nénés gros comme des melons et dont le mari tout comme le père avaient péri durant le siège d'Accalmie. « Son père était gentil pour moi, avait trouvé bon de déballer Robert, et nous jouions ensemble, elle et moi, quand nous étions petits tous les deux. » Et, là-dessus, sans lambiner, de reprendre ses jeux d'enfance... Aussitôt que Cersei avait fermé les yeux, il filait en catimini consoler la pauvre créature solitaire. Elle l'avait fait suivre par Jaime, une nuit, pour se confirmer ses soupçons. Une fois de retour, son frère lui avait demandé si elle voulait la mort du volage. « Non, fut la réponse, je lui veux des cornes. » Et elle se plaisait à croire que c'était justement cette même nuit que Joffrey avait été conçu.

« Bon, Eldon Estremont a pris une femme de cinquante ans plus jeune que lui, dit-elle à Qyburn. Qu'est-ce que cela devrait me faire ? »

Il haussa les épaules. « Je ne prétends pas que cela devrait, mais Daemon Sand et cette petite Santagar étaient tous les deux des intimes de la propre fille du prince Doran, Arianne, ou du moins est-ce là ce que les Dorniens voudraient nous faire accroire. Peut-être n'y a-t-il pas lieu d'en faire grand cas, mais j'ai jugé préférable que Votre Grâce soit au courant.

— M'y voilà. » Elle était à deux doigts de perdre patience. « Rien d'autre ?

— Une seule chose encore. Une broutille. » Il lui adressa un sourire contrit puis lui parla d'un spectacle de marionnettes qui remportait depuis peu un triomphe auprès des petites gens de la ville ; un spectacle de marionnettes où le royaume des bêtes sauvages était régi par une bande altière de lions. « Non contents de se montrer de plus en plus avides et arrogants au fur et à mesure que se déroule cette fable perfide, les lions marionnettes en viennent à commencer à dévorer leurs sujets. Aux protestations qu'élève le cerf, ils répondent en le dévorant à son tour et rugissent que c'est légitime à eux, attendu qu'ils sont les plus puissantes des bêtes sauvages.

— Et c'est ainsi que la pièce s'achève ? » questionna la reine, amusée. Regardé sous le bon éclairage, cela pouvait être considéré comme une leçon salutaire.

« Non, Votre Grâce. À la fin, un dragon brise sa coquille et dévore tous les lions. »

La conclusion faisait passer le spectacle de marionnettes de la simple insolence à la félonie. « Des bouffons ineptes. Il faut être complètement demeuré pour hasarder sa tête sur un dragon de bois. » Elle réfléchit un moment. « Envoyez quelques-uns de vos chuchoteurs à ces spectacles identifier les assistants. S'il se trouvait parmi ces derniers des gens dignes d'intérêt, je voudrais connaître leurs noms.

— Quel sort leur sera réservé, si je puis me permettre tant de hardiesse ?

— Une amende pour les nantis. La moitié de leur fortune devrait suffire pour leur donner une leçon sévère et, sans les ruiner tout à fait, pour remplir nos coffres. Pour ceux qui sont trop pauvres pour payer, la perte d'un œil, par exemple, en tant que témoins passifs de la trahison. Et la hache pour les marionnettistes.

— Ils sont quatre. Peut-être Votre Grâce consentirait-Elle à m'en concéder deux pour mes propres desseins ? Une femme serait tout spécialement…

— Je vous ai déjà donné Senelle, le coupa sèchement la reine.

— Hélas. La pauvre petite est complètement… épuisée. »

Il répugnait à Cersei de repenser à cela. La jeune fille s'était présentée sans se douter de rien, s'imaginant n'être mandée qu'afin de passer les plats et de servir à boire. Même quand Qyburn lui avait fait claquer la menotte autour du poignet, elle avait eu l'air de ne pas comprendre. Le souvenir en donnait encore des haut-le-cœur à Cersei. *Il faisait un froid mordant dans les oubliettes. Même les torches grelottaient. Et les hurlements de cette chose immonde dans les ténèbres…* « Oui, vous pouvez prendre une femme. Deux, si cela vous fait plaisir. Mais d'abord je veux avoir des noms.

— À vos ordres. » Qyburn se retira.

Au-dehors, le soleil se couchait. Dorcas avait préparé le bain. La reine s'abandonnait à la volupté de l'eau chaude tout en songeant à ce qu'elle allait dire à ses invités pendant le souper quand Jaime franchit la porte en trombe et congédia Jocelyn et Dorcas. Sa tenue n'était rien moins qu'immaculée, et il répandait une forte odeur de cheval. Il avait de surcroît Tommen avec lui. « Sœur de mon cœur, annonça-t-il, Sa Majesté réclame un mot d'entretien. »

La pièce était embrumée de vapeur. Les tresses dorées de Cersei flottaient à la surface de la baignoire. Une goutte de transpiration dégoulina sur sa joue. « Tommen ? fit-elle d'une voix dangereusement douce. Qu'est-ce qu'il y a, maintenant ? »

L'enfant connaissait ce genre d'intonation. Il eut un mouvement de recul.

« Le roi veut monter son coursier blanc demain matin, dit Jaime. Pour sa leçon de joute. »

Elle se dressa sur son séant. « Il n'y aura pas de joute.

— Si, il y en aura. » Tommen gonfla sa lèvre inférieure. « Il faut que je coure *chaque jour*.

— Et c'est bien ce que tu feras, déclara-t-elle, dès que nous aurons un vrai maître d'armes pour superviser ton entraînement.

— Je ne *veux* pas un vrai maître d'armes. Je veux ser Loras.

— Tu fais trop de cas de ce garçon-là. Ta petite épouse t'a farci la cervelle de fariboles sur la prouesse de son frère, je le sais, mais Osmund Potaunoir est trois fois plus chevalier que lui. »

Jaime se mit à rire. « Pas l'Osmund Potaunoir que je connais, toujours ! »

Elle l'aurait étranglé. *Et si je commandais à ser Loras de se laisser désarçonner par ser Osmund ?* Ce subterfuge parviendrait peut-être à chasser les étoiles qui flamboyaient dans les yeux de l'enfant. *Sale une limace, humilie un héros, et ils se ratatinent instantanément.* « J'envoie juste quérir un Dornien pour t'entraîner, dit-elle. Les Dorniens sont les plus fins jouteurs des Sept Couronnes.

— Ils ne le sont pas, rétorqua Tommen. N'importe comment, je ne veux pas d'un idiot de Dornien, je veux *ser Loras*. C'est un *ordre* ! »

Jaime repartit à rigoler. *Il ne m'est d'aucun secours. Il trouve que c'est marrant ?* La reine gifla l'eau d'une main coléreuse. « Me faut-il faire mander Pat ? Tu n'as pas à me donner d'ordres. Je suis ta mère.

— Oui, mais je suis *le roi*. Margaery dit que tout le monde doit faire ce que le roi dit. Je veux mon coursier blanc sellé demain matin pour que ser Loras puisse m'apprendre à jouter. Je veux aussi un petit chat, et je ne veux pas manger de betteraves. » Il croisa ses bras.

Jaime se tenait encore les côtes. La reine l'ignora. « Tommen, viens ici. » Comme il se gardait de le faire, elle soupira. « Tu as peur ? Un roi ne devrait pas manifester de crainte. » Les yeux baissés, le gamin s'approcha de la baignoire. Cersei tendit la main pour caresser ses boucles dorées. « Roi ou pas, tu es un petit garçon. Tant que tu n'as pas l'âge requis pour le faire, c'est moi qui gouverne. Tu *vas* apprendre à jouter, je te le promets. Mais pas avec ser Loras. Il incombe aux chevaliers de la Garde Royale des obligations plus sérieuses que d'amuser un enfant. Demande au lord Commandant. N'en est-il pas ainsi, ser ?

— Des obligations très sérieuses. » Jaime sourit d'un air pincé. « Chevaucher autour des remparts de la ville, pour n'en donner qu'un exemple. »

Tommen parut au bord des larmes. « Puis-je quand même avoir un petit chat ?

— Peut-être, opina la reine. À condition que tu ne m'échauffes plus les oreilles avec cette absurde histoire de joute. Es-tu capable de me le promettre ? »

Il agita ses pieds. « Oui.

— Bon. Maintenant, sauve-toi. Mes invités seront ici dans un instant. »

Tommen se sauva bien mais, juste avant de sortir, il se retourna pour décréter : « Quand je serai roi pour de vrai, je mettrai les betteraves *hors-la-loi* ! »

Jaime referma la porte derrière le gosse en la repoussant avec son moignon. « Votre Grâce, dit-il, une fois seul avec Cersei. Tirez-moi de perplexité. Vous êtes ivre, ou tout bonnement stupide ? »

Elle gifla l'eau derechef, et une nouvelle gerbe d'éclaboussures inonda les pieds de son frère. « Gare à votre langue, ou…

— … ou quoi ? M'expédierez-vous de nouveau inspecter les remparts de la ville ? » Il s'assit et croisa ses jambes. « Vos putains de remparts se portent comme un charme. Je me les suis cognés pouce après pouce et en ai examiné chacune des sept portes. Les gonds de la porte de

Fer sont rouillés, et les coups que Stannis leur a fait subir avec ses béliers vont nous contraindre à remplacer les vantaux de la porte du Roi et de la porte de la Gadoue. Les murailles, elles, sont aussi fortes qu'elles l'ont jamais été… Mais Votre Grâce a-t-Elle oublié d'aventure que nos amis de Hautjardin se trouvent *à l'intérieur* ?

— Je n'oublie rien », lui répondit-elle, pensant à certaine pièce d'or frappée d'une main sur l'une de ses faces et sur l'autre d'une effigie de roi tombé dans l'oubli. *Comment diable un maudit gueux de geôlier en est-il venu à avoir une pareille pièce cachée sous son pot de chambre ? Comment un misérable comme Rugen s'est-il débrouillé pour avoir en sa possession de l'or de l'ancien Hautjardin ?*

« Ce nouveau maître d'armes est une première nouvelle pour moi. Il faudra vous donner un mal de chien avant de trouver un meilleur jouteur que Loras Tyrell. Ser Loras est…

— Je sais ce qu'il est. Je ne veux pas de lui auprès de mon fils. Vous feriez mieux de lui rappeler ses devoirs. » Son bain refroidissait.

« Il connaît ses devoirs, et il n'y a pas de meilleure lance…

— *Vous* étiez meilleur, avant de perdre votre main. Meilleur, ser Barristan l'était, dans sa jeunesse. Arthur Dayne était meilleur, et même lui trouvait à qui parler dans le prince Rhaegar. Épargnez-moi vos babillages sur l'insignité faramineuse de ser Lafleur. Il n'est qu'un godelureau. » Elle en avait par-dessus la tête, qu'il la contrecarre. Personne n'avait jamais tenu tête à son seigneur de père. Quand Tywin Lannister parlait, les gens obéissaient. Quand *elle* parlait, ils se permettaient de la conseiller, de la contredire, voire de lui opposer des *refus ! Et tout cela parce que je suis une femme. Parce que je ne peux pas les combattre avec une épée. Ils respec-*

taient Robert plus qu'ils ne me respectent, même s'il n'était qu'un pochard sans cervelle. Elle ne le tolérerait pas, surtout pas de la part de Jaime. *Il faut que je m'en débarrasse, et vite*. Elle avait rêvé, dans le temps, qu'ils gouverneraient les Sept Couronnes ensemble, côte à côte, mais il était devenu depuis lors moins un appui qu'un encombrement.

Elle se leva. L'eau ruissela le long de ses jambes et dégoulina de ses cheveux. « Lorsque j'aurai besoin de votre avis, je vous le demanderai. Laissez-moi, ser. J'ai à m'habiller.

— Vos hôtes à souper, je sais. Quelle intrigue, au menu du jour ? Il y en a tant que je m'y perds. » Son regard s'abaissa sur le pubis de Cersei, attiré par les gouttelettes qui en emperlaient la toison dorée.

Il me désire encore. « Des nostalgies de ce que vous avez perdu, frère ? »

Il releva les yeux. « Je t'adore aussi, sœurette ma douce. Mais tu es une gourde. Une belle gourde dorée. »

Le mot la cingla. *Tu m'as soufflé des choses plus câlines, à Vertepierre, la nuit où tu as semé Joffrey dans mes entrailles*, songea-t-elle. « Dehors. » Elle lui tourna le dos et l'écouta gagner la porte et la trifouiller avec son moignon.

Pendant que Jocelyn s'assurait que les préparatifs du repas étaient en bonne voie, Dorcas aida la reine à enfiler sa nouvelle robe. Des bandes de satin vert chatoyant y alternaient avec des bandes de velours peluche noir, et une dentelle de Myr noire enchevêtrait ses motifs complexes au-dessus du corsage. Malgré le coût exorbitant des dentelles de Myr, il était de toute nécessité pour une reine de se présenter à toute heure sous son meilleur jour, et ses maudites lavandières lui avaient si bien rétréci plusieurs de ses vieilles robes qu'elle n'y entrait plus. Elle aurait de bon cœur fait fouetter les coupables pour leur incurie, mais Taena l'avait pressée de se montrer miséricordieuse. « Les gens du peuple vous aimeront davantage si vous êtes bonne », avait-elle argué. Eu égard à quoi Cersei s'était contentée d'ordonner que la valeur des robes soit défalquée des gages, solution beaucoup plus élégante, effectivement.

Dorcas lui planta dans la main un miroir d'argent. *Très bien*, songea-t-elle en souriant à son reflet. Elle n'était pas fâchée de n'avoir plus à porter le deuil. Le noir la faisait paraître trop pâle. *Dommage que je ne soupe pas avec lady Merryweather*, se dit-elle à la réflexion. La journée avait été longue, et l'esprit de Taena la revigorait toujours. Cersei n'avait pas eu d'amie qu'elle apprécie autant depuis Melara Cuillêtre, et Melara s'était finalement révélée n'être qu'une petite intrigante cupide et farcie, dévorée d'ambitions fort au-dessus de son état. *Je devrais m'abstenir d'en penser du mal, elle est morte noyée, et c'est elle qui m'a appris à ne jamais faire confiance à quiconque d'autre qu'à Jaime.*

Lorsqu'elle les rejoignit dans la loggia, ses invités avaient déjà pris une bonne avance à l'hypocras. *Lady Falyse n'a pas seulement la tête d'un poisson, elle en a la descente*, se dit-elle en voyant le flacon à moitié vide. « Chère Falyse ! s'exclama-t-elle en la bécotant sur la joue, et mon brave ser Balmain ! J'ai été si bouleversée, quand j'ai appris, pour votre chère chère mère. Comment se porte notre lady Tanda ? »

Lady Falyse parut sur le point de se mettre à chialer. « Votre Grâce est bien bonne de s'en enquérir. La chute a mis en mille morceaux la hanche de Mère, à ce que dit mestre Frenken. Il a fait ce qu'il a pu. Maintenant, nous prions, mais… »

Priez tant que ça vous chante, elle n'en sera pas moins crevée avant le changement de lune. Les fractures de la hanche étaient fatales aux femmes de l'âge de Tanda

Castelfoyer. « Je joindrai mes prières aux vôtres, promit-elle. Lord Qyburn m'a conté qu'elle avait été jetée à bas de son cheval.

— Elle se trouvait en selle quand la sangle a brusquement craqué, dit ser Balmain Boulleau. Le garçon d'écurie aurait dû s'apercevoir de l'usure du cuir. Il a été puni.

— Sévèrement, j'espère. » La reine s'assit et leur fit signe de prendre eux-mêmes un siège. « Vous ferait-il plaisir de boire encore une coupe d'hypocras, Falyse ? Il a toujours été votre péché mignon, si ma mémoire ne m'abuse.

— Il est vraiment trop aimable à Votre Grâce de s'en souvenir. »

Comment pourrais-je avoir oublié ? songea Cersei. *Jaime disait que c'était merveille que vous n'en pissiez pas.* « Vous avez fait un bon voyage ?

— Affreux, se lamenta Falyse. Il a plu presque toute la journée. Nous envisagions de passer la nuit dernière à Rosby, mais le jeune pupille de lord Gyles nous a refusé l'hospitalité. » Elle grimaça. « Croyez-m'en, Gyles n'aura pas plus tôt tourné de l'œil que ce méchant bâtard déguerpira avec son or. Si tant est même qu'il n'ait pas le toupet de revendiquer les terres et le titre, alors qu'en principe c'est nous qui devrions être les héritiers de Rosby à la mort de Gyles. Sa seconde épouse était la nièce de dame ma mère, et il est lui-même son cousin au troisième degré. »

Est-ce un agneau qui figure sur vos armoiries, ma dame, ou quelque variété de macaque aux pattes crochues ? l'interpella Cersei à part elle. « Lord Gyles a beau menacer de mourir depuis des lustres que je le connais, il est toujours de ce monde et le restera bien des années encore, je l'espère de tout mon cœur. » Elle sourit plaisamment. « Vous verrez, il nous toussera tous tant que nous sommes dans la tombe.

— Sans doute, convint ser Balmain. Le pupille de Rosby n'a d'ailleurs pas été notre seul sujet de tracas, Votre Grâce. Nous avons rencontré des truands sur la route, en plus. Des infections débraillées, crasseuses, avec des haches et des boucliers de cuir. Il y en avait qui portaient des étoiles cousues sur leur justaucorps, des étoiles saintes, à sept pointes, mais qui ne les empêchaient pas d'avoir des mines patibulaires.

— Ils étaient infestés de poux, je suis sûre, ajouta Falyse.

— Ils se qualifient eux-mêmes de *moineaux*, dit Cersei. Une plaie pour le pays. Notre nouveau Grand Septon devra leur régler leur affaire, une fois qu'on l'aura couronné. Sans quoi, c'est moi qui m'en chargerai.

— L'élection de Sa Sainteté Suprême est donc faite ? demanda Falyse.

— Non, dut avouer la reine. Septon Ollidor se trouvait en passe de l'emporter quand certains de ces moineaux l'ont filé jusqu'à un bordel d'où ils l'ont extirpé puis traîné tout nu dans la rue. Maintenant, c'est Luceon qui semble avoir les chances les plus sérieuses, mais il lui manque encore quelques suffrages pour atteindre le chiffre requis, d'après ce que nous en disent nos amis de l'autre colline.

— Puisse l'Aïeule guider les délibérations avec sa lampe de sagesse en or », ânonna lady Falyse en irréprochable dévote.

Ser Balmain gigota sur son siège. « Votre Grâce, un sujet scabreux, mais il serait louable..., de peur qu'une maligne méprise ne s'envenime entre nous, que vous le sachiez, ni mon excellente épouse ni dame sa mère n'ont pris la moindre part à la dénomination du petit bâtard. Lollys est une innocente, et son mari s'adonne à l'humour noir. Je lui ai bien dit de choisir un nom plus séant pour l'enfant. Il a ri. »

La reine le considéra tout en sirotant son vin. Il s'était fait remarquer autrefois comme jouteur et comme l'un des plus beaux chevaliers de tout le royaume. Il pouvait encore se targuer de posséder une belle moustache ; à part cela, il n'avait pas bien vieilli. Ses cheveux blonds ondulés avaient battu en retraite, tandis que son ventre marchait inexorablement sus à son doublet. *Comme homme de main, il laisse beaucoup à désirer*, conclut-elle pour sa propre gouverne. *Mais il devrait tout de même faire l'affaire.* « Tyrion était un nom royal avant l'arrivée des dragons. Le Lutin l'a souillé, mais peut-être que l'enfant saura lui rendre l'honneur perdu. » *S'il en a le temps...* « Je sais que vous n'avez rien à vous reprocher. Lady Tanda est la sœur que je n'ai pas eue, et vous... » Sa voix se brisa. « Pardonnez-moi. Je vis dans la peur. »

Falyse ouvrit et referma convulsivement la bouche, ce qui lui donna l'air d'un poisson particulièrement stupide. « Dans... dans la peur, Votre Grâce ?

— Je n'ai pas pu dormir une nuit entière depuis que Joffrey est mort. » Elle remplit d'hypocras leurs trois gobelets. « Mes amis – vous êtes bien mes amis, j'espère ? Et ceux de Sa Majesté Tommen ?

— Un délice de petit gars, se récria ser Balmain. Et Votre Grâce connaît la devise de la maison Castelfoyer : *Fier d'être fidèle*. Textuellement.

— Que n'existe-t-il davantage d'hommes comme vous, ser... Pour vous parler en toute franchise, il en est un qui m'inspire de terribles doutes, et c'est ser Bronn de la Néra. »

Le mari et la femme échangèrent un regard. « C'est un insolent, Votre Grâce, abonda Falyse. Un grossier personnage et qui parle comme un charretier.

— Il n'est pas un authentique chevalier, reprit ser Balmain.

— Non. » Cersei sourit, toute à lui. « Et vous, vous êtes homme à reconnaître au premier coup d'œil la chevalerie authentique. Je me rappelle vous avoir regardé jouter à…, quel était donc ce tournoi, ser, où l'on vous vit combattre si brillamment ? »

Il s'épanouit avec modestie. « Cette bagatelle de Sombreval, il y a six ans ? Non…, vous n'étiez pas là, sans quoi vous n'auriez pas manqué d'être couronnée reine d'amour et de beauté. Était-ce au tournoi de Port-Lannis, après la Rébellion Greyjoy, plutôt ? J'ai fait mordre la poussière à pas mal de bons chevaliers, pendant celui-là…

— Justement, c'est lui. » Sa physionomie se rembrunit. « Le Lutin s'est évaporé la nuit même où a péri mon père, abandonnant derrière lui deux honnêtes geôliers dans des mares de sang. D'aucuns prétendent qu'il s'est enfui sur l'autre rive du détroit, mais je suis sceptique. Rusé comme je le connais, j'inclinerais à le croire encore tapi dans les parages, en train de mijoter d'autres assassinats. Le cas échéant, caché par un de ses comparses.

— Bronn ? » Ser Balmain caressa son épaisse moustache.

« Sa créature de toujours. L'Étranger seul sait combien de malheureux le nain lui a commandé d'expédier en enfer.

— Sauf le respect dû à Votre Grâce, un nain se serait avisé de rôder sur nos terres, il me semble que j'aurais dû le voir, objecta Boulleau.

— Avec la taille qu'il a, mon frère est à son affaire pour rôder. » Cersei laissa sa main libre de bien trembler. « C'est peu de chose qu'un nom d'enfant… Mais si l'on ne châtie l'impudence, on engendre la rébellion. Et le sieur Bronn s'est rameuté des mercenaires, m'a conté Qyburn.

— Il a pris quatre chevaliers dans sa maisonnée », dit Falyse.

Ser Balmain renifla. « En les qualifiant de chevaliers, mon excellente épouse flatte leur portrait. Ce sont des mercenaires parvenus, rien d'autre, et vous pourriez les essorer tous les quatre ensemble sans leur soutirer un dé à coudre de chevalerie.

— Tout à fait ce que je redoutais. Bronn est en train de recruter des lames pour le Lutin. Puissent les Sept préserver mon petit garçon. Le nain me le tuera comme il m'a déjà tué son frère. » Elle éclata en sanglots. « Mes amis, c'est mon honneur que je dépose entre vos mains…, mais que pèse l'honneur d'une reine en regard des appréhensions d'une mère ?

— Dites, Votre Grâce, la pria Boulleau d'un ton rassurant. Vos paroles ne sortiront pas de cette pièce. »

Elle tendit la main par-dessus la table et pressa la sienne un instant. « Je… je dormirais plus facilement la nuit s'il m'advenait d'apprendre que ser Bronn a été, disons, victime d'un… d'un accident… d'un accident de chasse, pourquoi pas. »

Ser Balmain réfléchit un moment. « D'un accident *mortel* ? »

Non, je souhaite que tu lui casses un petit orteil. Elle dut se mordre la lèvre. *Je suis environnée d'ennemis partout, et mes amis sont des imbéciles.* « Je vous en conjure, ser, murmura-t-elle, ne m'obligez pas à le dire…

— Saisi », fit-il en brandissant l'index.

Un navet aurait pigé plus vite. « Vous êtes décidément un authentique chevalier, ser. L'exaucement des prières d'une mère atterrée. » Elle l'embrassa. « Agissez promptement, si vous voulez bien. Bronn n'a pour l'heure que quelques hommes autour de lui, mais tardons à intervenir, et il grossira sûrement sa troupe. » Elle embrassa Falyse. « Jamais je n'oublierai votre attitude, mes amis.

Mes *loyaux* amis de Castelfoyer. *Fier d'être fidèle*... Vous avez ma parole, une fois terminés ces ennuis, nous trouverons un meilleur époux pour Lollys. » *Un Potaunoir, peut-être*. « Nous autres, Lannister, payons toujours nos dettes. »

La suite ne fut en bref qu'hypocras, betteraves au beurre, pain frais tout chaud, tourte de brochet aux herbes et côtes de sanglier. Cersei était devenue très friande de sanglier depuis la mort de Robert. Elle endura même sans peine excessive sa société, malgré les mignardises affectées de Falyse et les roues rengorgées de ser Balmain qui, non aise de glouglouter du potage au dessert, atteignit au grandiose en suggérant de jouer les prolongations avec encore un dernier flacon. La prudence incita la reine à le contenter, de sorte qu'ils demeurèrent jusqu'après minuit. *Louer les services d'un Sans-Visage pour tuer Bronn m'aurait coûté moitié moins cher que tout l'hypocras de ce soir*, se remâcha-t-elle après qu'ils eurent quand même fini par déblayer le plancher.

À pareille heure, son fils dormait à poings fermés, bien sûr, mais, avant de gagner son propre lit, elle alla jeter un œil sur lui. Ce qu'elle découvrit la laissa pantoise : il avait trois chatons noirs pelotonnés contre son flanc. « D'où sortent ces bestioles ? » demanda-t-elle à ser Meryn Trant, en faction devant le seuil de la chambre royale.

« C'est la petite reine qui les lui a offerts. Elle comptait n'en donner qu'un seul, mais il a été incapable de décider lequel lui plaisait le mieux. »

Pas plus mal que de les arracher du ventre de leur mère avec un poignard, je suppose. Margaery s'évertuait à séduire avec tant d'adresse, et ses manigances étaient si discrètes que c'en était franchement risible. *Tommen est trop jeune pour baiser sa chatte ? Elle lui file des chatons !* Cersei aurait tout de même préféré qu'ils ne soient pas noirs. Les chats noirs portaient malheur, la petite fille d'Elia ne l'avait que trop appris à ses dépens dans ce même château. *Elle aurait été la mienne, si ce fou de roi ne s'était si cruellement joué de Père*. C'était forcément la démence qui avait poussé Aerys à ne refuser la fille de lord Tywin que pour lui prendre son fils en échange, tout en mariant le sien propre à une princesse de Dorne égrotante aussi noiraude qu'un pruneau et plate comme une limande.

La rancœur du rejet la taraudait encore comme au premier jour, tant d'années après. Que de soirées n'avait-elle passées dans la grande salle en contemplation devant Rhaegar, tandis qu'il laissait errer ses longs doigts distingués sur les cordes d'argent de sa harpe… Y avait-il jamais eu un homme aussi beau ? *Il était plus qu'un homme, à la vérité. Le sang qui coulait dans ses veines était le sang de l'antique Valyria, le sang des dragons et des dieux*. Il serait un jour son époux, lui avait promis Père alors qu'elle était juste un brin de fillette. Elle devait avoir tout au plus dans les six ou sept ans. « Mais là-dessus, chut, enfant, pas un mot ! avait-il dit en souriant de ce sourire secret qu'il n'avait jamais laissé voir qu'à elle. Bouche cousue, jusqu'à ce que Sa Majesté consente aux fiançailles. Il faut en attendant que cela reste entre toi et moi. » Et c'était resté entre eux deux, malgré la fois où Jaime avait découvert le dessin qu'elle venait de faire et qui représentait le vol d'un dragon chevauché par Rhaegar, avec elle en croupe, étreignant sa poitrine à pleins bras, car elle ne s'était pas laissé démonter pour si peu : « C'est la reine Alysanne et le roi Jaehaerys. »

Elle était âgée de dix ans quand elle avait finalement rencontré son prince en chair et en os, à l'occasion du tournoi donné par messire son propre père pour fêter dignement la venue dans l'ouest du roi Aerys. On avait édifié des tribunes sous les remparts de Port-Lannis, et l'écho des acclamations de la populace qui roulaient vague après vague se répercuter contre Castrai Roc ressemblait à des grondements de tonnerre. *Les gens acclamaient Père deux fois plus follement qu'ils n'acclamaient le roi*, se rappela-t-elle, *mais deux fois moins follement qu'ils n'acclamaient le prince Rhaegar.*

Rhaegar Targaryen avait dix-sept ans, et il venait à peine d'être adoubé chevalier lorsque, revêtu de plates noires sur maille dorée, il pénétra sur les lices au petit trot. Derrière son heaume flottaient, telles des flammèches, de longs rubans de soie rouge et orange et or. Sa lance démonta successivement deux oncles de Cersei, ainsi qu'une douzaine des plus fins jouteurs de Père, la fleur de l'Ouest. Le soir, les sons qu'exhala sa harpe d'argent la firent pleurer. Lorsqu'on l'avait présentée à lui, elle avait failli se noyer dans ces abysses de tristesse qu'étaient ses prunelles violettes. *Il a été blessé*, se rappelait-elle avoir pensé, *mais je guérirai sa blessure lorsque nous serons mariés.* À côté de Rhaegar, même son beau Jaime lui avait fait l'effet de n'être qu'un gamin godiche. *C'est moi qui vais avoir pour époux l'héritier du trône*, s'était-elle emballée, prise de vertige, *et quand le vieux roi s'éteindra, c'est moi qui serai la reine.* Le pot aux roses lui avait été révélé par sa tante avant le tournoi. « Il faut que tu sois aujourd'hui plus que jamais belle à couper le souffle, avait dit lady Genna tout en s'acharnant contre le moindre faux pli de sa robe, car on annoncera lors du banquet final que vous êtes fiancés, le prince Rhaegar et toi. »

Sans le bonheur qu'elle avait éprouvé ce jour-là, jamais elle n'aurait osé s'aventurer sous la tente de Maggy la Grenouille. Elle ne l'avait d'ailleurs fait qu'afin de prouver à Jeyne et à Melara que la lionne n'avait peur de rien. *J'allais être reine. Comment une reine se laisserait-elle effrayer par une vieille femme hideuse ?* Une éternité avait eu beau s'écouler depuis, le souvenir de la prédiction lui donnait encore la chair de poule. *Jeyne s'enfuit de la tente en poussant des glapissements terrifiés*, se ressouvint-elle, *mais Melara tint bon, tout comme moi. Nous laissâmes cette mégère goûter notre sang, et ses ineptes prophéties nous firent mourir de rire. Elles étaient de bout en bout nulles et non avenues*. Quoi que dégoise la sorcière, sornettes, elle allait être la femme du prince Rhaegar. C'était *Père* qui le lui avait promis, et la parole de lord Tywin valait son pesant d'or.

Son hilarité s'éteignit au terme du tournoi. Il n'y eut pas de banquet final, pas de toasts pour célébrer ses fiançailles avec le prince Rhaegar. Il n'y eut rien d'autre que des silences aussi glacés que les regards qu'échangeaient Aerys et Père. Une fois le roi, son fils et sa pompeuse escorte de chevaliers repartis pour Port-Réal, elle était allée trouver sa tante, en larmes, n'y comprenant rien. « Ton père a proposé l'alliance, expliqua lady Genna, mais Sa Majesté n'a pas voulu en entendre parler. "Vous êtes mon serviteur le plus capable, Tywin, a dit Aerys, mais on ne marie pas son héritier à la fille d'un serviteur." Sèche tes pleurs, petiote. As-tu jamais vu pleurer un lion ? Ton père te trouvera un autre homme, et un homme plus valeureux que Rhaegar. »

Sa tante en avait menti, cependant, et son père lui avait failli, tout comme Jaime lui faillait actuellement. *Père ne dénicha pas d'homme plus valeureux. Le substitut qu'il me donna fut Robert, et la malédiction de Maggy s'est épanouie comme une fleur empoisonnée*. Si elle avait seulement épousé Rhaegar, ainsi que les dieux le voulaient, jamais il n'aurait posé deux fois les yeux sur la petite louve. *C'est lui qui serait aujourd'hui notre roi, et c'est moi qui serais sa reine et la mère de ses fils*.

Elle n'avait jamais pardonné à Robert de l'avoir tué.

Mais aussi, le pardon n'était pas précisément le fort des lions. Et cela, ser Bronn de la Néra n'allait pas tarder à l'apprendre.

BRIENNE

Ce fut Hyle Hunt qui insista pour que l'on emporte les têtes. « Tarly sera content d'en orner les remparts, dit-il.

— Nous n'avons pas de goudron, signala Brienne. La chair va pourrir. Laissons-les. » Elle n'avait pas envie de se balader dans la pénombre glauque des pinèdes avec les têtes des hommes qu'elle avait tués.

Hunt refusa de l'écouter. Il charcuta lui-même les cous des cadavres, noua les trois têtes ensemble par les cheveux puis les suspendit à sa selle. Brienne n'eut pas d'autre solution que d'essayer de se faire accroire qu'elles ne se trouvaient pas là mais, parfois, surtout la nuit, elle sentait leurs yeux vitreux s'appesantir sur son dos, et elle les entendit même en rêve, une fois, s'entre-chuchoter des choses.

Un temps humide et froid se mit à sévir sur la presqu'île de Clacquepince pendant qu'ils rebroussaient chemin. Certains jours, il pleuvait, et, certains jours, la pluie menaçait. Ils n'avaient jamais ce qui s'appelle chaud. Lors même qu'ils campaient, trouver suffisamment de bois sec pour faire un feu se révélait une gageure.

Lorsqu'ils finirent par atteindre les portes de Viergétang, des nuées de mouches les escortaient, Huppé avait eu les yeux boulottés par un corbeau, Pyg et Timeon grouillaient d'asticots. Cela faisait belle lurette que

Brienne et Podrick s'étaient attachés à chevaucher cent pas devant, de manière à ne point risquer de frayer avec l'odeur de putréfaction. « Enterrez-moi ça ! » avait-elle protesté chaque fois que la nuit rétablissait la promiscuité, mais Hunt se posait un peu là, dans le genre têtu. *Il va probablement raconter à lord Randyll que c'est lui qui les a trucidés tous les trois.*

Or, et c'était tout à son honneur, le chevalier ne fit rien de semblable.

« L'écuyer bredouilleur a lancé une pierre », déclara-t-il, après qu'on les eut amenés, Brienne et lui, devant Tarly dans la cour du château de Mouton. Les têtes avaient été remises à un sergent de la garde, avec ordre de les faire nettoyer, plonger dans le goudron puis ficher au-dessus de la porte. « La bobonne d'épée s'est fait le restant du boulot.

— Les trois ? » Lord Randyll ne dissimula même pas son incrédulité.

« Vu la façon dont elle se battait, elle aurait pu en tuer trois de plus.

— Et vous avez retrouvé la petite Stark ? » La question de Tarly s'adressait à elle.

« Non, messire.

— Dommage. Enfin, vous avez eu votre lippée de sang. Administré la preuve, en quoi que cela consiste, de ce que vous entendiez prouver. Le temps est venu, maintenant, de me bazarder cette maille pour vous rhabiller de façon séante. Il y a des bateaux dans le port. L'un d'eux doit faire escale à Torth. Je vous y ferai embarquer.

— Merci, messire, mais c'est non. »

La mine de lord Tarly parut indiquer qu'il ne lui déplairait pas outre mesure d'empaler cette fois la tête de Brienne sur une pique et de l'envoyer tenir compagnie à Timeon, Pyg et Huppé le Louf au-dessus des portes de

Viergétang. « Vous avez l'intention de continuer vos fredaines ?

— J'ai l'intention de retrouver la lady Sansa.

— Si messire veut bien me permettre, intervint ser Hyle, je l'ai vue se battre contre les Pitres. Elle a plus de force que la plupart des hommes, et une vivacité…

— La vivacité, c'est l'*épée* ! jappa Tarly. Vif comme la foudre est le tempérament de l'acier valyrien. Plus de force que la plupart des hommes ? Mouais. Elle est une aberration de la nature, loin de moi la fantaisie de le nier. »

Il est de l'espèce qui n'aura jamais qu'aversion pour moi, songea Brienne, *quoi que je puisse faire*. « Messire, il se pourrait que Sandor Clegane ait quelque idée du sort de la petite. S'il m'était possible de le dénicher…

— Clegane s'est fait hors-la-loi. Il aurait rallié Béric Dondarrion, à ce qu'il paraît. Ou pas, les versions divergent. Signalez-moi l'endroit où ils se cachent, et je me ferai un plaisir de leur fendre le bide, d'arracher les tripes et de les brûler. Nous avons bien pendu des douzaines de bandits, mais les chefs nous échappent encore. Clegane, Dondarrion, le prêtre rouge et, maintenant, cette bonne femme, la dénommée Cœurdepierre… Vous comptez vous y prendre comment, *vous*, pour leur mettre la main dessus, quand moi je n'y arrive pas ?

— Messire, je… » Elle n'avait pas de réponse satisfaisante à lui fournir. « Tout ce que je puis faire, c'est essayer.

— Alors, essayez. Vous avez votre lettre, vous n'avez pas besoin de ma permission, mais je vous la donne quand même. Si vous avez de la veine, tout le mal que vous allez prendre ne vous vaudra que des plaies de selle. Autrement, peut-être que Clegane vous laissera la vie sauve, après vous avoir, lui et sa bande, violée tout leur soûl. Libre à vous de rentrer la queue basse à Torth, ensuite, avec le bâtard de va savoir quel chien dans le tiroir. »

Elle ignora la grossièreté du propos. « Si ce n'est abuser, messire, combien d'hommes le Limier a-t-il avec lui, je vous prie ?

— Six, soixante ou six cents. Cela dépend apparemment du témoin que nous interrogeons. » Randyll Tarly en avait manifestement assez de la conversation. Il entreprit de tourner les talons.

« Si mon écuyer et moi-même pouvions vous prier de nous accorder l'hospitalité jusqu'à…

— Priez tant qu'il vous plaira. Je ne tolérerai pas votre présence sous mon toit. »

Ser Hyle Hunt s'avança. « Avec votre agrément, messire, je m'étais figuré que ce toit était encore celui de lord Mouton. »

Tarly lui décocha un regard venimeux. « Mouton a autant de bravoure qu'une larve. Vous m'obligerez en vous abstenant de me parler de lui. Quant à vous, ma dame, on prétend que votre père est homme d'honneur. Si tel est le cas, je le plains. Certains ont des fils pour bénédiction, certains des filles. Aucun ne mérite une malédiction telle que vous. Morte ou vive, lady Brienne, interdisez-vous de remettre les pieds à Viergétang tant que j'en serai gouverneur. »

Les mots ne sont que du vent, se dit Brienne. *Ils ne sauraient te blesser. Laisse-les glisser sur toi.* « Puisque vous l'ordonnez, messire », voulut-elle répondre, mais elle n'eut pas le temps de le faire que déjà Tarly l'avait plantée là. Elle quitta la cour comme une somnambule, sans seulement savoir où la menaient ses pas.

Ser Hyle Hunt vint se porter à sa hauteur. « Il y a des auberges… »

Elle secoua la tête. Elle n'avait aucune envie de parler avec le chevalier.

« Vous vous rappelez *L'Oie qui pue* ? »

L'odeur en imprégnait encore son manteau. « Pourquoi ?

— Venez m'y retrouver demain, à midi. Mon cousin Alyn faisait partie de ceux qu'on a lancés à la recherche du Limier. Je lui en toucherai un mot.

— Pourquoi feriez-vous cela ?

— Pourquoi non ? Si vous réussissez-là où il a échoué, je pourrai l'en dauber des années durant. »

Il y avait toujours des auberges à Viergétang ; ser Hyle ne s'était pas trompé. Cependant, certaines avaient été ravagées par les incendies de tel ou tel sac, et elles attendaient encore qu'on les reconstruise. Quant à celles qui restaient debout, elles étaient pleines à craquer de soldats de l'armée de lord Tarly. Elle et Podrick les visitèrent toutes une à une au cours de l'après-midi, mais il n'y avait nulle part de lits disponibles.

« Ser ? Ma dame ? dit l'écuyer, comme le soleil déclinait. Il y a des bateaux. Les bateaux ont des lits. Des hamacs. Ou bien des couchettes. »

Des hommes de lord Randyll hantaient encore les quais, aussi drus que l'avaient été naguère les mouches agglutinées sur les trois têtes des Pitres Sanglants, mais leur sergent connaissait Brienne de vue et la laissa passer. Les pêcheurs locaux arrimaient leurs barques pour la nuit et criaient leurs prises de la journée, mais elle concentra son intérêt sur les navires auxquels leur tonnage permettait de sillonner les flots tempétueux du détroit. Une demi-douzaine s'alignaient le long des appontements, tandis qu'un autre, une galéasse baptisée *La Fille du Titan*, larguait ses amarres pour prendre le large à la faveur de la marée du soir. Ils firent la tournée des premiers. Le patron de *La Gosse de Goëville* prit Brienne pour une putain et l'avisa que son bâtiment n'était pas une maison borgne, puis un harponneur d'un baleinier d'Ibben s'offrit à lui acheter son petit garçon, mais la fortune se montra plus souriante ailleurs. Elle venait de faire l'emplette d'une orange pour Podrick à bord de *L'Arpenteur des mers*, un cargo tout juste arrivé de Villevieille via Tyrosh, Pentos et Sombreval quand le capitaine lui annonça : « Prochaine escale, Goëville. » Puis il ajouta : « De là, nous contournerons les Doigts à destination de Sœurbourg et de Blancport, si les tornades nous y autorisent. C'est un bateau bien propre, *L'Arpenteur*, avec pas tant de rats que la plupart, et nous y aurons des œufs frais et du beurre nouveau-baratté. Est-ce que ma dame cherche à s'embarquer pour le Nord ?

— Non. » *Pas encore*. Elle était tentée, mais…

Comme ils se dirigeaient vers le bassin suivant, Podrick se mit à traîner les pieds puis se décida : « Ser ? Ma dame ? Et si ma dame est retournée chez elle ? Mon autre dame, je veux dire. Ser. Lady Sansa.

— On a brûlé son chez elle.

— Il n'empêche. C'est là que se trouvent ses *dieux*. Et les dieux ne peuvent pas mourir. »

Les dieux ne peuvent pas mourir, mais les jeunes filles, si. « Timeon avait beau être un sadique et un meurtrier, je ne pense pas qu'il ait menti à propos du Limier. Nous ne pouvons pas partir pour le Nord avant de savoir exactement à quoi nous en tenir. Des bateaux, il y en aura d'autres. »

Au fin fond de la partie orientale du port, ils trouvèrent finalement à s'héberger pour la nuit sur une galère immobilisée par ses avaries. *La Dame de Myr* gîtait salement. Une tempête l'avait privée de la moitié de son équipage et démâtée, mais son patron n'avait pas les fonds nécessaires pour la réarmer ; aussi fut-il bien aise de soutirer quelques sols à Brienne et de lui allouer une cabine vacante pour deux.

Elle y connut une nuit agitée. Trois fois, elle se réveilla. L'une quand il se mit à pleuvoir, une autre lorsqu'un craquement la fit se figurer que Dick Main-leste entrait en tapinois pour l'assassiner. Pour le coup, c'est dague au poing qu'elle se réveilla, mais elle avait eu la berlue. Dans les ténèbres exiguës de la cabine, il lui fallut un moment pour se rappeler que Dick Main-leste était mort. Mais à peine eut-elle sombré de nouveau dans le sommeil qu'elle se mit à rêver des hommes qu'elle avait tués. Ils dansaient autour d'elle en l'accablant de quolibets, la pinçaient tandis qu'elle se démenait pour les tailler en pièces. Elle les déchiquetait en rubans sanglants, mais ils n'en persistaient pas moins à l'assaillir de toutes parts..., Huppé le Louf, Pyg et Timeon, passe, mais aussi Randyll Tarly, Varshé Hèvre et Ronnet Connington le Rouge. Ronnet tenait une rose. Il la lui tendit, et elle lui trancha la main.

Elle se réveilla en nage, et passa le reste de la nuit à écouter, pelotonnée sous son manteau, la pluie marteler le pont au-dessus de sa tête. Il faisait un temps épouvantable. De temps à autre s'entendait le fracas lointain du tonnerre, et il la fit penser au vaisseau braavien qui avait profité de la marée du soir pour prendre le large.

Au matin, elle se débrouilla pour retrouver *L'Oie qui pue*, extirpa de son lit la tenancière crasseuse et commanda des saucisses au gras, du pain frit, une coupe de vin, un pichet d'eau bouillie et deux gobelets propres. Tout en mettant l'eau à bouillir, la femme loucha vers elle. « C'est vous, la grande baraque qu'était partie 'vec Dick Main-leste. Je m'en rappelle. Y vous a roulée ?

— Non.

— Violée ?

— Non.

— Piqué le canasson ?

— Non. Il a été tué par des bandits.

— Des bandits ? » Elle avait l'air plus étonnée qu'émue. « J'm'étais toujours pensé, moi, qu'y pendrait, Dick, ou qu'y finirait envoyé au Mur. »

Ils mangèrent le pain frit et la moitié des saucisses. Podrick Payne assura la descente de sa part avec de l'eau parfumée de vin, pendant qu'elle-même, tout en dorlotant son vin coupé d'eau, se demandait pourquoi diantre elle était venue. Hyle Hunt n'était pas un chevalier digne de ce nom. Sa figure honnête n'était qu'un masque de cabotin. *Je n'ai que faire de son aide, je n'ai que faire de sa protection, et je n'ai que faire de sa personne*, se dit-elle. *Il ne viendra d'ailleurs probablement pas. Me fixer rendez-vous ici n'était encore qu'une de ses blagues.*

Elle se levait pour sortir quand il entra. « Ma dame. Podrick. » Il embrassa d'un coup d'œil les coupes, les assiettes et les saucisses à demi rongées qui se figeaient dans leur mare de graisse et dit : « Bons dieux, j'espère que vous n'avez pas bouffé la cuistance d'ici !

— Ce que nous avons mangé ne vous regarde pas, répliqua Brienne. Avez-vous mis la main sur votre cousin ? Que vous a-t-il dit ?

— C'est à Salins qu'on a vu Sandor Clegane pour la dernière fois, le jour de l'attaque. Il s'est tiré vers l'ouest, après, le long du Trident. »

Elle fronça les sourcils. « Il est long, le Trident.

— Ouais, mais je ne pense pas que notre chien soit allé vagabonder trop loin de l'embouchure. Westeros a perdu tout charme pour lui, à ce qu'il semblerait. À Salins, ce qu'il cherchait, c'est un *bateau*. » Ser Hyle tira de sa botte un rouleau de peau de mouton, repoussa les saucisses, et le déroula. Une carte apparut sous leurs yeux. « Le Limier a massacré trois sbires de son frère à la vieille auberge du carrefour, ici. Il a conduit l'attaque sur Salins, ici. » Son index tapota Salins. « Il risque de se retrouver piégé. Les Frey sont plus haut, ici, aux Jumeaux, Darry et Harrenhal au sud, sur l'autre rive du Trident ; à l'ouest, il tombe sur les combats que se livrent les Nerbosc et les Bracken, et à Viergétang, ici, sur lord

Randyll. Enfin, même en admettant qu'il réussisse à se faufiler au travers des clans des montagnes, la grand-route menant au Val est bloquée par la neige. Par où s'esquivera-t-il ?

— S'il est avec Dondarrion…

— Il ne l'est pas. Alyn en a la certitude. Les gens de Dondarrion le cherchent, eux aussi. Ils ont chargé la rumeur de propager partout qu'ils entendaient le pendre pour les crimes commis à Salins. Eux n'y étaient pour rien. Lord Randyll fait courir le bruit contraire dans l'espoir de retourner les populations contre Béric et sa confrérie. Il ne capturera jamais le sire la Foudre tant qu'elles continuent de le protéger. Et il y a cette autre bande, en plus, conduite par la Cœurdepierre… La maîtresse de lord Béric, s'il faut en croire un racontar. Elle aurait été pendue par les Frey, mais, en l'embrassant, Dondarrion l'aurait ramenée à la vie, ce qui la mettrait désormais dans l'impossibilité totale de mourir, et pareil pour lui. »

Brienne examina la carte. « Si c'est à Salins que Clegane a été vu pour la dernière fois, c'est à partir de là qu'on pourrait retrouver sa piste.

— Il ne reste plus personne à Salins, d'après mon cousin, sauf un vieux chevalier terré dans son château.

— N'empêche qu'à défaut de mieux ce serait toujours un point de départ.

— Il y a quelqu'un…, reprit ser Hyle. Un septon. Il est rentré par ma porte la veille du jour où vous vous y êtes présentée. Meribald, il s'appelle. Natif du Conflans, élevé dans le Conflans, il a servi toute sa vie ici. Il s'en va demain faire sa tournée qui l'amène toujours à passer par Salins. Nous devrions partir avec lui. »

Brienne releva les yeux, hérissée. « *Nous ?*

— Je viens avec vous.

— Pas question.

— Eh bien, disons que j'accompagne Septon Meribald à Salins. Je vous laisse foutrement libres, vous-même et Podrick, d'aller vous faire voir au diable si ça vous chante.

— C'est lord Randyll qui vous a de nouveau ordonné de me suivre ?

— Il m'a ordonné de rompre toute relation avec vous. Le point de vue de lord Randyll est qu'une séance de viol aggravé pourrait vous être bénéfique.

— Dans ce cas, pourquoi vouloir venir avec moi ?

— C'était ça, ou reprendre mon poste à la porte.

— Si votre chef vous a ordonné…

— Il n'est plus mon chef. »

Elle fut prise au dépourvu. « Vous avez quitté son service ?

— Sa Seigneurie m'a informé qu'Elle n'avait plus besoin de mon épée ni de mon insolence. Ce qui revient du pareil au même. Je vais dorénavant jouir de l'existence aventureuse d'un chevalier errant… Mais, si nous retrouvons Sansa Stark, j'imagine que nous en serons royalement récompensés. »

De l'or et des terres, voilà ce qu'il voit là-dedans. « Mon but est de sauver la petite, pas de la vendre. J'ai juré ma foi.

— Je n'ai pas souvenance de l'avoir fait, moi.

— Et voilà pourquoi vous ne m'accompagnerez pas. »

Ils se mirent en route le matin suivant, comme le soleil se levait.

Ils formaient un curieux cortège. Ser Hyle montait un coursier alezan, Brienne sa grande jument grise, Podrick Payne son pauvre ensellé, et Septon Meribald marchait à leurs côtés, son bâton au poing, traînant à sa suite un petit âne et un énorme chien. L'âne était si lourdement chargé que Brienne redoutait presque qu'il n'en ait l'échine rompue. Des vivres pour les pauvres et les affamés du Conflans, déclara Septon Meribald aux portes de Viergétang. « Des semences, des noix, des fruits secs, des flocons d'avoine et de la farine, du pain d'orge, trois formes de fromage jaune en provenance de l'auberge sise près de la porte au Fol, de la morue salée pour moi, du mouton salé pour Chien… Ah, et du sel, des oignons, des carottes, des navets, deux sacs de haricots, quatre d'orge et neuf d'oranges. J'ai un faible pour les oranges, je le confesse. C'est un matelot qui m'a procuré celles-ci, et je crains fort que ce soient les dernières auxquelles je goûterai d'ici au printemps. »

En sa qualité de septon sans septuaire, Meribald se trouvait juste un cran plus haut qu'un frère mendiant dans la hiérarchie de la Foi. Ils étaient des centaines de son espèce qui, déguenillés, se consacraient à l'humble tâche de cheminer d'un hameau gros comme une chiure de mouche au prochain pour célébrer les offices divins, bénir les mariages et offrir la rémission des péchés. Les gens qu'il visitait devaient en principe le nourrir et l'héberger, mais la plupart étant aussi démunis que lui, Meribald ne pouvait pas s'attarder trop longuement dans un même endroit sans plonger ses hôtes dans la détresse. Des aubergistes charitables lui permettaient parfois de coucher dans leurs cuisines ou leurs écuries, et il y avait des monastères et des maisons fortes, voire quelques châteaux, où il savait qu'on lui accorderait l'hospitalité. Lorsqu'il n'avait rien de tel à portée de main, il dormait sous les arbres ou les haies. « C'est tout plein de haies magnifiques, le Conflans, dit-il. Les très vieilles sont les meilleures. Il n'y a rien qui batte une haie centenaire pour le confort. Une fois fourré dans l'une d'entre elles, vous pouvez dormir tout aussi douillet qu'à l'auberge, la crainte des puces en moins. »

Il ne savait ni lire ni écrire, ainsi qu'il s'en confessa gaiement pendant le trajet, mais il connaissait une centaine de prières différentes, il était capable de réciter par cœur de longs passages de *L'Étoile à Sept Branches*, et c'était tout ce que les villages attendaient de lui. Il avait une figure toute burinée, calcinée par le vent, une grosse tignasse grise, des rides au coin des yeux. En dépit de sa taille, six pieds de haut, il avait une façon de marcher le buste en avant qui le faisait paraître beaucoup plus petit. Ses mains larges aux jointures rouges avaient l'air coriaces comme du cuir, le dessous de ses ongles était en grand deuil, et il exhibait les pieds nus les plus gigantesques que Brienne eût jamais vus, noirs et durs comme de la corne.

« Ça fait vingt ans que je n'ai pas mis de souliers, lui confia-t-il. La première année, j'avais plus d'ampoules que d'orteils, et mes plantes saignaient comme des cochons dès que je marchais sur un méchant caillou, mais j'ai prié, et le Cordonnier d'En Haut m'a tanné la peau.

— Il n'y a pas de cordonnier d'en haut, protesta Podrick.

— Si fait, mon gars, qu'il y en a un… Mais tu peux toujours lui donner un autre nom. Dis-moi voir lequel des sept dieux tu aimes le plus ?

— Le Guerrier », répondit Podrick tout de go sans hésiter une seconde.

Brienne s'éclaircit la gorge. « À La Vesprée, le septon de mon père disait toujours qu'il n'y avait qu'un dieu.

— Un, sous sept aspects. C'est bien ainsi, ma dame, et vous avez raison d'en faire la remarque, mais le mystère des Sept Qui Sont Un n'est pas facile à comprendre, pour les simples, et, comme je suis un simple si je suis rien, je parle de sept dieux. » Meribald revint à Podrick. « Je n'ai jamais connu de garçon qui n'aimait pas le Guerrier. Mais je suis vieux et, étant vieux, c'est le Ferrant que j'aime. Sans son labeur, que défendrait le Guerrier ? Chaque bourgade a son ferrant, et chaque château le sien. Ils forgent les charrues dont nous avons besoin pour semer nos moissons, les clous que nous utilisons pour construire nos bateaux, les fers qui sauvegardent les sabots de nos fidèles chevaux, les brillantes épées de nos beaux seigneurs. Personne ne pourrait contester la valeur d'un ferrant, et voilà pourquoi nous honorons l'un des Sept de son nom, mais nous aurions tout aussi bien pu l'appeler le Pêcheur ou le Paysan, le Charpentier ou le Cordonnier. Le genre de travail auquel il s'applique n'a pas d'importance. Ce qui importe, c'est qu'il travaille. Le Père gouverne, le Guerrier combat, le Ferrant besogne, et ils réalisent ensemble tout ce qui est bon pour l'homme. Tout à fait de même que le Ferrant n'est que l'un des aspects de la face divine, de même le Cordonnier n'en est-il qu'un seul du Ferrant. Et c'est bien lui qui a exaucé ma prière en guérissant mes pieds.

— Les dieux sont bien aimables, fit ser Hyle d'un ton pince-sans-rire, mais à quoi bon les leur casser quand il vous aurait suffi de garder vos godasses ?

— Aller pieds nus était ma pénitence. Les plus saints des septons peuvent être eux-mêmes des pécheurs, et ma chair était faible, aussi faible que possible. J'étais jeune et plein de sève, et les filles… Un septon peut vous paraître aussi valeureux qu'un prince, s'il est le seul homme de votre connaissance à s'être jamais aventuré à plus d'un mille de votre village. Je leur récitais des extraits de *L'Étoile à Sept Branches*. Le Livre de la Jouvencelle était celui qui marchait le mieux. Ah, ça, j'étais une sombre canaille avant d'avoir bazardé mes chaussures ! Je meurs de honte quand je pense à toutes les pucelles que j'ai déflorées. »

Brienne se tortilla sur sa selle, affreusement mal à l'aise, en ressongeant au camp sous les murs de Hautjardin et au pari fait par ser Hyle et les autres pour voir qui serait le premier à coucher avec elle.

« C'est justement d'une pucelle que nous sommes en quête, confia Podrick Payne au septon. D'une jeune fille de haute naissance, âgée de treize ans, qui a des cheveux auburn.

— J'avais cru comprendre que vous étiez à la recherche de hors-la-loi.

— Aussi, convint l'écuyer.

— La plupart des voyageurs font de leur mieux pour éviter ce genre d'individus, repartit Meribald, et vous, vous souhaiteriez les rencontrer ?

— Il n'y en a qu'un seul qui nous intéresse, en fait, rectifia Brienne. Le Limier.

— C'est bien ce que m'a dit ser Hyle. Puissent les Sept vous préserver, mon enfant. Il passe pour laisser dans son sillage une traînée de nouveau-nés massacrés et de gamines violentées. Le Chien Fou de Salins, je l'ai entendu surnommer. Que peuvent escompter d'honnêtes gens d'une créature pareille ?

— Il se peut que la jeune fille dont Podrick vous parlait se trouve avec lui.

— Vraiment ? Alors, nous devons prier pour la pauvrette. »

Et pour moi, songea Brienne, *faites une prière aussi pour moi. Demandez à l'Aïeule de brandir sa lampe et de me guider jusqu'à la lady Sansa, demandez au Guerrier de donner à mon bras la force nécessaire pour la défendre*. Elle se garda néanmoins de le dire tout haut ; Hyle Hunt risquait de l'entendre, et il ne se ferait pas faute de tourner en dérision sa pusillanimité de femme.

Avec Septon Meribald à pied et son âne ployant sous l'énormité du fardeau, la progression fut lente tout ce jour-là. Au lieu d'emprunter la grand-route conduisant à l'ouest, celle-là même que Brienne avait parcourue en sens inverse avec ser Jaime et qui leur avait réservé le spectacle de Viergétang saccagée et jonchée de cadavres, ils piquaient vers le nord-ouest en longeant la côte de la baie des Crabes sur un sentier tortueux si minuscule qu'il ne figurait sur aucune des deux précieuses cartes en peau de mouton que possédait ser Hyle. Les collines escarpées, les tourbières noires et les pinèdes de la presqu'île de Clacquepince n'avaient aucun équivalent nulle part, sur ce côté de Viergétang. La région qu'ils traversaient était plate et humide, un désert inculte de dunes de sable et de marais saumâtres étalé sous l'immense voûte d'un ciel gris-bleu. Le chemin avait fâcheusement tendance à s'évanouir parmi les roselières et les bassins de marée pour ne refaire surface qu'un mille au-delà ; n'eût été Meribald, reconnut Brienne, ils se seraient sûrement égarés. Le terrain se révélait au surplus volontiers mouvant, de sorte qu'aux endroits suspects le septon prenait les devants pour s'assurer, en tapotant avec son bâton, qu'on ne risquait pas de s'y enliser. Il n'y avait pas d'arbres sur des lieues à la ronde, et le paysage se composait en tout et pour tout de mer, de ciel et de sable.

Aucun lieu au monde n'aurait pu présenter un aspect plus différent de celui de Torth, avec ses montagnes et ses cascades, ses prairies des hauteurs et ses vallées ombreuses, et cependant, il avait sa beauté à lui, s'avisa Brienne. Ils franchirent, étourdis par le chant des grillons, une douzaine de ruisseaux languides où les grenouilles pullulaient, contemplèrent le vol planant des sternes qui croisaient dans l'éther au-dessus de la baie, prêtèrent l'oreille aux appels flûtés des bécasseaux nichés au sein des dunes. Un renard leur passa presque au ras du nez, déclenchant les aboiements furieux du chien de Meribald.

Et il y avait aussi des humains. Certains habitaient parmi les roseaux des bicoques bâties en torchis, d'autres pêchaient dans la baie, montés sur des canots de cuir, et juchaient leurs cabanes sur des perches branlantes plantées au sommet des dunes. La plupart semblaient vivre isolés, hors de la vue de quelque autre logis que ce soit. Ils paraissaient presque tous farouches, mais, vers midi, le chien se remit à clabauder, et trois femmes émergèrent des roseaux pour offrir à Meribald une corbeille d'osier tressé pleine de palourdes. Il donna à chacune d'elles une orange en retour, bien que les palourdes fussent aussi communes que la bourbe dans ces parages, et les oranges rares et coûteuses. L'une des femmes était très âgée, une autre enceinte, et la dernière une jeune fille aussi fraîche et jolie qu'une fleur au printemps. Lorsque le septon les entraîna à l'écart pour entendre leur confession, ser Hyle gloussa et dit : « Apparemment, les dieux marchent avec nous..., du moins la Jouvencelle, la Mère et l'Aïeule ! » Podrick se montra si abasourdi que Brienne dut lui signifier que non, qu'il s'agissait là simplement de trois femmes des marais.

Une fois qu'ils se furent remis en route, elle se tourna vers Meribald et constata : « Ces braves gens vivent à moins d'une journée de chevauchée de Viergétang, et pourtant les combats ne les ont pas touchés.

— C'est qu'ils ne possèdent pas grand-chose à toucher, ma dame. Leurs trésors se bornent à des coquillages, des galets et des canots de cuir, leurs armes les plus somptueuses à des couteaux de fer rouillé. Ils naissent, ils vivent, ils aiment, ils meurent. Ils savent que lord Mouton règne sur leurs terres, mais ceux qui l'ont jamais vu sont rares, et Vivesaigues et Port-Réal ne sont rien que des noms pour eux.

— Et pourtant, ils connaissent les dieux, reprit-elle. C'est là votre œuvre, m'est avis. Cela fait combien de temps que vous sillonnez le Conflans ?

— Bientôt quarante ans, répondit le septon, et son chien poussa un aboiement tonitruant. De Viergétang à

Viergétang, ma tournée me prend une demi-année, et souvent davantage, mais je ne vais pas prétendre pour autant que je connais le Trident. Je ne vois guère les châteaux des grands seigneurs que de loin, mais je fréquente les villes marchés, les maisons fortes, les bourgades trop modestes pour avoir un nom, les collines et les haies, les filets d'eau qui permettent à l'assoiffé de se désaltérer et les grottes susceptibles d'abriter le sans-toit. Et les routes qu'utilisent les petites gens, les chemins de terre tortueux que les cartes en parchemin ne mentionnent pas, je les parcours aussi. » Il gloussa. « Un peu que j'ai intérêt ! Mes pieds s'en sont tricoté chaque mille, et plus de dix fois. »

Les voies de derrière sont celles qu'empruntent les hors-la-loi, et les grottes feraient des cachettes idéales pour des gens traqués. Un frisson soupçonneux poussa subitement Brienne à se demander jusqu'à quel point ser Hyle savait qui était au juste le compère. « Cela doit vous faire mener une existence bien solitaire, septon.

— Les Sept sont toujours avec moi, répondit Meribald, et puis j'ai mon fidèle serviteur, et Chien.

— Il a un nom, votre chien ? questionna Podrick Payne.

— Forcément, fit Meribald, mais il n'est pas mon chien. Pas lui. »

Le chien aboya et agita la queue. C'était une espèce de dogue hirsute, colossal, pesant pour le moins cent vingt livres, à cela près gentil comme tout.

« À qui appartient-il donc ? demanda l'enfant.

— Mais voyons, à lui-même, et aux Sept... Quant à son nom, je l'ignore, il ne me l'a pas dit. Moi, je l'appelle Chien.

— Oh. » Podrick ne savait que faire, manifestement, d'un chien qu'on appelait Chien. Il remâcha la chose un moment puis finit par dire : « J'ai eu un chien, quand j'étais petit. Je l'avais baptisé Héros.

— Il l'était ?

— Était quoi ?

— Un héros.

— Non. Mais c'était un bon chien. Il est mort.

— Chien assure ma sécurité sur les routes, même par des temps aussi éprouvants que ceux-ci. Il n'est pas de loup ni de hors-la-loi qui oserait m'importuner quand Chien se trouve à mes côtés. » Le septon fronça les sourcils. « Les loups sont devenus terriblement agressifs, ces derniers temps. Il y a des coins où un homme seul ferait bien de ne dormir qu'en haut d'un arbre. Alors que la meute la plus importante que j'aie jamais vue de toute mon existence se composait de moins d'une douzaine d'individus, celle qui maraude actuellement le long du Trident tient du prodige, elle se chiffre par centaines.

— Vous êtes vous-même tombé sur eux ? l'interrogea le chevalier.

— Cette épreuve m'a été épargnée, les Sept m'en préservent ! mais je les ai entendus la nuit, et plus d'une fois. Tant de voix… un vacarme à vous glacer le sang. Que même Chien, ça vous le faisait grelotter, et pourtant, il a tué sa bonne douzaine de loups, Chien. » Il caressa la tête du chien. « Il y a des gens qui vous diront que ce sont des démons. Ils racontent que la meute est conduite par une louve monstrueuse, une ombre errante sinistre et grise et gigantesque. Ils vous affirmeront qu'elle s'est révélée capable d'abattre un aurochs toute seule, qu'il n'est chausse-trape ni piège qui soit en mesure de la capturer, qu'elle ne craint ni l'acier ni le feu, qu'elle égorge n'importe quel mâle qui tente de la saillir, et qu'elle se repaît exclusivement de chair humaine. »

Ser Hyle Hunt se mit à rire. « Bravo pour l'exploit, septon ! Voilà maintenant les yeux du pauvre Podrick aussi gros que des œufs durs !

— Ce n'est pas vrai ! » protesta le gosse avec indignation. Chien aboya.

Ce soir-là leur réserva un campement froid dans les dunes. Brienne avait envoyé l'écuyer parcourir le rivage et y ramasser du bois flotté sec pour faire un feu, mais il revint les mains vides et crotté jusqu'aux genoux. « La marée s'est retirée, ser. Ma dame. Il n'y a pas d'eau, plus rien que des mares de boue.

— Garde-toi de la boue, mon enfant, conseilla Septon Meribald. La boue n'est pas tendre pour les étrangers. Si tu marches au mauvais endroit, elle ouvrira la gueule pour t'avaler.

— Ce n'est que de la *boue*, s'obstina Podrick.

— Jusqu'à ce qu'elle remplisse ta bouche et commence à grimper dans ton nez. Alors, c'est la mort. » Il sourit pour dissiper le frisson d'effroi causé par ses paroles. « Essuie cette boue puis prends un quartier d'orange, mon gars. »

La journée du lendemain fut à peu près identique. Le soleil n'était pas entièrement levé lorsque, après avoir expédié un petit déjeuner de morue salée complété par quelques nouveaux quartiers d'orange, ils se remirent en route, avec un ciel rose sur leurs arrières et un ciel violet devant eux. Chien menait le train, flairant chaque touffe de roseaux et s'arrêtant de-ci de-là pour en compisser une ; il avait l'air de connaître aussi parfaitement l'itinéraire que Meribald. Les cris stridulents des sternes commençaient à percer l'air du petit matin, tandis que les lames inlassables de la marée se ruaient à l'assaut du rivage.

Vers midi, ils firent halte dans un minuscule village, le premier qu'ils eussent rencontré depuis leur départ, dont les huit maisons surplombaient du haut de leurs échasses un simulacre de cours d'eau. Les hommes étaient sortis pêcher sur leurs canots, mais les femmes et des adolescents dégringolèrent le long des échelles de corde ballantes et se massèrent autour de Septon Meribald pour prier. Après avoir célébré l'office et absous leurs péchés à tous, il leur fit présent de quelques navets, d'un sac de haricots et de deux de ses précieuses oranges.

On cheminait de nouveau quand le septon déclara soudain : « Mieux vaudrait établir un tour de veille la nuit prochaine, mes amis. Les villageois disent avoir aperçu trois hommes en rupture de ban qui rôdaient dans les dunes, à l'ouest de la vieille tour de guet.

— Seulement trois ? » Ser Hyle sourit. « C'est du nougat, trois, pour notre bobonne d'épée. Je les vois mal chercher noise à des gens armés.

— À moins qu'ils ne soient affamés, objecta Meribald. La nourriture ne manque pas dans ces marécages, mais encore faut-il avoir des yeux pour la repérer, et ces hommes-là, rescapés de quelque bataille, sont étrangers à la région. S'il advenait qu'ils nous abordent, ser, je vous en conjure, laissez-les-moi.

— Que comptez-vous en faire ?

— Les nourrir. Les prier de confesser leurs péchés pour me permettre de leur pardonner. Les inviter à nous accompagner à l'île de Repose.

— Autant les inviter à nous couper la gorge pendant notre sommeil, répliqua le chevalier. Lord Randyll a des méthodes mieux appropriées pour les types en rupture de ban : fil de l'épée et corde de chanvre.

— Ser ? Ma dame ? intervint Podrick. Est-ce qu'un homme en rupture de ban est un hors-la-loi ?

— Plus ou moins », répondit Brienne.

Septon Meribald signifia son désaccord. « Plutôt moins que plus. Il existe maintes espèces de hors-la-loi, de même qu'il existe maintes espèces d'oiseaux. Pour avoir des ailes tous les deux, l'aigle de mer et le bécasseau ne sont pas un seul et même volatile. Les chanteurs se plaisent à célébrer des braves contraints à sortir des voies légales pour combattre un suzerain pervers, mais la plupart des hors-la-loi sont plus semblables à votre insatiable Limier qu'au seigneur la Foudre. Ce sont des méchants, guidés par la rapacité, gâtés par la malignité, qui méprisent les dieux et ne se soucient que d'eux-mêmes. Les hommes en rupture de ban méritent davantage notre compassion, même s'ils peuvent se révéler tout aussi dangereux. Ils sont presque tous issus du commun, des gens simples qui ne s'étaient jamais éloignés de plus d'un mille de la maison qui les avait vus naître jusqu'au jour où un quelconque lord est survenu pour les emmener guerroyer au diable vauvert. Misérablement chaussés, misérablement vêtus, ils s'en vont marcher sous ses bannières, avec souvent rien de mieux comme armes qu'une faucille ou qu'une pioche affûtées, voire une masse qu'ils se sont fabriquée vaille que vaille en attachant une pierre avec des lanières de cuir au bout d'un bâton. Les frères marchent avec les frères, les fils avec les pères, les copains avec les copains. La cervelle farcie des chansons et des fables qui les ont bercés, ils s'en vont d'un cœur allègre, rêvant des merveilles qu'ils vont voir, des richesses et de la gloire qu'ils vont conquérir. La guerre leur fait l'effet d'une aventure magnifique, de la plus grandiose qu'ils connaîtront jamais, dans leur immense majorité.

» Et puis voilà qu'ils goûtent à la bataille.

» Certains, cet unique avant-goût suffit à leur faire rompre le ban. D'autres continuent pendant des années, tant et si bien qu'ils finissent par perdre le compte de toutes les batailles auxquelles ils ont pris part, mais même un homme qui a survécu à cent combats peut se débander pendant son cent et unième. Des frères assistent à la mort de leurs frères, des pères perdent leurs fils, des copains voient leurs copains s'efforcer vainement d'empêcher leurs entrailles de s'éparpiller jusqu'à terre, après s'être fait éventrer par un coup de hache.

» Le lord qui les a conduits là se fait-il abattre sous leurs yeux ? Voilà qu'un autre lord leur hurle : "Vous êtes maintenant à moi !" Ils attrapent une blessure, et ils n'en sont qu'à moitié remis qu'ils en attrapent une autre. Ils ne mangent jamais à leur faim, leurs souliers tombent en pièces, éculés par la marche, leurs vêtements ne sont plus que des guenilles sordides, et ils sont un sur deux à conchier sans arrêt leurs chausses pour avoir bu de la mauvaise eau.

» S'ils veulent de nouvelles bottes ou un manteau plus chaud ou, pourquoi pas ? un demi-heaume de fer rouillé, il faut qu'ils en dépouillent un cadavre, et ils ont tôt fait dès lors d'exercer aussi leur rapine sur les vivants, sur le pauvre monde de la région où ils sont en train de se battre, aux dépens de malheureux bougres tout à fait semblables à ce qu'ils étaient eux-mêmes auparavant. Ils leur massacrent leurs moutons, leur volent leurs volailles, et de là il n'y a plus qu'un tout petit pas à faire pour qu'ils leur ravissent leurs filles. Et puis, un jour, ils regardent à la ronde, et ils se rendent brusquement compte que copains, parents, tout a disparu, qu'ils bataillent aux côtés d'étrangers sous une bannière qu'à peine reconnaissent-ils. Ils ne savent pas où ils se trouvent ni comment retourner chez eux, et le lord pour lequel ils se battent ignore leur nom, mais ça ne l'empêche pas de surgir et de leur gueuler l'ordre de former les rangs, de se mettre en ligne avec leurs piques et leurs faux et leurs pioches affûtées, de ne pas lâcher un pouce de terrain. Et les chevaliers fondent sur eux, tout bardés d'acier, sans visage, et le tonnerre métallique de leur charge a l'air de secouer l'univers entier…

» Et l'homme rompt le ban.

» Il tourne le dos tout de suite et détale, ou bien c'est après coup qu'il se défile en rampant par-dessus les cadavres, ou bien encore il attend la nuit noire pour s'esquiver à la recherche d'une planque. Toute idée de retour chez lui l'a désormais abandonné, et les lords, les rois, les dieux lui disent infiniment moins que le morceau de viande avariée qui lui permettra de vivre un jour de plus, ou qu'une gourde d'affreux pisse-dru qui noierait sa trouille pendant quelques heures. L'homme en rupture de ban vit au jour le jour, de repas en repas, plus en bête fauve qu'en être humain. Lady Brienne n'a pas tort. Dans des temps semblables à ceux-ci, le voyageur doit se méfier des hommes en rupture de ban et les redouter... mais il devrait aussi s'apitoyer sur eux. »

Lorsque Meribald se tut, le silence qui s'abattit sur le groupe était si profond que Brienne perçut le bruissement de la brise dans un buisson de saules blancs et, beaucoup plus loin, le cri presque imperceptible d'un plongeon. Elle entendait aussi le léger halètement de Chien qui, la langue pendante, trottinait à côté du septon et de son âne. Comme le silence se prolongeait, se prolongeait indéfiniment, elle finit par dire : « Quel âge aviez-vous quand on vous a emmené guerroyer ?

— Ma foi, celui de votre petit gars, pas plus, répondit Meribald. Un âge trop tendre pour une expérience pareille, à la vérité, mais mes frères partaient tous, et je n'ai pas eu envie de me laisser abandonner là tout seul. William a dit que je pourrais toujours lui servir d'écuyer, bien qu'il ne fût pas chevalier, loin de là, rien de plus qu'un gâte-sauce armé d'un couteau de cuisine qu'il avait dérobé à l'auberge. Il est mort aux Degrés de Pierre, sans avoir jamais frappé qui que ce soit. Ce sont les fièvres qui l'ont emporté, comme elles ont emporté aussi mon deuxième frère, Robin. Quant au troisième, Owen, il a péri, lui, le crâne fracassé par une masse d'armes, alors que son copain Jon le Vérolé a été, lui, pendu pour viol.

— Il s'agissait de la Guerre des Rois à neuf sous ? demanda ser Hyle.

— Tel est en effet le nom qu'on lui a donné, quoique moi je n'y aie jamais vu l'ombre d'un roi ni gagné l'ombre d'un sou. Mais pour être une guerre, ça, ce fut : une guerre. Et comment. »

SAMWELL

Debout devant la fenêtre, Sam se balançait nerveusement, les yeux attachés sur les derniers flamboiements du soleil en train de s'évanouir derrière une rangée de toits pointus. *Il a dû se soûler une fois de plus*, songea-t-il avec désespoir. *Ou alors faire la connaissance d'une autre fille.* Il hésitait entre les larmes et les malédictions. Dareon était censément son frère. *Demande-lui de chanter, et personne ne pourrait mieux faire. Demande-lui n'importe quoi d'autre…*

Les brumes du soir avaient commencé à se lever, et leurs doigts grisâtres s'agrippaient aux façades des édifices alignés le long du vieux canal. « Il a promis de revenir, dit Sam. Tu l'as entendu toi-même. »

Vère le dévisagea fixement. Elle avait les paupières lisérées de rouge et bouffies. Ses cheveux lui pendouillaient sur la figure, sales et enchevêtrés. Elle avait l'air aux aguets d'un animal méfiant tapi dans un fourré. Cela faisait des jours et des jours qu'ils n'avaient plus de feu, mais la petite sauvageonne se plaisait à se pelotonner près de l'âtre comme si les cendres refroidies recelaient encore quelques vestiges de chaleur. « Il aime pas ça ici, avec nous, fit-elle dans un souffle, afin de ne pas réveiller le bébé. C'est triste, ici. Il aime ça où que le vin se trouve, et puis les sourires. »

Oui, songea Sam, *et du vin, il y en a partout sauf ici.* Braavos foisonnait de brasseries, d'auberges et de bordels. Et si Dareon préférait au pain sec et à la compagnie d'une femme en larmes, d'un pleutre obèse et d'un vieillard malade une flambée joyeuse et une bonne coupe de vin épicé, qui pouvait l'en blâmer ? *Moi, je pourrais. Il a dit qu'il serait de retour avant le crépuscule ; il a dit qu'il nous rapporterait des vivres et du vin.*

Il regarda par la fenêtre une fois de plus, dans l'espoir de voir contre tout espoir le chanteur revenir à toutes jambes. La nuit qui tombait sur la Cité Secrète grignotait venelles et canaux. Les honnêtes gens de Braavos n'allaient pas tarder à barrer leur porte et fermer leurs volets. La nuit appartenait aux courtisanes et aux spadassins. *Les nouveaux amis de Dareon*, songea Sam avec amertume. Le chanteur n'avait qu'eux à la bouche depuis quelque temps. Il s'évertuait à composer une chanson sur une catin de haut vol qui se faisait appeler la Sélénombre et qui, l'ayant entendu chanter près du Bassin de la Lune, l'avait récompensé par un baiser. « Tu aurais dû lui demander de l'argent, s'était récrié Sam. C'est d'argent que nous avons besoin, pas de baisers ! » Mais Dareon s'était contenté de sourire. « Il y a des baisers plus précieux que l'or jaune, Égorgeur. »

Cela aussi faisait râler Sam. Dareon n'était pas non plus censé gribouiller des chansons sur des courtisanes. Il était censé chanter le Mur et la vaillance de la Garde de Nuit. Jon s'était flatté que ses chants persuaderaient peut-être quelques jeunes gens de prendre le noir. Et voilà qu'au lieu de s'y employer, il rossignolait cheveux argentés, baisers d'or, et lèvres pourpres, purpurines ! Comme si *lèvres pourpres, purpurines* avaient jamais incité personne à prendre le noir…

Il arrivait aussi que son jeu réveille le bébé. Du coup, celui-ci se mettait à vagir, Dareon lui braillait de fermer sa gueule, Vère éclatait en larmes, et le chanteur sortait en trombe pour ne plus reparaître de plusieurs jours. « Tous ces pleurnichages me donnent envie de lui flanquer des claques, se plaignait-il, et je peux à peine fermer l'œil à cause de ses sanglots. »

Tu pleurerais autant si tu avais un fils et que tu l'aies perdu, se retenait tout juste de répliquer Sam. Il ne pouvait faire grief à Vère de son chagrin. En revanche, il vouait une rancune tenace à Jon Snow et se demandait quand son cœur s'était changé en pierre. Un jour où Vère était descendue puiser de l'eau dans le canal pour leur petit ménage, il en avait profité pour questionner là-dessus mestre Aemon. « Quand ? Mais quand tu l'as élevé à la dignité de lord Commandant », fut la réponse du vieillard.

Même à présent qu'il pourrissait là, dans cette pièce glacée, sous les combles, une partie de sa personne refusait de croire que Jon avait pu commettre ce dont le mestre le soupçonnait. *Ce doit être vrai, pourtant. Sinon, pourquoi Vère pleurerait-elle autant ?* Il lui aurait suffi de l'interroger sur l'identité de l'enfant qu'elle allaitait, mais il n'en avait pas le courage. Il appréhendait trop la certitude qu'il risquait d'obtenir alors. *Je suis toujours un pleutre, Jon.* En quelque endroit du vaste monde qu'il se rendît, ses trouilles ne le lâchaient pas d'une semelle.

Un grondement creux qui ressemblait au roulement d'un tonnerre lointain vint se répercuter sur les toits de Braavos ; de l'autre bout de la lagune, le Titan sonnait la tombée de la nuit. Le bruit fut assez fort pour réveiller le bébé, dont les vagissements soudains réveillèrent à son tour mestre Aemon. Ses paupières se soulevèrent, et, tandis que Vère allait donner le sein, il s'agita faiblement sur sa couche étroite. « L'Œuf ? Il fait noir. Pourquoi fait-il si noir ? »

Parce que vous êtes aveugle. L'esprit du vieillard battait de plus en plus la campagne depuis qu'ils étaient arrivés à Braavos. Il y avait des jours où il ne semblait pas savoir où il se trouvait. Il y en avait d'autres où il perdait le fil de ce qu'il était en train de dire et se mettait à discourir sur son père ou son frère. *Il a cent deux ans*, se rappela Sam, mais il avait déjà cet âge à Château noir et, là-bas, son esprit n'avait jamais vadrouillé.

« C'est moi, se vit-il obligé de dire. Moi, Samwell Tarly. Votre assistant.

— Sam. » Mestre Aemon se lécha les lèvres et papillota. « Oui. Et nous sommes à Braavos, actuellement. Pardonne-moi, Sam. Le matin est là ?

— Non. » Sam lui toucha le front. La peau était moite de sueur, froide et un peu gluante sous les doigts, le souffle imperceptiblement sifflant. « Il fait nuit, mestre. Vous avez dormi.

— Trop longtemps. On n'a pas chaud, ici.

— Nous n'avons pas de bois, lui dit Sam, et l'aubergiste ne nous en donnera plus que si nous avons de quoi le payer. » C'était la quatrième ou la cinquième fois qu'ils avaient mot pour mot la même conversation. *J'aurais dû consacrer nos trois derniers sous à des achats de bois*, se reprochait Sam à tous les coups. *J'aurais dû avoir le simple bon sens de le tenir au chaud.*

Au lieu de cela, il avait gaspillé ce qu'il leur restait d'argent à faire venir un guérisseur de la Maison des Mains Rouges, une grande perche blafarde à robes brodées d'un motif à torsades rouges et blanches. Et cette folle dépense pour n'aboutir en tout et pour tout qu'à l'acquisition d'une fiole de vinsonge… « Il se peut que le passage de vie à trépas de votre malade en soit adouci », avait dit le Braavien, non sans gentillesse au demeurant. En s'entendant demander s'il ne pouvait vraiment rien faire de plus, il avait secoué la tête. « J'ai bien des onguents, des potions et des infusions, des teintures médicinales, des cataplasmes et des venins. Il me serait aussi possible de le saigner, de le purger, de lui mettre des sangsues… Mais à quoi bon ? Aucune sangsue ne peut lui rendre la jeunesse. C'est un vieil homme, et la mort est dans ses poumons. Administrez-lui ce vinsonge, et laissez-le dormir. »

Et c'est bien ce qu'il avait fait jusque-là, dormir, à longueur de jour et de nuit, mais il s'agitait maintenant pour essayer tant bien que mal de se dresser sur son séant. « Il nous faut descendre aux bateaux. »

Encore les bateaux. « Vous êtes trop faible pour sortir », objecta-t-il à son corps défendant. Mestre Aemon avait pris froid pendant le voyage, et le mal s'était installé à demeure dans sa poitrine. À leur arrivée à Braavos, il se trouvait dans un tel état d'épuisement qu'il avait fallu le porter pour aller à terre. Leur bourse étant encore bien dodue, Dareon avait réclamé le plus grand lit de l'auberge. Mais, comme celui qu'on leur avait attribué était assez vaste pour coucher à huit, le tenancier ne s'était pas fait faute d'en exiger le prix correspondant.

« Nous pourrons aller nous balader sur les quais demain matin, promit Sam. Vous pourrez vous y renseigner pour savoir quel est le prochain bateau en partance pour Villevieille. » Même en automne, Braavos restait un port très actif. Lorsque mestre Aemon aurait recouvré suffisamment de forces pour voyager, ils ne devraient avoir aucune peine à trouver un bateau convenable pour les mener à destination. Payer leur passage poserait un problème autrement ardu. Un navire originaire des Sept Couronnes serait ce qu'ils pouvaient espérer de mieux. *Un négociant de Villevieille, par exemple, qui aurait des parents dans la Garde de Nuit. Il doit bien y avoir encore des gens qui honorent les protecteurs du Mur.*

« Villevieille, exhala mestre Aemon dans un sifflement. Oui. J'ai rêvé de Villevieille, Sam. J'étais de nouveau jeune, et mon frère l'Œuf se trouvait avec moi, en compagnie de ce grand flandrin de chevalier qu'il servait. Nous étions en train de boire un coup dans la vieille auberge où l'on fait ce cidre épouvantablement corsé. » Il essaya de nouveau de se redresser, mais l'effort se révéla excéder ses capacités physiques. Au bout d'un moment, il cessa de lutter. « Les bateaux, dit-il une fois de plus. C'est là que nous aurons notre réponse. À propos des dragons. J'ai absolument besoin de savoir. »

Non, songea Sam, *c'est de nourriture et de chaleur que vous avez besoin, d'un ventre plein et d'un bon feu qui brûle en pétillant dans la cheminée*. « Est-ce que vous avez faim, mestre ? Il nous reste du pain et un bout de fromage.

— Pas pour l'instant, Sam. Plus tard, quand je me sentirai plus gaillard.

— Comment voulez-vous devenir plus gaillard, si vous ne mangez pas ? » En mer, aucun d'eux n'avait mangé beaucoup, une fois dépassé Skagos. Les tempêtes d'automne les avaient harcelés sans trêve pendant la traversée du détroit. Tantôt, elles montaient du sud, rageusement escortées de coups de tonnerre et d'éclairs et de pluies noires battantes des jours durant. Tantôt, c'était du nord qu'elles survenaient, sinistres et glaciales, avec des bises féroces qui vous transperçaient jusqu'aux moelles. Un jour, le froid s'était fait si rude qu'à son réveil Sam avait découvert le navire entièrement revêtu de givre, et d'une blancheur de perle éblouissante. Le capitaine avait alors commandé d'affaler le mât, de l'arrimer sur le pont, et c'est à la force des rames que le voyage s'était achevé. Jusqu'à ce qu'on aperçoive le Titan, personne n'avait avalé la moindre bouchée.

Sitôt débarqué sain et sauf, cependant, Sam s'était senti dévoré par une faim de loup. Ç'avait été pareil pour Vère et Dareon. Même le bébé s'était mis à téter plus goulûment. Mais Aemon, lui…

« Le pain s'est rassis, mais je puis toujours aller demander du jus de viande aux cuisines pour vous faire des mouillettes », reprit Sam. L'aubergiste était un homme dur, à l'œil froid, défiant, qui trouvait suspecte la présence sous son toit de ces étrangers tout en noir, mais sa cuisinière se montrait plus traitable.

« Non. Peut-être trois gouttes de vin, tout de même ? »

Ils n'en avaient pas une seule. Dareon avait promis d'en acheter avec ce que lui rapportaient ses chants. « Nous aurons du vin tout à l'heure, affirma Sam à contrecœur. Il y a de l'eau, mais ce n'est pas de la bonne. » La bonne coulait sur les arches de l'immense aqueduc de brique appelé par les Braaviens la rivière d'eau douce. Des conduites privées l'amenaient jusque dans les demeures des riches ; les pauvres, eux, emplissaient leurs seaux et bassines aux fontaines publiques. Sam avait étourdiment envoyé Vère en chercher, sans se rappeler que la petite sauvageonne avait passé toute son existence à Fort-Craster et jamais vu ne serait-ce qu'une bourgade marché. Le labyrinthe d'îles rocheuses et de canaux qu'était Braavos, cette jungle dépourvue d'herbe et d'arbres, cette fourmilière d'étrangers qui lui adressaient la parole dans une langue dont elle ne comprenait pas un traître mot, tout cela l'avait tellement terrifiée qu'elle en avait perdu le plan puis guère tardé à se perdre elle-même. Sam avait fini par la retrouver en larmes au pied de la statue d'un seigneur de la mer mort depuis longtemps.

« On n'a que de l'eau de canal, dit-elle à mestre Aemon, mais la cuisinière l'a fait bouillir. Il y a du vinsonge aussi, si vous avez encore besoin de ça.

— J'ai eu mon compte de rêves, pour l'instant. L'eau de canal me suffira. Aide-moi, s'il te plaît. »

Sam l'aida à redresser son buste et poussa la coupe vers ses lèvres sèches et crevassées. Malgré ses précautions, la moitié de l'eau dégoulinait sur la poitrine du patient. « Assez, toussa d'ailleurs celui-ci au bout de quelques menues gorgées. Tu vas me noyer. » Il grelottait entre les bras de Sam. « Pourquoi fait-il si froid dans la chambre ?

— Il n'y a plus de bois. » Dareon avait payé deux fois plus cher pour obtenir une chambre équipée d'une cheminée, mais aucun d'eux ne s'était douté qu'ici le bois coûterait un prix aussi exorbitant. Il ne poussait pas d'arbres, à Braavos, excepté dans les cours et les jardins des puissants. Et les Braaviens n'avaient non plus garde de couper les pins qui couvraient le semis d'îles excentrées sur le pourtour de leur lagune immense et qui, jouant le rôle de brise-vent, les préservaient contre les tornades. Des péniches devaient dès lors remonter les rivières jusque dans l'arrière-pays pour les fournir en bois de chauffage à force d'allers et retours. Le crottin lui-même était une espèce de luxe, puisque la population se servait de barques et non de chevaux. Ce genre de détail n'aurait eu aucune importance s'ils étaient repartis sans délai pour Villevieille comme prévu, mais l'état de santé déplorable de mestre Aemon leur avait interdit de le faire. Un second voyage en mer l'aurait immanquablement tué.

La main du vieil homme tâtonna les couvertures à la recherche du bras de Sam. « Il nous faut aller sur les quais, Sam.

— Lorsque vous aurez recouvré des forces. » Le mestre n'était pas à même de braver les vents humides et les embruns salés du bord de l'eau, et le bord de l'eau, c'était la ville tout entière. Au nord se trouvait le port Pourpre, où les négociants braaviens s'amarraient sous les dômes et les tours du palais du Seigneur de la Mer. À l'ouest s'étendait le port du Chiffonnier, bondé de navires originaires des autres Cités libres, de Westeros, d'Ibben et des lointaines contrées fabuleuses de l'Orient. Et il y avait partout ailleurs de petites jetées, des embarcadères de bacs, et de vieux quais gris le long desquels venaient se ranger les barques des pêcheurs de poissons, de crevettes et de crabes qui exploitaient les embouchures des rivières et les bassins de marée. « Aujourd'hui, ce serait une trop rude épreuve pour vous.

— Alors, vas-y à ma place, insista le vieillard, et ramène-moi quelqu'un qui ait vu ces fameux dragons.

— Moi ? » La suggestion le désemparait. « Mestre, c'était un bobard, rien de plus. Une histoire de matelot. » La faute, là encore, en incombait à Dareon. Il s'était complu à rapporter des bordels et des brasseries toutes sortes de contes extravagants. Par malheur, il était fin soûl quand il avait entendu débiter celui des dragons, et il avait été incapable ensuite de s'en rappeler les détails. « Dareon l'a peut-être forgée lui-même de toutes pièces. Les chanteurs sont coutumiers du fait. Ils inventent des tas de choses.

— En effet, convint mestre Aemon, mais même la chanson la plus fantaisiste peut receler une once de vérité. Découvre cette vérité pour moi, Sam.

— Mais je ne saurais qui interroger, ni comment poser la question. En haut valyrien, mes connaissances sont rudimentaires, et, quand on me parle en braavien, je ne comprends pas la moitié de ce que l'on me dit. Vous parlez plus de langues que moi, lorsque vous aurez recouvré des forces, il vous sera po...

— Quand donc aurai-je recouvré des forces, Sam ? Tu veux me le dire ?

— Bientôt. À condition toutefois de manger et de vous reposer. Quand nous atteindrons Villevieille...

— Je n'atteindrai pas Villevieille. Je le sais, maintenant. » Sa main resserra son étreinte sur le bras de Sam. « Sous peu, c'est avec mes frères que je serai. Certains étaient liés à moi par des vœux, certains par le sang, mais ils ont tous été mes frères. Et mon père… Jamais l'idée ne lui avait traversé l'esprit que le trône pourrait lui échoir, et il lui échut néanmoins. Il disait souvent que c'était sa punition pour le coup mortel porté à son frère. Je prie qu'il ait trouvé dans la mort la paix qu'il n'a jamais connue de son vivant. Les septons nous chantent la suavité d'en avoir fini, de déposer tous nos fardeaux pour entreprendre d'un pas léger le voyage vers des contrées lointaines où nous aurons tout loisir d'aimer, de rire et de festoyer jusqu'à la fin des temps… Mais si ces contrées de lumière et de miel n'existaient pas, dis-moi ? s'il n'y avait que froidure et ténèbres et douleurs au-delà de ce mur qu'on appelle la mort ? »

Il a peur, saisit soudain Sam. « Vous n'êtes pas en train de mourir. Vous êtes malade, et c'est tout. Cela va passer.

— Pas cette fois, Sam. J'ai rêvé… Dans le noir de la nuit, on se pose toutes les questions que l'on n'ose pas se poser à la clarté du jour. Pour moi, ces dernières années, il ne restait plus qu'une seule et unique question. Pourquoi les dieux s'acharnaient-ils à me dépouiller de ma vigueur et de mes yeux tout en me condamnant à traîner si longtemps, frigorifié et oublié ? À quoi pouvait bien leur servir un vieil homme au bout du rouleau comme moi ? » Ses doigts tremblaient, semblables à des brindilles gainées de peau tavelée. « Je n'ai pas oublié, Sam. Je n'ai toujours pas oublié.

— Pas oublié quoi ? » Il ne comprenait pas.

« Les dragons, chuchota le mestre. Ils étaient la gloire et le chagrin de ma maison.

— Le dernier dragon est mort avant votre naissance, objecta Sam. Comment pourriez-vous vous souvenir d'eux ?

— Je les vois dans mes rêves, Sam. Je vois une étoile rouge saigner au firmament. Je me rappelle encore ce qu'est le rouge. Je vois leurs ombres sur la neige, j'entends claquer leurs ailes de cuir, je perçois la brûlure de leur haleine. Des rêves de dragons hantaient aussi mes frères, et les rêves les ont tués, chacun d'eux. Sam, nous vacillons sur la cime de prophéties à demi oubliées, de merveilles et de terreurs qu'aucun homme vivant de nos jours ne saurait espérer comprendre… ou…

— Ou ? fit Sam.

— … ou pas. » Aemon gloussa doucement. « Ou je suis un vieil homme, fiévreux et moribond. » Il ferma d'un air las ses yeux blanchâtres puis les força à se rouvrir. « Je n'aurais pas dû quitter le Mur. Lord Snow a pu ne pas l'avoir compris, mais *moi*, j'aurais dû le voir. Le feu consume, mais le froid préserve. Le Mur… Mais il est trop tard pour revenir en arrière. L'Étranger attend derrière ma porte et ne sera pas éconduit. En ta qualité d'assistant, tu m'as servi de manière irréprochable. Fais pour moi ce beau geste ultime. Descends aux bateaux, Sam. Apprends sur ces dragons tout ce que tu pourras. »

Sam dégagea doucement son bras des doigts qui l'enserraient. « Je le ferai. Si vous le voulez. Seulement, je… » Il ne sut qu'ajouter. *Il m'est impossible de le lui refuser.* Il pourrait par la même occasion se mettre à la recherche de Dareon, le long des quais et des bassins du port du Chiffonnier. *Je commencerai par le retrouver, puis nous irons ensemble aux bateaux. Et, en revenant, nous rapporterons du vin, des vivres et du bois. Nous aurons du feu et un bon repas bien chaud.* Il se leva. « Bien. Je devrais y aller, alors. Si j'y vais, Vère sera là. Vère, barre soigneusement la porte après mon départ. » *L'Étranger attend derrière la porte.*

Tout en berçant le bébé contre son sein, Vère acquiesça d'un signe, les yeux gonflés de larmes prêtes à déborder. *Elle va se remettre à pleurer*, pressentit Sam. C'était plus qu'il n'en pouvait assumer. Son baudrier d'épée pendait contre le mur, accroché à une patère, à côté du vieux cor fendu que Jon lui avait offert. Il l'en arracha, le boucla autour de sa taille, jeta n'importe comment son manteau de lainage noir sur ses épaules tombantes, franchit le seuil à la diable et dégringola l'escalier de bois dont les marches craquaient sous son poids. L'auberge avait deux sorties qui donnaient l'une sur une rue, l'autre sur un canal. Il emprunta la première pour éviter la salle commune où il était sûr de se voir gratifier du regard acerbe que le taulier réservait à ceux de ses hôtes qui abusaient de son gracieux accueil en s'attardant indéfiniment.

L'air du dehors se révéla plutôt frisquet, mais les brumes nocturnes étaient beaucoup moins denses que parfois. À défaut de mieux, Sam en éprouva quelque soulagement, car il arrivait qu'elles couvrent le sol d'un tapis si épais que l'on ne distinguait pas ses propres pieds. Une fois, il s'en était fallu de rien qu'il ne se flanque dans un canal.

Dans sa prime jeunesse, il avait lu une chronique de Braavos et rêvé d'y venir un jour. Il mourait d'envie de voir émerger peu à peu des flots la silhouette inquiétante et sévère du Titan, de se laisser glisser sur les canaux à bord d'une barque à profil de serpent parmi tous ces temples et tous ces palais, de regarder les spadassins exécuter leur danse d'eau, lames flamboyant de reflets fugitifs d'étoiles. Et voilà, maintenant qu'il se trouvait ici, son seul désir était d'en partir au plus vite afin de gagner Villevieille.

Capuchon relevé et manteau flottant, il se dépêcha d'avaler le pavé en direction du port du Chiffonnier. Son baudrier d'épée menaçant de lui entraver les chevilles, il lui fallait sans cesse le remonter tout en poursuivant sa marche. Il se cantonnait aux rues les plus étroites et les plus noires, où moindre était le risque de rencontrer quiconque, mais chacun des chats qu'il croisait lui faisait bondir le cœur… Et Braavos pullulait de chats. *Il me faut coûte que coûte trouver Dareon*, songea-t-il. *Il est membre de la Garde de Nuit, mon frère juré ; à nous deux, nous démêlerons ce qu'il convient de faire.* Ses forces avaient fui mestre Aemon, et Vère aurait été complètement perdue, ici, même sans la douleur qui l'égarait, mais Dareon… *Je ne devrais pas en penser du mal. Il pourrait avoir écopé d'un mauvais coup, ce qui expliquerait, le cas échéant, qu'il ne soit pas revenu. Il pourrait être mort, gisant au fond de quelque venelle dans une mare de sang, ou bien flottant à plat ventre dans l'un des canaux.* La nuit, les spadassins se pavanaient de par la ville dans leurs somptueux atours chamarrés, brûlant de prouver leur adresse à manier les fleurets qu'ils arboraient d'un air tellement faraud. Certains se battaient pour n'importe quelle raison, certains pour aucune du tout, et Dareon avait la langue bien pendue, prenait la mouche pour un rien, surtout quand il avait bu. *Comme s'il suffisait de chanter des batailles pour être capable d'en livrer ne serait-ce qu'une !*

Les auberges, bordels et brasseries les plus huppés se trouvaient dans les parages du port Pourpre et du Bassin de la Lune, mais Dareon préférait le port du Chiffonnier, où la pratique montrait plus d'aisance à parler la Langue Commune. Sam commença ses recherches par l'auberge de *L'Anguille verte*, par *Le Chalandier noir* et *Chez Moroggo*, tous lieux où le chanteur s'était déjà produit, mais il ne le trouva dans aucun des trois. Devant *La Maison des brumes* étaient amarrées plusieurs barques serpents, dans l'attente de clients éventuels, et Sam s'efforça bien de demander à leurs perchistes s'ils n'auraient pas vu un chanteur habillé de noir, mais ni les uns ni les autres ne comprirent son haut valyrien. *À moins qu'ils n'aient décidé de ne pas comprendre.* Il jeta un œil à l'intérieur du bistrot minable qui, tapi sous la deuxième arche du pont de Nabbo, pouvait tout au plus entasser dix personnes. Dareon ne faisait pas partie du lot. Il essaya ensuite à l'auberge du *Proscrit*, à *La Maison des sept lampes* et au bordel appelé *La Chattière*, où il fut accueilli par des regards louches, mais il y perdit sa peine.

En sortant, il faillit caramboler deux jeunes gens sous la lanterne rouge. L'un était très brun, l'autre blond. Le très brun dit quelque chose en braavien. « Je suis désolé, dut s'excuser Sam, je ne comprends pas. » Il s'écarta d'eux, la peur au ventre. Dans les Sept Couronnes, c'étaient les nobles qui se paraient de soieries, de velours et de brocarts aux mille nuances, alors que le petit peuple et les paysans étaient vêtus de laine brute et de bure brune grossière. À Braavos, il en allait tout autrement. Les spadassins se dandinaient, diaprés comme des paons, tout en tripotant leurs épées, tandis que les puissants s'habillaient en gris anthracite, en violet sombre, en bleu presque noir et en noir aussi ténébreux qu'une nuit sans lune.

« Mon ami Terro dit que tu es si gras que tu lui donnes envie de dégueuler, traduisit le spadassin blond, sanglé dans une jaquette mi-partie de velours vert et de brocart d'argent. Mon ami Terro dit que le ferraillement de ta rapière lui fout la migraine. » Il s'exprimait en Langue Commune. L'autre, le spadassin brun qui, manteau jaune et brocart lie-de-vin, devait être le dénommé Terro, fit un commentaire en braavien qui déchaîna l'hilarité de son copain blond. « Mon ami Terro, reprit celui-ci, dit que tu te nippes au-dessus de ta condition. Serais-tu quelque grand seigneur, pour t'autoriser le noir ? »

Sam aurait volontiers pris la fuite, mais tout présageait que, s'il le faisait, il s'empêtrerait aussitôt les pieds dans son baudrier. *Ne touche pas à ton épée*, s'enjoignit-il. Poser ne serait-ce qu'un doigt sur la poignée risquait de suffire pour que l'un ou l'autre des deux spadassins s'estime défié. Il se tortura la cervelle pour trouver des mots susceptibles de calmer le jeu. « Je ne suis pas… fut tout ce qu'il réussit à sortir.

— Il n'est pas un grand seigneur, intervint une voix d'enfant. Il est dans la Garde de Nuit, stupides butors que vous êtes. » Une petite fille se faufila dans la lumière, poussant une carriole pleine de varech ; une pauvre petite chose maigrichonne et dépenaillée perdue dans d'immenses bottes, aux cheveux hirsutes et crasseux. « Il y en a un autre, au *Havre heureux*, qui chante des chansons chez la Femme du Matelot », ajouta-t-elle pour la gouverne des spadassins. Avant de reprendre, pour celle de Sam, cette fois : « S'ils vous demandent quelle est la plus belle femme du monde, dites le Rossignol, ou ils vous provoqueront en duel. Est-ce que vous voulez m'acheter des palourdes ? J'ai vendu toutes mes huîtres.

— Je n'ai pas d'argent, dit Sam.

— Il n'a pas d'argent », se moqua le spadassin blond. Son copain brun se fendit d'un sourire jusqu'aux oreilles et dit quelque chose en braavien. « Mon ami Terro est gelé. Sois notre bon gros lard de pote, et donne-lui ton manteau.

— Ne faites pas ça non plus, s'interposa la petite à la carriole, ou alors ils vous réclameront vos bottes tout de suite après, et, de fil en aiguille, vous aurez vite fait de vous retrouver complètement à poil.

— Les petits chats qui miaulent trop fort finissent noyés dans les canaux, prévint le spadassin blond.

— Pas s'ils ont des griffes. » Et, tout à coup, il y eut un couteau dans la main gauche de la petite, un canif aussi chétif qu'elle. Le dénommé Terro marmonna quelque chose à son copain blond, et ils prirent tous deux le large en rigolant entre eux.

« Merci », dit Sam à la gamine, après que les spadassins se furent éloignés.

Le couteau disparut comme par enchantement. « Si vous portez une épée la nuit, cela signifie qu'on peut vous lancer un cartel. Est-ce que vous aviez *envie* de vous battre avec eux ?

— Non. » Le son couinant de sa dénégation fit grimacer Sam.

« Vous êtes vraiment dans la Garde de Nuit ? Je n'avais jamais vu de frère noir comme vous jusqu'ici. » Elle montra d'un geste la carriole. « Vous pouvez prendre les dernières palourdes, si ça vous tente. Maintenant qu'il fait noir, je ne trouverai personne pour les acheter. Vous êtes en route pour le Mur ?

— Pour Villevieille. » Il saisit une palourde cuite et la goba gloutonnement. « Nous sommes ici en transit. » La palourde était délicieuse. Il en engouffra une autre.

« Les spadassins ne cherchent jamais noise à qui n'a pas d'épée au côté. Même pas des cons de chamelle stupides comme Orbelo et Terro.

— Qui es-tu ?

— Personne. » Elle empestait le poisson. « J'ai été quelqu'un, mais plus maintenant. Vous pouvez m'appeler Cat, si ça vous amuse. Et vous, qui êtes-vous ?

— Samwell, de la maison Tarly. Tu parles la Langue Commune...

— Mon père était maître de nage à bord de la *Nyméria*. Un spadassin l'a tué pour avoir dit que ma mère était plus belle que le Rossignol. Pas l'un de ces cons de chamelle que vous avez croisés, un véritable spadassin. Un de ces jours, je lui couperai la gorge. Le capitaine a dit que la *Nyméria* n'avait pas besoin de petites filles et, du coup, il m'a débarquée. Brusco m'a recueillie et m'a confié une carriole. » Elle leva les yeux vers lui. « Quel est le navire qui vous emmène ?

— Notre passage est payé sur la *Dame Ushanora*. »

La petite le lorgna d'un air soupçonneux. « Elle est déjà partie. Vous n'êtes pas au courant ? Ça fait des jours et des jours qu'elle a appareillé. »

Je le sais, aurait-il pu répondre. Debout sur le quai, Dareon et lui avaient longuement regardé ses rames se lever, s'abaisser pendant qu'elle s'éloignait vers le Titan puis la haute mer. « Eh bien, avait dit le chanteur, voilà une affaire entendue. » Si Sam avait été moins lâche, il vous aurait balancé le chanteur dans l'eau. Parce que, pour jacasser d'effeuillage et de filles à poil, il avait, le chanteur, la langue mielleuse, mais c'était Sam qui, chose curieuse, avait fait tous les frais de la conversation dans la cabine du capitaine et qui s'était évertué à convaincre celui-ci de bien vouloir les attendre. « Ça fait déjà trois jours que j'attends votre vieux, avait riposté le Braavien. Mes cales sont pleines, et mes hommes ont tringlé leurs adieux à leurs femmes. Avec ou sans vous, ma *Dame* se tire avec la marée.

— Je vous en conjure, avait plaidé Sam, juste quelques jours de plus, c'est tout ce que je demande. Le temps de permettre à mestre Aemon de recouvrer des forces...

— Des forces ? Il n'en a plus du tout. » Le capitaine était venu à l'auberge la veille au soir se rendre compte par lui-même de l'état du mestre. « Il est âgé, malade, et je ne veux pas le voir mourir à bord de ma *Dame*. Restez avec lui ou abandonnez-le, moi, ça m'est éperdument égal. J'appareille. » Pire encore, il avait refusé de leur rembourser le prix du voyage, de rendre un seul sou de l'argent grâce auquel ils étaient censés atteindre Villevieille sans encombre. « Vous avez loué ma plus belle cabine. Elle est là, elle vous attend. Si vous décidez de ne pas l'occuper, tant pis pour vous, ce n'est pas ma faute. Pourquoi serait-ce à moi d'essuyer le manque à gagner ? »

À cette heure, nous pourrions être à Sombreval, songea Sam avec accablement. *Nous pourrions même avoir atteint Pentos, si les vents étaient favorables*.

Mais qu'est-ce que tout cela pouvait faire à la fillette à la carriole, hein ? « Tu as dit que tu avais vu un chanteur…

— Au *Havre heureux*. Il va se marier avec la Femme du Matelot.

— Se marier ?

— Elle ne couche qu'avec ceux qui l'épousent.

— Où se trouve ce *Havre heureux* ?

— En face du *Bateau guignol*. Je peux vous y amener.

— Je connais le chemin. » *Le Bateau guignol*, il l'avait remarqué. *Dareon ne peut pas se marier ! Il a prononcé les vœux !* « Il me faut te quitter. »

Il détala dare-dare. L'auberge se trouvait au diable, les pavés glissaient. Il ne fut pas long à souffler comme un bœuf, talonné par les claquements tapageurs de son grand manteau noir. Il était forcé, tout en galopant, d'avoir une main cramponnée à son baudrier. Le peu de gens qu'il rencontra le considéraient d'un œil ahuri, et un chat se cabra sur son passage en crachant tout ce qu'il savait. Quand il arriva devant *Le Bateau*, il titubait comme un ivrogne. *Le Havre heureux* lui faisait face, de l'autre côté de la rue.

À peine y fut-il entré, rouge et hors d'haleine, qu'une femme borgne lui jeta les bras autour du cou. « Lâchez-moi, lui dit-il, je ne suis pas ici pour ça. » Elle répondit en braavien. « Je ne parle pas cette langue », reprit-il en haut valyrien. Il y avait des chandelles allumées, et un feu crépitait dans la cheminée. Quelqu'un sciait des rengaines sur un violon, et il distingua deux filles qui virevoltaient autour d'un prêtre rouge en se tenant la main. La borgnesse lui pressa ses seins contre la poitrine. « Cessez donc ! je ne suis pas ici pour ça !

— *Sam !* retentit la voix familière de Dareon. « Yna, fiche-lui la paix, c'est Sam l'Égorgeur… Mon frère juré ! »

La borgnesse se décolla de lui, mais elle laissa une main posée sur son bras. L'une des danseuses lança : « Il peut m'égorger, si ça lui fait envie ! », et l'autre roucoula : « Tu crois qu'il me laisserait toucher son braquemart ? » Derrière elles était barbouillée sur le mur une galéasse violette dont l'équipage, exclusivement féminin, portait des cuissardes et rien d'autre. Un marin de Tyrosh ivre mort était écroulé dans un angle et ronflait dans sa phénoménale barbe écarlate. À un autre endroit, une vieille équipée de mamelles énormes tapait le carton avec un insulaire d'Été massif attifé de plumes amarante et noires. Au milieu de tout ça trônait Dareon, fourrageant du nez le cou de la femme assise sur ses genoux. Elle s'était affublée de son manteau noir.

« L'Égorgeur, appela le chanteur d'une voix avinée, viens çà, que je te présente à dame mon épouse. » Ses cheveux étaient d'une blondeur de miel, son sourire était chaleureux. « Je lui ai chanté des chansons d'amour. Les femmes fondent comme du beurre lorsque je chante. Et moi, comment pourrais-je résister à ce minois-là ? » Il lui bécota le nez. « Ma mie, donne un baiser à l'Égorgeur, il est mon frangin. » Quand elle se mit debout, Sam s'avisa qu'elle était toute nue sous le manteau. « Hé là ! ne va pas me peloter ma femme, maintenant, l'Égorgeur ! s'exclama Dareon en rigolant. Mais si tu es tenté par une de ses frangines, ne te gêne pas, fais comme chez toi. J'ai encore assez de pognon, je pense. »

Du pognon qui aurait pu nous acheter de la nourriture, songea Sam, *du pognon qui aurait pu nous acheter du bois pour que mestre Aemon reste bien au chaud.* « Qu'as-tu fait là ? Tu ne peux pas te *marier*. Tu as prononcé les vœux, tout autant que moi. Ce parjure pourrait te coûter la tête.

— Nous ne sommes mariés que pour cette seule et unique nuit, l'Égorgeur. Même à Westeros, personne ne vous fait payer de la tête cette bagatelle. Tu n'es jamais allé à La Mole déterrer les trésors enfouis ?

— Non. » Il s'empourpra. « Jamais je n'aurais…

— Et ta gueuse de sauvageonne, hein ? tu dois bien l'avoir baisée par-ci par-là… Toutes ces nuits dans les bois, blottis ensemble sous ton manteau, tu comptes me faire gober que tu ne la lui as pas fourguée dans la tirelire ? » D'un geste de la main, il lui désigna une chaise. « Assis, l'Égorgeur. Prends-toi une coupe de vin. Prends-toi une pute. Prends-toi les deux. »

Ce n'était pas d'une coupe de vin que Sam avait envie. « Tu avais promis de revenir avant le crépuscule. De rapporter de la nourriture et du vin.

— Est-ce de cette manière que tu as zigouillé l'Autre ? En le savonnant à mort ? » Dareon s'esclaffa. « C'est *elle* qui est ma femme, pas toi. Si tu ne veux pas boire un coup pour célébrer mon mariage, alors, dégage.

— Viens avec moi, dit Sam. Mestre Aemon s'est réveillé, et il souhaite savoir ce qu'il en est de ces dragons. Il parle d'étoiles saignantes et d'ombres blanches et de rêves… S'il nous était possible d'obtenir davantage de renseignements sur ces dragons, cela pourrait contribuer à le soulager. Aide-moi…

— Demain matin. Pas pendant ma nuit de noces. » Il se leva lourdement, prit son épousée par la main et, la tirant à sa suite, commença à se diriger vers l'escalier.

Sam lui barra le passage. « Tu as *juré*, Dareon. Tu as prononcé les vœux. Tu es censé être mon frère.

— À Westeros. Tu trouves que ça ressemble à Westeros, ici ?

— Mestre Aemon…

— … est en train de crever. Le zèbre de guérisseur pour lequel tu as flambé tout notre fric l'a bien dit. » Sa bouche avait pris un air dur. « Tape-toi une fille, ou fous le camp. Tu es en train de me bousiller mes noces.

— Je vais m'en aller, déclara Sam, mais toi, tu m'accompagneras.

— Non. J'en ai ma claque. Terminé, nous deux. Terminé, moi et le *noir.* » Il arracha le manteau qui voilait la nudité de sa future et le balança à la tête de Sam. « Là. T'as qu'à jeter cette guenille sur le vioque, ça le réchauffera peut-être un peu. Je vais plus en avoir besoin. Je vais plus porter que du velours, bientôt. L'année prochaine, je mettrai des fourrures et je boufferai... »

Sam le frappa.

Ce fut un geste irréfléchi. Sa main se leva, se reploya d'elle-même en un poing de fer qui écrabouilla la gueule du chanteur. Celui-ci poussa un juron, sa femelle à poil un cri strident, et Sam se rua sur Dareon et le culbuta par-dessus une table basse. Ils étaient à peu près de la même taille, mais lui pesait deux fois plus, et une telle colère le possédait que, pour une fois, il n'avait pas peur. Après lui avoir défoncé la figure et le ventre, il le prit à deux mains par les épaules et se mit à le marteler comme un fou. Quand Dareon lui emprisonna les poignets, il riposta par un coup de tête qui éventra la lèvre du chanteur et le fit lâcher prise, au dam immédiat de son pif. Quelque part, un type se fendait la poire, une bonne femme éructait des malédictions. Sam eut l'impression que l'affrontement se déroulait au ralenti, comme s'ils étaient deux mouches noires à se débattre engluées dans une goutte d'ambre. Là-dessus, quelqu'un le contraignit à se détacher de la poitrine de son adversaire. Ce quelqu'un-là, il le cogna salement aussi, et puis quelque chose de dur lui fracassa le crâne.

Quand il reprit conscience, il se trouvait dehors et volait tête la première à travers le brouillard. Le temps d'un demi-battement de cœur, il entrevit de l'eau noire au-dessous de lui. Puis le canal bondit à sa rencontre et lui souffleta la figure.

Il coula comme un caillou, comme un rocher, comme une montagne. L'eau lui noya les yeux, envahit son nez, sombre et froide et saumâtre. Lorsqu'il tenta d'appeler à l'aide, il engouffra une tasse supplémentaire. Ruant, suffoquant, il roula sur lui-même, les narines crevées par des flopées de bulles. *Nage*, se dit-il, *nage*. Le sel lui piqua les yeux quand il les rouvrit, l'aveugla. Il rejaillit à la surface juste un instant, prit une goulée d'air tout en flagellant désespérément les flots d'une main tandis que l'autre essayait de se cramponner à la paroi du canal. Mais les pierres étaient lisses et visqueuses, et il lui fut impossible d'y trouver prise. Il coula de nouveau.

Il sentait de plus en plus le froid de ses vêtements détrempés lui coller à la peau. Son baudrier lui dégoulina le long des jambes et lui entrava les chevilles. *Je vais me noyer*, songea-t-il, pris d'une panique noire et aveugle. Il se démena pour tenter de retrouver le chemin de la surface mais, au lieu de cela, sa tête alla heurter le fond du canal. *Je suis à l'envers*, comprit-il, *je suis en train de me noyer*. Quelque chose bougea sous l'une de ses mains affolées, quelque chose comme une anguille ou un poisson, qui lui glissa entre les doigts. *Je ne peux pas me noyer, mestre Aemon va mourir, sans moi, et Vère n'aura personne. Il faut que je nage, il faut que je…*

Il y eut un plouf retentissant, et puis quelque chose s'enroula autour de lui, sous ses aisselles et autour de sa poitrine. *L'anguille*, telle fut sa première idée, *l'anguille m'a attrapé, elle va m'entraîner au fond*. Il ouvrit la bouche pour hurler, l'eau s'y précipita de plus belle. *Me voilà noyé*, fut son ultime pensée. *Oh, bonté divine, me voilà noyé !*

Lorsqu'il rouvrit les yeux, il se trouvait allongé sur le dos, et un grand nègre des Îles d'Été lui pilonnait le bide avec des poings gros comme des jambons. *Arrêtez, vous me faites mal !* voulut-il crier, mais ses protestations se réduisirent à vomir de l'eau et à hoqueter. Il était trempé et grelottait, couché là sur les pavés dans une mare d'eau de canal. L'autre se remit à lui marteler l'estomac, et l'eau, cette fois, gicla de son nez. « Arrêtez, pantela Sam. Je ne me suis pas noyé. Je ne me suis pas noyé.

— Non. » Son sauveur se pencha sur lui, colossal, noir et dégoulinant. « Tu dois Xhondo beaucoup plumes. Eau bousillé Xhondo son manteau magnifique. »

C'était indéniable, constata Sam. Ruisselant, crotté, le manteau de plumes pendouillait lamentablement sur les épaules impressionnantes du Noir. « Je n'ai jamais eu l'intention de…

— … faire nage ? Xhondo a vu. Trop patauge et clabousses. Faudrait hommes gras flotter. » Il n'eut besoin que d'un seul de ses poings énormes pour le hisser sur ses pieds en l'agrippant par son doublet. « Xhondo second sur *La Brise cannelle*. Beaucoup langues il parle. Un peu. Dedans, Xhondo rire, te voir boxer le chanteur. Et Xhondo entendre. » Un large sourire s'épanouit sur sa figure. « Xhondo savoir pour ces dragons. »

JAIME

« J'avais espéré que vous auriez fini par en avoir désormais assez de cette abominable barbe. Tout ce poil vous fait ressembler à Robert. » Sa sœur avait laissé tomber son deuil en faveur d'une robe vert jade à manches de dentelle de Myr argentée. Elle portait en sautoir, au bout d'une chaîne d'or, une émeraude grosse comme un œuf de pigeon.

« La barbe de Robert était d'un noir de jais. La mienne a la couleur de l'or.

— De l'or ? Pas de l'argent, plutôt ? » Elle cueillit un poil sous le menton de Jaime et le tendit à la lumière. Il était gris. « Toute espèce de coloris est en train de fuir par chacun de vos pores, frère. Vous êtes devenu le fantôme de ce que vous étiez, une livide chose estropiée. Et, quoique exsangue à ce point, toujours accoutré de blanc. » Elle rejeta le poil d'une pichenette. « Je vous préfère en écarlate et or. »

Je te préfère toute mouchetée de soleil, des perles d'eau sur ta chair nue. Il brûlait de l'embrasser, de l'emporter dans sa chambre, de la jeter sur le lit… *Elle s'est baisé Lancel et Osmund Potaunoir et probablement Lunarion…* « Je vais conclure un marché avec vous. Relevez-moi de cette corvée, et mon rasoir est à vos ordres. »

Les lèvres de la reine se pincèrent. Elle avait bu du vin chaud épicé et fleurait la noix de muscade. « Vous vous permettez de marchander avec moi ? Me faut-il vous rafraîchir la mémoire sur votre vœu d'obéissance ?

— J'ai fait vœu de protéger le roi. Ma place est à ses côtés.

— Votre place est en quelque endroit qu'il lui plaise de vous envoyer.

— Tommen appose son sceau sur la moindre des paperasses que vous déposez devant lui. Il s'agit en l'occurrence de votre œuvre à vous, et c'est une absurdité. À quoi rime-t-il de nommer Daven au poste de Gardien de l'Ouest si vous n'avez aucune confiance en lui ? »

Cersei alla s'asseoir sous la fenêtre. Derrière elle s'apercevaient les ruines calcinées de la tour de la Main. « Pourquoi tant de répugnance, ser ? Auriez-vous perdu votre bravoure en même temps que votre main ?

— J'ai solennellement juré à lady Stark de ne plus jamais prendre les armes contre les Stark ou les Tully.

— Un serment prêté en état d'ébriété et l'épée sous la gorge.

— Comment puis-je assurer la défense de Tommen si je ne suis pas avec lui ?

— En défaisant ses ennemis. Père disait toujours qu'un coup d'épée prompt comme la foudre assurait une meilleure défense que n'importe quel bouclier. Non certes que j'en disconvienne, la plupart des coups d'épée requièrent une main… Mais il n'en reste pas moins que même un lion manchot peut inspirer la crainte. Je veux Vivesaigues. Je veux Brynden Tully mort ou enchaîné. Et il faut quelqu'un pour faire rentrer Harrenhal dans le rang. Nous avons le plus pressant besoin de Wylis Manderly, à supposer qu'il soit toujours vivant et prisonnier, mais la garnison n'a répondu à aucun de nos corbeaux.

— Ceux qui tiennent Harrenhal sont des hommes de Gregor Clegane, lui rappela Jaime. La Montagne avait une prédilection marquée pour les gens cruels et stupides. Je suis prêt à parier qu'ils auront boulotté vos corbeaux, vos dépêches et tout et tout dans la foulée.

— Et voilà pourquoi je vous expédie là-bas. Il se peut qu'ils vous boulottent aussi, frère valeureux, mais je suis persuadée que vous leur donnerez une indigestion. » Cersei lissa ses jupes. « J'entends confier le commandement de la Garde Royale à ser Osmund pendant votre absence. »

... elle s'est baisé Lancel et Osmund Potaunoir et probablement Lunarion, pour autant que je sache... « Ce n'est pas à vous qu'il appartient d'en décider. C'est ser Loras qui me suppléera ici.

— Est-ce une plaisanterie ? Vous connaissez mon sentiment à l'endroit de ser Loras.

— Si vous n'aviez pas envoyé Balon Swann à Dorne...

— Sa présence m'y était nécessaire. Il est impossible d'accorder la moindre créance à ces Dorniens. Leur serpent rouge s'est fait le champion de Tyrion, l'auriez-vous oublié ? Je ne laisserai pas ma fille à leur merci. Et je ne tolérerai *pas* que Loras Tyrell commande la Garde Royale.

— Ser Loras vaut trois hommes comme ser Osmund.

— Vos conceptions de la virilité se sont passablement modifiées, frère. »

Jaime sentit la moutarde lui monter au nez. « Exact, ser Loras ne louche pas sur vos nichons comme le fait ser Osmund, mais j'ai du mal à me figurer...

— Figurez-vous ça ! » Cersei le gifla.

Il n'avait même pas essayé de parer le coup. « Je vois qu'une barbe plus épaisse me sera nécessaire pour amortir les caresses de ma reine. » Il crevait d'envie de lui arracher sa robe et de transformer ses claques en baisers. Il l'avait déjà fait, du temps où il avait encore deux mains bien valides.

Les yeux de sa sœur étaient d'un vert glacial. « Vous feriez mieux de vous retirer, ser. »

... Lancel, Osmund Potaunoir et Lunarion...

« Êtes-vous aussi sourd qu'infirme ? Vous trouverez la porte derrière vous, ser.

— À vos ordres. » Il pivota sur ses talons et sortit.

Quelque part, les dieux se tenaient les côtes. Cersei n'avait jamais spécialement bien pris qu'on la contrarie, ça, il le *savait*. Des paroles plus enveloppées auraient pu la faire hésiter, mais, depuis quelque temps, sa seule vue le mettait en rogne.

Une partie de son être se réjouissait de quitter Port-Réal. Il n'appréciait pas du tout, mais alors du tout, la compagnie des imbéciles et des lèche-bottes qui entouraient Cersei. « Le Conseil des archi-restreints », les surnommait-on à Culpucier, d'après ce que rapportait ser Addam Marpheux. Quant au Qyburn... Il pouvait bien lui avoir sauvé la vie, il n'en demeurait pas moins un Pitre Sanglant. « Qyburn pue les cachotteries », avait-il mis Cersei en garde. Mais elle s'était bornée à rire, avant de répliquer : « Nous avons tous nos petites cachotteries, frère... »

... elle s'est baisé Lancel et Osmund Potaunoir et probablement Lunarion, pour autant que je sache...

Quarante chevaliers et autant d'écuyers l'attendaient devant les écuries du Donjon Rouge. La moitié d'entre eux était originaire de l'Ouest et des hommes liges de la maison Lannister, les autres d'anciens adversaires ralliés depuis peu, ce qui rendait passablement douteuse leur loyauté. Ser Dermot de Bois-la-Pluie porterait l'étendard de Tommen, Ronnet Connington le Rouge la blanche bannière de la Garde Royale. Un Paege, un Piper et un Dombecq devaient se partager l'honneur de servir d'écuyers au lord Commandant. « Maintenez vos amis sur vos arrières et vos ennemis là où vous pouvez les tenir à l'œil », lui avait un jour conseillé Sumner Crakehall. À moins que ce ne fût Père ?

Son palefroi était un bai rouge, son destrier un superbe étalon gris. Cela faisait bien des années qu'il n'avait plus donné de nom à aucun de ses chevaux ; il en avait trop vu périr au combat, et leur perte était plus douloureuse lorsqu'ils en portaient un. Mais lorsque le petit Piper s'était mis à appeler ceux-ci Honneur et Gloire, il avait trouvé ça amusant, et ces noms leur étaient restés. Gloire affichait un caparaçon écarlate, à la Lannister ; Honneur était bardé du blanc de la Garde. Josmyn Dombecq tint la bride du palefroi pendant que Jaime se mettait en selle. Il était maigre comme un javelot, il avait de longs bras et de longues jambes, des cheveux beigeasses et huileux, du duvet de pêche aux joues. Si son manteau sacrifiait à l'écarlate Lannister, son surcot arborait en revanche les dix grondins violets déployés sur champ jaune de sa propre maison. « Messire, demanda-t-il, vous sera-t-il besoin de votre nouvelle main ?

— Mettez-la, Jaime…, le pressa ser Kennos de Kayce. Saluez-en le petit peuple, ce sera lui offrir une histoire à raconter à ses enfants.

— Je pense que non », répondit-il à l'écuyer. Exhiber sous le nez des gens un trompe-l'œil d'or ne le tentait pas spécialement. *Laissons-les bader sur le moignon.* « Mais vous, ser Kennos, ne vous privez surtout pas de combler ma carence. Agitez les deux mains, gigotez même des deux pieds, si telle est votre fantaisie. » Il rassembla les deux rênes dans sa main gauche et fit volter sa monture. « Payne, lança-t-il pendant que la colonne se formait, vous chevaucherez à mes côtés. »

Ser Ilyn Payne se fraya passage pour le rejoindre, aussi incongru d'aspect qu'un mendiant dans un bal mondain. Sous sa chaîne de mailles, vétuste et rouillée, transparaissait un justaucorps de cuir bouilli crasseux. Ni son cheval ni lui ne s'étaient souciés d'héraldique, et son bouclier montrait tant de plaies et de bosses qu'il aurait fallu des yeux très perçants pour dire de quelle couleur il avait bien pu être initialement peint. Avec sa figure sinistre et les orbites caverneuses qui lui avalaient les yeux, il aurait pu passer pour l'incarnation même de la mort… de la mort qu'il avait du reste incarnée des années durant.

Terminé, cela. Ser Ilyn avait été la moitié du prix exigé par Jaime pour avaler docilement, comme un bon petit lord Commandant, les ordres de son roitelet de « neveu ». L'autre moitié n'étant autre que ser Addam Marpheux. « Il me les faut », avait-il déclaré à Cersei, et elle s'était rendue sans combat. *Probable qu'elle est enchantée de se voir débarrassée d'eux*. Ser Addam était un ami d'adolescence à lui, et le bourreau muet avait été la chasse gardée de leur père, s'il avait jamais été la chasse gardée de qui que ce soit. Payne était capitaine de la garde de la Main quand il s'était laissé aller à fanfaronner que c'était lord Tywin qui gouvernait les Sept Couronnes et qui dictait au roi ce qu'il avait à faire ou pas. Aerys Targaryen le lui avait fait payer de sa langue.

« Ouvrez les portes », ordonna Jaime, et le Sanglier répéta de sa voix de stentor : « *OUVREZ LES PORTES !* »

Lorsque Mace Tyrell s'était dirigé vers la porte de la Gadoue au son des tambours et des crincrins, des milliers de badauds bordaient les rues et l'acclamaient. Des gamins s'étaient joints à cette marche triomphale, allongeant tant bien que mal le pas, tête haute, pour l'accorder sur celui des soldats Tyrell, pendant que leurs sœurs faisaient pleuvoir par les fenêtres des flopées de baisers sur le défilé.

Rien de tel aujourd'hui. Quelques putains leur braillèrent au passage des propositions, un marchand de tourtes à la viande cria ses denrées. Sur la place Crépin, deux moineaux râpés haranguaient plusieurs centaines de petites gens, appelant la foudre sur la tête de tous les impies comme des adorateurs du démon. Tout ce joli monde s'écarta pour laisser passer la colonne mais en la regardant unanimement d'un air torve. « Ils aiment bien le parfum des roses, mais ils ne raffolent pas des lions, observa Jaime. Ma sœur serait sage d'en prendre note. » Ser Ilyn ne répondit rien. *Le compagnon de route idéal pour une longue trotte. Je vais me délecter de sa conversation*.

La majeure partie des troupes placées sous ses ordres l'attendait au-delà des remparts de la ville ; ser Addam avec ses patrouilleurs, ser Steffon Swyft avec le convoi du train, les cent de l'Escadron Sacré du vieux ser Bonifer le Généreux, les archers montés de Sarschamp, mestre Gulian avec quatre cages pleines de corbeaux, deux cents hommes de cavalerie lourde commandés par ser Flement Brax. Tout sauf des forces formidables, en définitive ; moins d'un millier d'hommes au total. Mais le nombre était la dernière chose dont on eût besoin devant Vivesaigues. Le château se trouvait déjà investi par une armée Lannister et par une armée Frey plus conséquente encore ; le dernier oiseau qui était parvenu à Port-Réal laissait entendre que les assiégeants éprouvaient des difficultés à s'approvisionner en vivres. Avant de se replier derrière ses murailles, Brynden Tully avait en effet tout ratiboisé dans la région.

Tout ratiboiser n'a pas dû le fatiguer beaucoup. D'après ce que Jaime avait vu du Conflans, c'était tout juste s'il y restait un champ non brûlé, une agglomération non saccagée, une vierge non dépucelée. *Et maintenant, voici que ma tendre sœur m'envoie terminer la besogne entamée par Amory Lorch et par Gregor Clegane*. Il trouvait décidément la pilule amère.

À si peu de distance de Port-Réal, la route Royale était aussi sûre que pouvait l'être n'importe quelle autre en des temps pareils, mais Jaime n'en chargea pas moins Marpheux et ses patrouilleurs d'éclairer la marche. « Je me suis laissé avoir à l'improviste par Robb Stark dans le Bois-aux-Murmures, dit-il. Pas question que ça se reproduise.

— Ma parole que non. » Marpheux était manifestement bien aise de se retrouver à cheval et d'avoir troqué le manteau d'or du Guet contre le manteau gris fumée de sa propre maison. « S'il advenait que le moindre ennemi pointe son nez dans un rayon de douze lieues, tu en seras prévenu sur-le-champ. »

Jaime avait donné la consigne sévère à ses surbordonnés de ne pas tolérer que quiconque s'écarte de la colonne sans son autorisation expresse. Il lui aurait autrement fallu supporter de voir, il ne le savait que trop, de nobles damoiseaux faire la course à travers la campagne en éparpillant le bétail et en piétinant les récoltes. Aux abords de la ville, on voyait encore des vaches et des moutons ; il y avait des pommes aux arbres et des baies dans les taillis, des plantations d'orge, d'avoine et de blé d'hiver ; des charrettes et des chars à bœufs sillonnaient la route. Plus loin, les choses seraient moins roses.

Chevaucher à la tête de ses troupes avec pour voisin le silencieux Payne finit par lui mettre un peu de baume au cœur. Le soleil lui chauffait le dos, et le vent feuilletait ses cheveux comme des doigts de femme. Lorsque Petit-Lou Piper survint au galop pour lui présenter un heaume plein de mûres, il en mangea une poignée puis dit au gamin de partager le reste avec ses collègues écuyers et avec ser Ilyn.

Ce dernier paraissait tout aussi à l'aise dans son mutisme que dans ses cuirs bouillis et sa chaîne de mailles rouillées. Le cliquetis des sabots de son hongre et le ferraillement de son épée dans le fourreau quand il modifiait son assiette en selle étaient les seuls sons qu'il émît. Sa figure grêlée de petite vérole avait beau demeurer lugubre et son regard aussi froid que la glace d'un lac hivernal, Jaime eut l'impression qu'il était content de venir. *Je lui ai laissé le choix*, se rappela-t-il. *Il aurait pu refuser mon offre et rester la Justice du Roi.*

Censée compenser la perte de sa langue au service de la maison Lannister, sa nomination à ce poste avait été un présent de noces fait à son beau-père par Robert Baratheon. Payne s'était révélé un bourreau splendide. Ses exécutions avaient toujours été proprement exemplaires, et rarissimes celles où il avait dû s'y reprendre à deux fois. En outre, il y avait dans sa taciturnité même quelque chose de terrifiant. Une adéquation si parfaite aux fonctions de Justice du Roi méritait de passer pour exceptionnelle dans les annales.

Une fois décidé à l'emmener, Jaime était allé le dénicher dans la tanière qu'il occupait, tout au bout de la promenade du Traître. L'étage supérieur de la grosse tour semi-circulaire était divisé en cellules assez confortables destinées à des prisonniers privilégiés, tels que chevaliers ou que menus seigneurs soumis à rançon ou susceptibles d'un échange. L'accès aux cachots proprement dits se situait au rez-de-chaussée, derrière une porte de fer martelé puis une seconde en bois gris fissuré. Dans les étages intermédiaires se trouvaient des pièces réservées à l'usage personnel du geôlier-chef, du lord Confesseur et de la Justice du Roi. La Justice était l'exécuteur des hautes œuvres, mais la tradition voulait qu'il eût aussi sous sa responsabilité tout le système carcéral ainsi que l'ensemble des personnels qui en assuraient la surveillance et le fonctionnement.

Or, ser Ilyn était singulièrement inapte à tenir ce dernier emploi. Comme il ne savait ni lire ni écrire et ne pouvait pas parler, il avait abandonné la gestion des cachots à ses subalternes, quels qu'ils fussent et tels qu'ils étaient.

En l'occurrence, le royaume n'avait plus de lord Confesseur depuis Dareon II. Quant au dernier geôlier-chef en date, un marchand de tissu, il avait acheté son office à Littlefinger sous le règne de Robert ; après en avoir sans doute fait son beurre durant quelques années, il avait commis la gaffe de conspirer avec quelques riches andouilles de son acabit pour conférer le Trône de Fer à Stannis ; « les Épois » étant le nom qu'ils s'étaient eux-mêmes finement décerné, Joffrey les avait pris au mot en leur faisant clouer des andouillers sur le crâne avant de les faire catapulter par-dessus les murs de la ville.

Et c'est ainsi qu'était finalement échu au sieur Rennifer Longzeaux, le sous-geôlier-chef bossu qui se targuait à longueur d'ennui d'avoir « une goutte de sang du dragon », l'insigne honneur de déverrouiller les portes d'accès aux cachots pour Jaime puis celui de lui faire grimper l'étroit escalier pratiqué dans l'épaisseur du mur pour le conduire à ce qui tenait lieu d'intérieur à ser Ilyn Payne depuis quinze ans.

Une odeur pestilentielle de nourriture avariée régnait dans les pièces, et la jonchée grouillait de vermine. À son entrée, Jaime faillit trébucher sur un rat. La grande épée de Payne reposait sur une table à tréteaux, en compagnie d'une pierre à aiguiser et d'un chiffon graisseux. La lame était immaculée, le tranchant bleuté de l'acier miroitait dans la lumière chiche, mais des monceaux de vêtements sales traînaient par terre au petit bonheur, et les pièces de mailles et d'armure éparpillées çà et là étaient rougies de rouille. Vanité enfin que de prétendre à un inventaire exhaustif des pichets de pinard brisés. *Le lascar se fout de tout sauf de tuer*, songea-t-il tandis que ser Ilyn émergeait d'une chambre à coucher d'où affluaient des relents de tinettes pis qu'à ras bord. « Sa Majesté m'ordonne de reconquérir son Conflans, lui avait annoncé Jaime. Je souhaiterais vous avoir avec moi… S'il ne vous est toutefois point trop odieux de renoncer à votre mode d'existence. »

Pour toute réponse, mutisme total et un long regard fixe, impassible. Mais, juste au moment où Jaime s'apprêtait à tourner les talons pour se retirer, Payne avait fini par lui condescendre un hochement de tête en guise d'assentiment.

... *Et le voici.* Il lui décocha un coup d'œil furtif. *Peut-être y a-t-il encore une lueur d'espoir pour nous deux.*

Ils établirent leur camp, ce soir-là, sous la colline que couronnait le château des Fengué. Pendant que le soleil menaçait de sombrer, une centaine de tentes poussèrent au pied du versant et sur les berges du ruisseau qui coulait à proximité. Jaime disposa lui-même les sentinelles. Il ne pensait pas avoir d'ennuis, si près de Port-Réal, mais son oncle Stafford ne s'était-il pas lui-même cru à l'abri de toute surprise, à Croixbœuf ? Tant valait ne prendre aucun risque.

En recevant du gouverneur du château de lady Fengué une invitation à souper, il décida d'emmener ser Ilyn, ainsi que ser Addam Marpheux, ser Bonifer Hastif, le Sanglier, Ronnet Connington le Rouge et une douzaine d'autres chevaliers et nobliaux. « Je suppose que je devrais m'affubler de la main », dit-il à Becq avant d'entreprendre l'ascension.

Le gamin s'empressa d'aller la lui quérir. Exécutée en or et imitée fort artistement, elle avait des ongles en nacre, les doigts et le pouce à demi reployés de manière à se glisser autour du pied d'une coupe. *Je ne saurais me battre, mais je puis boire*, se fit-il la réflexion, pendant que le jeune écuyer serrait les lanières qui ajustaient la prothèse au moignon. « À partir d'aujourd'hui, les gens vont vous appeler Main d'Or, messire », avait affirmé l'armurier en la lui arrimant au poignet pour la première fois. *Il se gourait. Je serai le Régicide jusqu'à ma mort.*

La main d'or suscita mille et un commentaires émerveillés tout le long du repas, du moins jusqu'au moment où Jaime envoya valdinguer son gobelet de vin. Le surcroît de mauvaise humeur qu'il en conçut lui permit de donner le meilleur de lui-même. « Si ce putain de truc vous inspire tant d'admiration, coupez donc votre propre main d'épée tout de suite, et il est à vous », assena-t-il à Flement Brax. Il ne fut plus dès lors question de la chose, ce qui lui permit désormais, à défaut de mieux, de biberonner en toute tranquillité.

Lannister de par son mariage, la dame de céans, lady Ermesande, n'était qu'un bambin grassouillet. Elle avait un an lorsqu'on l'avait donnée pour épouse au cousin Tyrek. On la soumit à leur extase en la leur faisant trottiner sous le nez, toute troussée dans une robe minuscule de brocart d'argent sur laquelle d'imperceptibles perles de jade représentaient les entrelacs de cotices vert sombre et les ondulations vert clair des armoiries Fengué. Mais elle ne tarda guère à se mettre à brailler, et sa nourrice ne fut pas plus longue à l'évacuer pour la mettre au lit.

« Auriez-vous eu des nouvelles de notre lord Tyrek, messire ? interrogea le gouverneur pendant que l'on servait une platée de truites.

— Aucune. » Tyrek Lannister s'était littéralement volatilisé pendant les émeutes de Port-Réal, alors que Jaime croupissait encore dans les geôles de Vivesaigues. À supposer qu'il fût toujours vivant, il devait avoir à présent quatorze ans révolus.

« Les investigations que j'ai dirigées personnellement, sur ordre de lord Tywin, précisa ser Addam tout en dépiautant son poisson, n'ont rien apporté de plus que les précédentes, menées par Prédeaux. Lorsqu'on l'a vu pour la dernière fois, le garçon se trouvait à cheval, et la haie des manteaux d'or cédait sous la poussée de la populace. Par la suite..., eh bien, son palefroi a certes été retrouvé, mais lui non. Le plus probable semblerait qu'il ait été jeté à terre et massacré mais, dans ce cas, qu'est-il advenu de son corps ? La foule avait abandonné sur place les autres cadavres, pourquoi pas le sien ?

— Il avait plus de valeur en vie…, suggéra le Sanglier. Un Lannister, ça se rançonne gros.

— Assurément, convint Marpheux, mais aucune demande de rançon n'a jamais été formulée. Le petit gars s'est tout bonnement fait la malle.

— Le petit gars est mort. » Jaime avait descendu trois coupes de vin, et sa main d'or lui faisait maintenant l'effet d'être en train de devenir tout à la fois plus lourde et plus encombrante. *Un crochet ferait aussi bien l'affaire.* « Si les meurtriers ont compris qui était leur victime, sans doute l'ont-ils flanqué dans la rivière pour se soustraire à la vindicte de mon père. On en connaît le goût, à Port-Réal. Lord Tywin payait toujours ses dettes.

— Toujours », acquiesça le Sanglier, et le sujet fut clos.

À ceci près qu'ensuite, une fois seul dans la chambre de tour qu'on lui avait offerte pour la nuit, Jaime se surprit à le remâcher. Tyrek avait servi le roi Robert en qualité d'écuyer, de conserve avec Lancel. La connaissance pouvait être plus précieuse que l'or et plus mortelle qu'un poignard. En se disant cela, c'était à Varys qu'il pensait, à ses petites risettes et à ses relents de lavande. Avec tous les mouchards et tous les agents dont il disposait dans le moindre coin de la ville, ç'aurait été un jeu d'enfant pour l'eunuque que de manigancer le rapt de Tyrek à la faveur de la confusion… Pourvu toutefois qu'il sût par avance que la populace risquait de se soulever. *Et Varys savait tout, ou du moins tenait-il à nous le faire accroire. Toujours est-il qu'il n'avait pas adressé l'ombre d'une mise en garde à Cersei concernant cette émeute. Et qu'il n'était pas non plus descendu au port pour assister au départ de Myrcella…*

Il ouvrit les volets. Le froid de la nuit s'avivait, et un croissant cornu de lune cavalait au ciel. Sa main luisait dans la pénombre de manière assez peu joviale. *Bonne à rien pour vous étrangler de l'eunuque, mais suffisamment lourde pour métamorphoser ce gluant sourire en une bouillie du rouge le plus galant.* L'envie le démangeait de cogner quelqu'un.

Il trouva ser Ilyn en train d'affûter sa lame. « C'est le moment », lui dit-il. Le bourreau se leva et lui emboîta le pas. Ses bottes de cuir craquelé crissaient sur les marches de pierre abruptes pendant qu'ils descendaient. Une petite cour ouvrait sur l'armurerie. Jaime dénicha dans la pièce deux boucliers, deux demi-heaumes et une paire d'épées de tournoi mouchetées. Il en offrit une à Payne, saisit l'autre dans sa main gauche tout en faufilant la droite dans les courroies du bouclier. Les doigts d'or étaient suffisamment recourbés pour les crocheter, mais comme ils ne pouvaient se refermer dessus, son emprise sur le bouclier demeurait fatalement lâche. « Vous avez été chevalier jadis, ser, déclara-t-il. Moi aussi. Voyons ce que nous sommes à présent. »

Ser Ilyn leva sa lame en guise de réponse, et Jaime se rua aussitôt à l'attaque. Payne était aussi rouillé que sa chaîne de mailles et moins monstrueusement costaud que Brienne, mais il para chacun des coups, soit avec son propre fer, soit avec son bouclier. Ils dansaient sous la lune cornue tout en faisant chanter la chanson de l'acier à leurs fleurets inoffensifs. Après s'être contenté pendant un bon moment de laisser Jaime mener le bal, le chevalier silencieux se mit finalement à rendre coup pour coup. Puis il opta pour l'offensive et, dès lors, il atteignit successivement Jaime à la cuisse, à l'épaule et à l'avant-bras. Par trois fois, il lui fit sonner le crâne en taillant au heaume. D'un revers, il lui arracha son bouclier, ce qui manqua faire péter les lanières qui maintenaient la main d'or en place sur le moignon. Tant et si bien que, lorsque, en fin de compte, ils abaissèrent leurs épées, Jaime se retrouva moulu et couvert de bleus, mais les vapeurs du vin s'étaient dissipées, et il avait la tête claire. « Nous remettrons ça, promit-il à ser Ilyn. Demain, et après-demain. Nous redanserons chaque jour jusqu'à ce que je sois aussi habile avec ma main gauche que je l'ai jamais été avec la droite. »

Ser Ilyn ouvrit la bouche et produisit une espèce de clappement. *Un rire*, comprit subitement Jaime. Et quelque chose se tordit dans ses tripes.

Le matin venu, aucun des autres n'eut la hardiesse ne serait-ce que de piper mot de ses ecchymoses. À croire que pas un d'entre eux n'avait entendu le chant nocturne des épées. Toutefois, pendant qu'on redescendait vers le camp, Petit-Lou Piper proféra la question que chevaliers et nobliaux n'osaient pas poser. Jaime lui fit un grand sourire. « Ils t'ont des garces d'un goulu, ces sacrés Fengué ! Ce que tu vois là, mon gars, ce sont des morsures amoureuses. »

À une nouvelle journée magnifique, ébouriffante de bourrasques, succédèrent une journée nuageuse puis trois journées de pluie. Averses et vent, ce fut égal. La colonne maintenait son allure, droit au nord sur la route Royale, et, chaque nuit, Jaime se débrouillait pour découvrir un coin discret où s'offrir son petit supplément personnel de morsures amoureuses. Ser Ilyn et lui se battirent dans une écurie sous l'œil d'une mule borgne, puis dans le cellier d'une auberge, environnés de futailles de bière et de vin. Ils se battirent dans la coquille calcinée d'une vaste grange de pierre, sur une île boisée tapie au creux d'un ruisseau, puis au beau milieu d'un champ nu comme la main et où la pluie crépitait doucement sur leurs demi-heaumes et leurs boucliers.

Jaime avait beau multiplier les prétextes pour justifier ses escapades nocturnes, il ne poussait pas la candeur jusqu'à se figurer qu'on le croyait sur parole. Son vieux copain Marpheux savait de quoi il retournait, sûrement, et quelques-uns de ses autres capitaines devaient plus ou moins s'en douter. Mais personne ne s'aventurait à en parler quand il se trouvait à portée d'oreille… et comme l'unique témoin n'avait pas de langue, au moins pouvait-il se dispenser de craindre que quiconque apprenne quel pitoyable homme d'épée le Régicide était devenu.

Les symptômes de la guerre furent bientôt visibles de toutes parts. Hautes à enfouir un cheval jusqu'aux oreilles, les ronces, les folles herbes et les broussailles poussaient dans des champs où les blés d'automne auraient dû être en train de mûrir, les voyageurs avaient totalement déserté la route Royale, et des loups régnaient sans partage du crépuscule à l'aube sur le monde accablé. La plupart d'entre eux demeuraient assez circonspects pour garder leurs distances, mais l'un des patrouilleurs de ser Addam avait eu sa monture prise en chasse et massacrée le temps de mettre pied à terre pour pisser un coup. « Aucune bête sauvage n'aurait un pareil culot », déclara ser Bonifer le Généreux, dont l'austère et triste physionomie en faisait tout sauf un plaisantin. « Il s'agit là de démons déguisés en loups et crachés par l'enfer en châtiment de nos péchés.

— Ce bourrin devait être alors un pécheur de première bourre », dit Jaime, planté devant ce qui restait du pauvre animal. Il ordonna de découper les vestiges de la carcasse et de les saler ; on aurait peut-être besoin de viande, un jour ou l'autre.

Dans un bled appelé Cornetruie, ils déterrèrent un certain ser Roger Verraz, vieux dur à cuire de chevalier qui s'opiniâtrait à croupir dans sa tour avec six hommes d'armes, quatre arbalétriers et une vingtaine de paysans. Il était aussi gros et couvert de soies rêches que son patronyme, et ser Kennos suggéra qu'il pourrait bien être un rejeton perdu des Crakehall, eu égard au fait que leur emblème était un sanglier tacheté. Le Sanglier parut trouver la chose crédible et passa une bonne heure à questionner leur hôte sur ses ancêtres.

Jaime se montra plus intéressé par ce que Verraz avait à dire à propos des loups. « On a eu des emmerdes avec une bande d'eux, des loups qu'avaient l'étoile blanche, lui confia le vieux chevalier. Les voilà qui se pointent dans le coin, flairant après vous, messire, mais on les a virés vite fait bien fait, même qu'y en a trois d'ensevelis pas loin des navets. Avant, ç'avait été un paquet de lions, sauf votre respect. Même que celui qui les conduisait, il avait une manticore sur son bouclier.

— Ser Amory Lorch, lui précisa Jaime. Le seigneur mon père l'avait chargé de ravager le Conflans.

— Qu'on en fait pas partie, nous, protesta vigoureusement ser Roger Verraz. Je dois ma féauté à la maison Fengué, et lady Ermesande ploie son petit genou à Port-Réal, ou bien le fera quand elle sera assez vieille pour savoir marcher. J'y ai bien dit, à Lorch, mais écouter, c'était pas son fort. Il m'a massacré la moitié des moutons et trois bonnes chèvres laitières, et même qu'il a essayé de me rôtir dans ma tour. Seulement, mes murs sont en pierre massive, et ils ont huit pieds d'épaisseur, alors, quand son feu a été consumé, ça l'a barbé, et il a décampé. Les loups sont venus plus tard, ceux sur quatre pattes. Et ils m'ont bouffé les moutons que la manticore m'avait pas tués. Je me suis pris quelques bonnes fourrures pour le dommage, mais la fourrure, ça vous remplit pas le ventre. Qu'est-ce qu'il faudrait faire, messire ?

— Semer, répondit Jaime, et prier pour une dernière moisson. » Cette réponse n'avait rien de très réconfortant, mais c'était la seule qu'il eût.

Le lendemain, la colonne franchit le cours d'eau qui marquait la frontière entre les terres qui reconnaissaient l'autorité de Port-Réal et celles qui dépendaient de Vivesaigues. Après avoir consulté une carte, mestre Gulian annonça que les collines qu'on avait devant soi étaient tenues par les deux frères Guède, chevaliers fieffés vassaux d'Harrenhal… Mais *leurs* demeures n'ayant été bâties que de torchis et de colombages, il n'en restait en tout et pour tout qu'un fouillis de poutres carbonisées.

Aucun des Guède ne se montra, pas plus que le moindre de leurs humbles ressortissants, mais, sous le manoir du second frère, le cellier à betteraves se révéla abriter une poignée de hors-la-loi. L'un d'entre eux portait un manteau écarlate en haillons, mais Jaime le fit pendre comme ses compères. Il en éprouva une véritable satisfaction. Ça, c'était de la justice. *Fais-en ton habitude, Lannister, et il se pourrait qu'un jour on t'appelle Main d'Or, en définitive. Main d'Or le Juste.*

Au fur et à mesure qu'ils se rapprochaient d'Harrenhal, le monde devenait de plus en plus gris. Ils chevauchaient sous des ciels d'ardoise, ils longeaient des eaux dont les miroitements étaient aussi ternes et froids qu'une vieille plaque d'acier battu. Jaime se surprit à se demander si Brienne avait emprunté ce même itinéraire avant lui. *Si elle a pensé que Sansa s'était fixé Vivesaigues pour destination…* On aurait croisé d'autres voyageurs qu'il aurait pu les arrêter pour apprendre si d'aventure ils n'avaient pas vu une jolie jouvencelle à cheveux auburn ou une grande bringue moche à faire cailler le lait. Mais il n'y avait pas âme qui vive à courir les routes, en dehors des loups, et leurs hurlements ne contenaient pas de réponses.

Par-delà les eaux anthracite du lac se distinguèrent enfin les tours de l'extravagante forteresse édifiée par Harren le Noir, tels cinq doigts difformes et tordus de pierre noire griffant les nues. On avait eu beau l'affubler du titre de sire d'Harrenhal, Little finger ne semblait pas du tout pressé de venir occuper sa nouvelle résidence et, du coup, c'était à Jaime Lannister qu'était incombée la corvée d'y « faire le ménage » en se rendant à Vivesaigues, puisqu'il passait par là.

Que ce ménage-là fût indispensable, il n'en doutait certes pas. Avant que Cersei ne le rappelle d'urgence à Port-Réal, ser Gregor Clegane avait arraché le monstrueux château lugubre aux Pitres Sanglants. Ses sbires devaient encore mener un sabbat d'enfer là-dedans comme autant de pois secs à l'intérieur d'une armure de plates, mais ils n'étaient pas forcément pourvus des vertus idéales pour restaurer la paix du roi dans le Trident. L'unique paix dont la clique de la Montagne eût jamais fait présent à quiconque était la paix du tombeau.

Conformément au rapport fait par les éclaireurs de ser Addam, les portes d'Harrenhal étaient closes et barrées. Jaime mena sa troupe devant elles et donna l'ordre à ser Kennos de Kayce de sonner la Trompe de Sarocq, tout en méandres noirs et cerclée de vieil or.

Une troisième sommation venait de rebondir contre les remparts quand leur parvint le grincement de gonds de fer, et les battants s'ouvrirent avec lenteur. Les murailles de la « folie » d'Harren le Noir étaient d'une telle épaisseur que Jaime passa sous une douzaine d'assommoirs avant d'émerger subitement en pleine lumière dans la cour où il avait fait ses adieux aux Pitres Sanglants, il n'y avait pas si longtemps que cela, somme toute... Tout durci qu'il était, le sol de terre battue était envahi de mauvaises herbes, et des mouches bourdonnaient sur la charogne d'un cheval.

Une poignée des gens de ser Gregor sortirent des tours pour le regarder démonter ; des types aux yeux durs, à la bouche dure, tous tant qu'ils étaient. *Durs, ils avaient intérêt à l'être, pour chevaucher avec la Montagne*. À la rigueur, le meilleur compliment qu'on pouvait décerner aux acolytes de Clegane, c'est qu'ils n'étaient pas un ramassis de canailles tout à fait aussi viles et aussi barbares que les Braves Compaings. «'culez-moi, merde… Jaime Lannister ! lâcha un homme d'armes verdâtre et grisonnant. C'est le putain de Régicide qu'on a la visite, les mecs. 'culez-moi, merde, avec une pique !

— Et tu serais qui, toi ?

— Ser m'appelait Bouche-à-merde, si qu'ça plaît m'sire. » Il cracha dans ses mains puis s'en torcha les joues, comme si cela risquait de le rendre plus présentable.

« Charmant. C'est toi qui commandes ici ?

— Moi ? Merde non. M'sire. Foutez-me-la, la foutue pique au cul ! » Bouche-à-merde avait la barbe assez crottée pour nourrir toute la garnison. Jaime ne put s'empêcher d'en rire. L'autre prit cela pour un encouragement. « Foutez-me-la, la foutue pique au cul ! répéta-t-il en se mettant à rire aussi.

— Vous l'avez entendu, dit Jaime à Payne. Trouvez-moi une belle pique bien longue, et enfoncez-la-lui jusqu'au fin fond du cul. »

Ser Ilyn n'avait pas de pique, mais Jon Bettley l'Imberbe se fit un plaisir de lui en lancer une. Du coup, le rire soûl de Bouche-à-merde s'arrêta court. « T'approches pas de moi ce putain d'machin…

— Décide-toi, lui intima Jaime. Qui est-ce qui commande ici ? Ser Gregor a désigné un gouverneur ?

— Polliver, répondit un autre lascar. Seulement, le Limier l'a tué, m'sire. Lui et le Titilleur, tous les deux, plus ce petit Sarschamp. »

Encore le Limier. « Vous êtes sûrs que c'était Sandor ? Vous l'avez vu ?

— Pas nous, m'sire. C'est l'aubergiste qui nous a dit.

— Cela s'est passé à l'auberge du carrefour, messire. » Celui qui venait de prendre la parole était un homme plus jeune pourvu d'une crinière blond-roux. Il s'était adjugé le collier de pièces qui avait appartenu à Varshé Hèvre, dans le temps ; des pièces originaires d'une centaine de cités lointaines, des pièces d'or, d'argent, de cuivre et de bronze, des pièces rondes et des pièces carrées, des triangulaires, des pièces en forme d'anneau, des pièces faites d'un morceau d'os.

« L'aubergiste a juré ses grands dieux que l'homme avait tout un côté de la figure brûlé. Ses putes ont raconté la même chose. Sandor avait un mioche avec lui, une espèce de petit rustaud dépenaillé. Après avoir mis en pièces Polly et le Titilleur, une vraie boucherie, là, ils sont remontés à cheval et partis vers l'aval du Trident, à ce qu'on nous a dit.

— Vous avez envoyé des hommes à leur poursuite ? »

Bouche-à-merde grimaça comme s'il lui était pénible d'y repenser. « Non, m'sire. Enculez-nous tous, on l'a jamais fait.

— Lorsqu'un chien devient dingue, on lui tranche la gorge.

— Ben…, dit l'autre en se frottant la bouche, j'ai jamais bien aimé Polly, c'te merde, et puis quoi, le chien, il était le frangin à Ser, alors…

— On est des minables, messire, l'interrompit l'homme au collier de pièces, mais il faudrait être complètement cinglé pour affronter le Limier. »

Jaime l'examina. *Plus hardi que les autres, et moins ivre que Bouche-à-merde.* « Vous avez eu peur de lui.

— Je ne dirais pas *peur*, messire. Je dirais qu'on l'a laissé pour plus fortiche que nous autres. Pour quelqu'un comme Ser. Ou comme vous. »

Moi, quand j'avais deux mains. Il ne se faisait aucune illusion. Désormais, Sandor lui ferait la peau le temps de dire ouf. « Tu as un nom ?

— Rafford, si l'on veut. La plupart m'appellent Raff.

— Raff, tu me rassembles la garnison dans la salle aux Cent Cheminées. Vos prisonniers également. Je vais avoir besoin de les voir. Ces putains du carrefour aussi. Oh, puis Hèvre, encore. La nouvelle de sa disparition m'a bouleversé. J'aimerais contempler sa tête. »

Quand on la lui apporta, il s'aperçut que les lèvres avaient été découpées, ainsi que les oreilles et la plus grande partie du nez. Les corbeaux s'étaient repus des yeux. La Chèvre de Qohor n'en demeurait pas moins identifiable. Jaime aurait reconnu n'importe où sa barbe entre mille ; un absurde filament de poils long de deux pieds qui pendouillait au bout d'un menton pointu. À cela près, le crâne n'était plus paré que de quelques bribes de bidoche racornies. « Où se trouve le reste ? » interrogea Jaime.

La question fit manifestement renâcler tout le monde. À la fin, Bouche-à-merde marmonna, les yeux baissés : « Pourri, ser. Et bouffé.

— Vu qu'un des prisonniers n'arrêtait pas de réclamer de la nourriture, admit Rafford, alors, Ser a dit de lui donner de la chèvre rôtie. Mais, il faut le reconnaître, Varshé n'avait pas beaucoup de viande sur lui. Ser a pris les mains et les pieds, pour commencer, puis les bras et les jambes.

— C'est c't enculé de gros lard qu'a eu le plus gros, m'sire, ajouta Bouche-à-merde, mais Ser, il a dit que les autres prisonniers fallaient avoir aussi le goût. Et le Hèvre aussi, de son lui à lui. C'fils de pute, c'qu'y bavait, quand on l'f'sait becter, sans parler qu'y s'foutait du jus plein ses trois poils de barbe. »

Père, songea Jaime, *vos chiens sont devenus tous les deux déments.* Le souvenir l'assaillit brusquement des histoires dont on avait bercé son enfance, à Castrai Roc, et d'après lesquelles lady Lothston, atteinte de folie furieuse, prenait des bains de sang et présidait à des festins de chair humaine à l'intérieur de ces mêmes murs d'Harrenhal.

Allez savoir comment, la vengeance avait désormais perdu sa saveur. « Emporte-moi ça, et va le flanquer dans le lac. » Il jeta la tête de Hèvre à Becq et se détourna pour s'adresser à la garnison. « À dater de ce jour et jusqu'à ce que lord Petyr vienne faire valoir ses droits, ser Bonifer Hastif tiendra Harrenhal au nom de la Couronne. Libre à ceux d'entre vous qui le souhaiteraient de s'enrôler dans ses rangs, sous réserve qu'il consente à les prendre. Les autres m'accompagneront à Vivesaigues. »

Les hommes de la Montagne s'entre-regardèrent. « On nous doit, fit l'un d'eux. Ser nous a promis. Des riches récompenses, il a dit.

— Ses prop'es mots, abonda Bouche-à-merde. "*Des riches récompenses pour ceusses qui marchent avec ma pomme.*" » Une douzaine de ses compères se mirent à maugréer leur assentiment.

Ser Bonifer brandit une main gantée. « Tout homme qui reste avec moi aura un lopin de terre à travailler, un deuxième lopin quand il se mariera, et un troisième à la naissance de son premier gosse.

— D'la terre, ser ? » Bouche-à-merde cracha. « Mon cul, ouais. Si qu'on avait eu envie de s'faire chier à gratter c'te putain d'gadoue, ben merde alors, on avait foutredieux qu'à rester à la maison, mes esscuses, ser. *Des riches récompenses*, qu'il a dit, Ser. Que ça voulait dire de l'or, quoi.

— Si vous vous estimez lésés, allez à Port-Réal faire part de vos doléances à ma chère sœur. » Jaime se tourna vers Rafford. « Je vais voir ces prisonniers, maintenant. À commencer par ser Wylis Manderly.

— Le gros lard, c'est ça ? demanda Rafford.

— Je l'espère de tout mon cœur. Et ne va me déballer des détails navrants pour me faire avaler sa mort, ou c'est vous qui serez navrés, tous tant que vous êtes. »

Tous les espoirs qu'il avait pu nourrir de découvrir Zollo, Pyg ou Huppé le Louf en train de croupir dans les cachots furent, hélas, désappointés. Les Braves Compaings avaient abandonné Harshé Hèvre comme un seul homme, apparemment. Des gens de lady Whent, il en restait seulement trois – le cuistot qui avait ouvert la porte de la poterne à ser Gregor, un armurier cassé en deux nommé Ben Poucenoir, et la fille appelée Pia qui était loin d'être aussi mignonne que la dernière fois où Jaime l'avait vue. Quelqu'un lui avait cassé le nez et massacré la moitié des dents. Dès qu'elle aperçut Jaime, elle se jeta à ses pieds, sanglotante, et lui étreignit la jambe avec une force hystérique jusqu'à ce que le Sanglier l'arrache de là. « Plus personne ne te brutalisera », lui affirma-t-il, mais sans que cette assurance ait d'autre résultat que de la faire sangloter encore plus violemment.

Les autres prisonniers avaient été mieux traités. Ser Wylis Manderly se trouvait des leurs, ainsi que plusieurs autres Nordiens de haute naissance capturés par la Montagne au cours des combats sur les gués du Trident. De précieux otages, et susceptibles de rapporter une grasse rançon. Ils étaient tous en haillons, hirsutes et crasseux, et certains avaient des ecchymoses toutes fraîches, des dents brisées, des doigts en moins, mais leurs blessures avaient été nettoyées et pansées, et aucun d'entre eux n'avait crevé de faim. Quitte à se demander s'ils avaient la plus petite idée de ce qu'on leur avait fait manger, Jaime trouva inopportun de les cuisiner sur ce point.

Leur belle arrogance les avait quittés. Ser Wylis surtout, qui, l'œil morne et cireux, ressemblait à un tonneau de suif surmonté d'une face broussailleuse tout en bajoues flasques. En apprenant de la bouche de Jaime qu'on allait l'escorter jusqu'à Viergétang puis l'y embarquer pour Blancport, il s'affala comme une chiffe molle et se mit à sangloter plus fort et longuement que ne l'avait fait

Pia. Il fallut quatre hommes pour le rehisser sur ses pieds. *Trop de chèvre rôtie*, songea Jaime. *Bons dieux, ce que je peux haïr ce putain de château !* En ses trois cents ans d'existence, Harrenhal avait été le témoin de plus d'abominations que Castral Roc en trois mille.

Il ordonna d'allumer des feux dans la salle aux Cent Cheminées et renvoya le cuistot clopin-clopant à ses fourneaux préparer un repas chaud pour les hommes de sa colonne. « N'importe quoi, sauf de la chèvre. »

Pour sa part, il soupa dans la salle du Veneur en compagnie de ser Bonifer Hastif qui, non content de sa dégaine solennelle de cigogne, se complaisait à assaisonner ses discours d'invocations aux Sept. « Je ne veux aucun des affidés de ser Gregor », déclara-t-il tout en découpant une poire aussi parcheminée que lui-même, et ce avec autant de circonspection que si l'absence totale de jus risquait de tacher son impeccable doublet violet sur lequel était brodée la cotice blanche de sa maison. « Je ne tolérerai pas d'avoir à mon service des pécheurs pareils.

— Mon septon disait volontiers que tous les hommes étaient des pécheurs.

— Il n'avait pas tort, concéda ser Bonifer, mais il est tels péchés qui sont plus noirs que tels autres et plus fétides aux narines des Sept. »

Et vous n'avez pas plus de nez que mon petit frère, parce que le parfum de mes péchés personnels devrait vous faire dégobiller sur votre poire. « Très bien. Je vous débarrasserai de la bougraille de Gregor. » Il ne serait jamais en peine de trouver à utiliser des combattants. Ne serait-ce qu'en les envoyant les premiers grimper aux échelles, s'il se voyait finalement contraint à prendre d'assaut les murailles de Vivesaigues.

« Emmenez la putain par la même occasion, le pressa le cagot. Vous voyez qui je veux dire… La fille des cachots.

— Pia. » Lors de son dernier séjour ici, Qyburn s'était imaginé lui faire plaisir en la lui fourrant dans son lit. Mais la Pia qu'on avait remontée des geôles n'avait plus rien à voir avec la créature douce et rieuse qui s'était glissée sans chichis sous ses couvertures. Elle avait commis la gaffe de papoter quand ser Gregor voulait qu'on se taise, et le poing maillé du colosse avait fusé démolir le minois, bousillant tout, quenottes et petit nez mignon. Il aurait fait pire ensuite, sans doute, si Cersei ne lui avait enjoint de revenir à Port-Réal pour affronter le dard de la Vipère Rouge. Jaime n'allait pas le pleurer. « Pia est née dans ce château, dit-il à son vis-à-vis. C'est le seul chez-soi qu'elle ait jamais connu.

— Elle est une source de corruption, s'entêta l'autre. Je ne souffrirai pas qu'elle rôde autour de mes hommes, à exhiber son… ses parties intimes.

— Je crains que son temps d'exhiber ne soit révolu, répondit Jaime, mais si vous la trouvez tellement scandaleuse, je la prendrai. » Il pourrait la consacrer à la lessive, supposa-t-il. Ses écuyers ne voyaient aucun inconvénient à dresser sa tente, à soigner son cheval, à fourbir son armure, mais s'occuper de ses vêtements les offusquait comme une tâche peu virile. « Vous est-il possible de tenir Harrenhal uniquement avec vos Cent de l'Escadron Sacré ? » reprit-il. On aurait plutôt dû les appeler les Quatre-Vingt-Six, puisqu'ils avaient perdu quatorze des leurs sur la Néra, mais ser Bonifer ne manquerait sûrement pas de reconstituer son contingent dès qu'il aurait mis la main sur le nombre requis de pieuses recrues.

« Je n'y prévois pas de difficulté. L'Aïeule éclairera nos voies, et le Guerrier donnera vigueur à nos bras. »

À moins que l'Étranger ne se pointe pour toute votre sacrée clique. Jaime ne savait pas au juste qui diable avait convaincu sa sœur de l'opportunité de nommer ser Bonifer gouverneur d'Harrenhal, mais il subodorait qu'il s'agissait d'Orton Merryweather. Il lui semblait bien se rappeler vaguement qu'Hastif avait autrefois servi le grand-père de ce dernier. Et le justicier à cheveux carotte était exactement le genre de bouffon débile capable de se figurer que quelqu'un surnommé « le Généreux » serait la potion idéale à faire absorber au Conflans pour qu'il parvienne à se remettre des blessures infligées par les Roose Bolton, Varshé Hèvre et Gregor Clegane.

Il n'a peut-être pas tort, au fond. Étant issu des terres de l'Orage, Hastif n'avait pas plus d'amis que d'ennemis le long du Trident, pas de querelle ancestrale à vider, pas de dettes à payer, pas de copinages à récompenser. Il était sobre, équitable et scrupuleux, et ses Sacrés Quatre-Vingt-Six, tout en se montrant aussi disciplinés que n'importe quelle autre troupe des Sept Couronnes, offraient un ravissant spectacle lorsqu'ils se pavanaient et faisaient la roue sur leurs hongres gris. Quant à leur réputation, elle était tellement sans tache que ce railleur de Littlefinger avait une fois suspecté ser Bonifer de les avoir châtrés comme leurs canassons.

Néanmoins, des soldats plus illustres pour leurs adorables montures que pour les adversaires qu'ils avaient abattus laissaient Jaime quelque peu perplexe. *Ils prient avec ferveur, je présume, mais sont-ils capables de se battre ?* À sa connaissance, ils ne s'étaient pas déshonorés sur la Néra, mais ils ne s'y étaient pas distingués non plus. Dans sa jeunesse, ser Bonifer avait été pour sa part ce qui s'appelle un chevalier prometteur, mais il lui était arrivé quelque chose, une défaite ou un incident honteux, voire le simple fait d'avoir été frôlé par la mort d'un tout petit peu trop près… Quelque chose à la suite de quoi il avait décidé que les joutes étaient de la vanité pure et raccroché sa lance une fois pour toutes.

Harrenhal doit être tenu coûte que coûte, n'empêche, et c'est sur le Baelor Troudeballe que voici que Cersei a jeté son dévolu pour ce faire. « Ce château jouit d'une réputation exécrable, l'avisa-t-il, et parfaitement méritée. Les fantômes embrasés d'Harren et de ses fils passent pour en arpenter toujours les salles, la nuit. Ceux qui posent les yeux sur eux s'enflamment à leur tour.

— Nulle ombre ne saurait m'effrayer, messire. Il est écrit dans *L'Étoile à Sept Branches* que les esprits, les spectres et les revenants ne peuvent faire le moindre mal à un homme pieux, dans la mesure où sa foi lui tient lieu d'armure.

— Dans ce cas, armez-vous de votre foi, mais, à toutes fins utiles, portez tout de même aussi plates et cotte de mailles. Tout détenteur de ce château semble voué à un sort funeste. La Montagne, la Chèvre, mon père lui-même…

— Si vous voulez bien me pardonner de m'exprimer de la sorte, ils n'étaient pas des hommes religieux comme nous le sommes. Le Guerrier nous protège, et des secours se trouvent en permanence à notre portée, s'il devait advenir qu'un ennemi formidable nous menace. Mestre Gulian et ses corbeaux vont rester, lord Lancel est à Darry, dans le voisinage, avec sa garnison, et lord Randyll tient Viergétang. À nous trois, nous saurons traquer de conserve et détruire tous les hors-la-loi qui hantent ces parages. Une fois cela terminé, les Sept serviront de guides aux braves gens pour leur permettre de regagner leurs villages et de labourer, semer, reconstruire. »

Ceux du moins que les carnages de la Chèvre auront épargnés. Les doigts d'or de Jaime entourèrent le pied de son gobelet de vin. « Si n'importe lequel des Braves Compaings de Hèvre tombe entre vos mains, vous m'avertissez immédiatement. » L'Étranger pouvait bien avoir réglé son compte à la Chèvre avant que lui-même ne se soit trouvé en mesure de s'en charger, le gros Zollo n'en courait pas moins encore, ainsi que Rorge, Huppé le Louf, Loyal Urswyck et consorts.

« Pour vous offrir la possibilité de les soumettre à la torture et de les tuer ?

— Je suppose que vous leur pardonneriez, à ma place ?

— S'ils se repentaient sincèrement de leurs péchés… Oui, je les serrerais dans mes bras comme des frères, et je prierais avec eux avant de les envoyer au billot. Les péchés peuvent être pardonnés. Les crimes exigent un châtiment. » Hastif joignit ses mains devant lui, paume contre paume, en un geste d'oraison qui mit Jaime très mal à l'aise en lui rappelant son père. « Si c'est Sandor Clegane que nous rencontrons, le cas échéant, que souhaiteriez-vous me voir faire ? »

Prier de toutes vos forces, songea Jaime, *et détaler*. « Dépêchez-le rejoindre son frère adoré, et réjouissez-vous que les dieux aient créé sept enfers. Un seul ne suffirait jamais pour contenir les deux Clegane à la fois. » Il se leva pesamment. « Tout autre est le cas de Béric Dondarrion. S'il vous arrive de l'attraper, vous le gardez jusqu'à mon retour. Je me propose de le ramener à Port-Réal, la corde au cou, et de l'y faire raccourcir par ser Ilyn sous les yeux de la moitié du royaume.

— Et ce prêtre de Myr qui vadrouille avec lui ? Il paraît qu'il propage partout sa fausse religion.

— Tuez-le, embrassez-le ou priez avec lui, ne suivez en cela que votre propre guise.

— Je n'ai aucune envie d'embrasser cet individu, messire.

— Il dirait pareil de vous, je gage. » Son sourire se transforma en un bâillement. « Mes excuses. Je vais prendre congé de vous, si vous n'y voyez pas d'objections.

— Aucune, messire », répondit Hastif. Il devait être affamé de patenôtres.

Jaime l'était de se battre, lui. Il dévala l'escalier quatre à quatre et se rua dehors. La nuit était d'un froid piquant. Dans la cour éclairée par des torches, ser Flement Brax et le Sanglier se livraient des assauts, sous les acclamations d'un cercle d'hommes d'armes. *C'est ser Lyle qui va emporter le morceau*, comprit-il. *À moi ser Ilyn, maintenant.* Il avait les doigts qui le démangeaient à nouveau. Ses pas l'entraînèrent à l'écart du tapage et de la lumière. Il passa sous le pont couvert et traversa la cour aux Laves avant de se rendre compte de l'endroit vers lequel il se dirigeait.

En approchant de la fosse à l'ours, il discerna la lueur hivernale d'une lanterne dont le halo blafard balayait les gradins de pierre escarpés. *Quelqu'un m'a pris de vitesse, j'ai l'impression.* La fosse ferait une belle piste de danse ; peut-être était-ce ser Ilyn qui l'avait devancé ?

Mais non, le chevalier qui se dressait au-dessus de la fosse était plus grand ; un barbu, balèze, en surcot rouge et blanc rehaussé de griffons. *Connington. Qu'est-ce qu'il fiche ici ?* En bas, le cadavre de l'ours se trouvait encore étalé dans l'arène, mais réduit à des os parsemés de touffes de fourrure et à demi submergés par le sable. *Au moins est-il mort au combat.* « Ser Ronnet, lança-t-il, seriez-vous égaré ? Le château est vaste, je le reconnais. »

Ronnet le Rouge éleva sa lanterne. « Je souhaitais voir les lieux où l'ours avait dansé avec la vierge pas-si-belle. » Dans la lumière, sa barbe avait l'air en flammes. Son haleine empestait le vin. « C'est vrai qu'elle se battait toute nue ?

— Toute nue ? Non. » Comment cette couillonnade était-elle venue agrémenter l'histoire ? « Les Pitres l'avaient affublée d'une robe de soie rose avant de lui fourguer une épée de tournoi. La Chèvre voulait que sa mort soit *amusante*. Autrement…

— … la vue terrifiante de sa nudité aurait risqué de provoquer la fuite éperdue de l'ours. » Connington se mit à rigoler.

Pas Jaime. « Vous en parlez comme si vous connaissiez la dame en question.

— J'ai été son fiancé. »

La réponse le prit complètement au dépourvu. Brienne n'avait jamais évoqué de fiançailles avec qui que ce soit. « Son père lui avait trouvé un parti...

— Trois, fit Connington. J'ai été le deuxième. Une idée de mon père à moi. J'avais ouï dire qu'elle était moche, et je lui en ai fait part, mais il m'a répondu que toutes les femmes étaient identiques, une fois qu'on avait soufflé la chandelle.

— Votre père. » Jaime lorgna furtivement le surcot de Ronnet le Rouge. Deux griffons s'y affrontaient sur champ rouge et blanc. « Feu notre Main... Son frère, c'est bien ça ?

— Cousin. Lord Jon n'avait pas de frères.

— En effet. » Tout lui était revenu d'un coup. Jon Connington avait été l'ami du prince Rhaegar. Comme l'héritier du trône était demeuré introuvable, une fois que Merryweather eut échoué de la manière la plus piteuse à réprimer la Rébellion de Robert, Aerys s'était tourné vers ce qu'il y avait de mieux après son propre fils et avait élevé Connington à la dignité de Main. Mais le Roi Fol avait l'incurable manie de s'amputer de toutes ses Mains. Il s'était donc amputé de lord Jon après la Bataille des Cloches et, non content de le dépouiller de l'intégralité de ses titres, terres et fortune, l'avait expédié comme un paquet de l'autre côté de la mer crever en exil, ce que le malheureux n'avait pas tardé à faire à force de se soûler. Le cousin, lui – le père de Ronnet –, s'était rallié à l'insurrection et en avait été récompensé, après le Trident, par l'attribution de La Griffonnière. Il n'avait eu que le château, toutefois ; Robert s'était réservé l'or, tout en distribuant la plus grande partie des domaines Connington à des partisans plus fervents.

Ainsi ser Ronnet était-il un chevalier fieffé, pas plus. En vérité, pour des gens comme lui, la Pucelle de Torth devait faire figure de prune plutôt pulpeuse à cueillir. « Comment se fait-il que vous ne l'ayez pas épousée ? le questionna Jaime.

— Ma foi, je suis allé à Torth et j'ai vu la donzelle. J'avais beau avoir six ans de plus qu'elle, ce machin-là pouvait déjà me regarder droit dans les yeux. C'était une truie boudinée de soie, sauf que la plupart des truies ont des tétines plus copieuses. Quand elle a tâché de dire quelque chose, sa langue a failli l'étouffer. Je lui ai offert une rose et l'ai prévenue que c'était tout ce qu'elle aurait jamais de moi. » Il jeta un coup d'œil dans la fosse. « L'ours était moins velu que cette monstruosité, je... »

La main d'or de Jaime lui écrasa la bouche avec tant de rage que le chevalier dégringola en titubant le long des gradins. Il lâcha sa lanterne qui se fracassa par terre au milieu d'une flaque d'huile en feu. « Vous parlez d'une dame de haute naissance, ser. Appelez-la par son nom. Appelez-la Brienne. »

Connington s'écarta vivement des flammes qui se propageaient sur ses mains et sur ses genoux. « Brienne. Si tel est votre bon plaisir, messire. » Il cracha un caillot de sang vers les pieds de Jaime. « Brienne la Belle. »

CERSEI

On ne parvenait au sommet de la colline de Visenya qu'au terme d'une longue et pénible ascension. Tandis que les chevaux gravissaient la pente en ahanant, Cersei se radossa confortablement dans ses coussins rouges. De l'extérieur lui parvenaient les injonctions d'Osmund Potaunoir : « *Place ! Dégagez la rue ! Place à Sa Grâce la reine !* »

« Oui, Margaery tient une Cour *vraiment* très animée, disait au même instant lady Merryweather. Nous avons des jongleurs, des mimes, des poètes, des montreurs de marionnettes…

— Des chanteurs ? lui souffla Cersei.

— Plus qu'à foison, Votre Grâce. Hamish le Harpiste vient jouer tout exprès pour elle une fois tous les quinze jours, et, de temps à autre, Alaric d'Eysen nous consacre une soirée entière, mais c'est au Barde Bleu que va sa prédilection. »

Cersei se souvint d'avoir vu ce dernier aux noces de Tommen. *Jeune et pas du tout désagréable à l'œil. Pourrait-il y avoir anguille sous roche de ce côté-là ?* « Elle reçoit aussi d'autres hommes, à ce que j'entends. Des chevaliers et des courtisans. Des admirateurs. Parlez-moi franchement, ma dame. Vous la croyez toujours vierge, vous ?

— Elle affirme l'être, Votre Grâce.

— Elle l'affirme, en effet. Et à votre avis ? »

Les prunelles noires de Taena pétillèrent d'espièglerie. « Lorsque lord Renly l'a épousée, à Hautjardin, j'ai contribué à le dévêtir en vue du coucher. Sa Seigneurie était un homme fort bien fait de sa personne et gaillard. J'en ai eu la preuve sous les yeux quand nous l'avons culbuté dans la couche nuptiale où son épousée l'attendait, rougissante à ravir et tout aussi nue qu'au jour de sa naissance sous les courtepointes. C'est dans les bras de ser Loras lui-même qu'elle avait monté l'escalier. Elle a beau prétendre que le mariage ne fut jamais consommé, que lord Renly avait abusé du vin pendant le festin des noces, je vous garantis, moi, que l'engin qu'il avait entre les jambes était tout sauf alangui quand je le contemplai pour la dernière fois.

— Avez-vous eu l'opportunité de voir leur lit, le lendemain matin ? insista Cersei. Elle avait saigné ?

— Aucun drap ne fut montré, Votre Grâce. »

Dommage. Au demeurant, l'absence de drap ensanglanté ne signifiait pas grand-chose, en soi. Des petites paysannes de rien du tout saignaient comme des porcs pendant leur nuit de noces, à ce qu'on rapportait, mais c'était moins vrai de jouvencelles de haut parage comme Margaery Tyrell. Les filles de lords couraient plus de risque de donner leur pucelage à un cheval qu'à un époux, d'après les on-dit, et celle de Mace montait sans discontinuer depuis qu'elle avait eu l'âge de savoir marcher. « Il m'est revenu que notre petite reine avait de nombreux adulateurs parmi les chevaliers de notre maisonnée. Les jumeaux Redwyne, ser Tallad… Qui d'autre encore, je vous prie ? »

Lady Merryweather haussa vaguement les épaules. « Ser Lambert… Mais si, le toqué qui s'éborgne avec un bandeau pour épater la galerie. Bayard Norcroix. Courtenay Vermont. Les frères Le Charpentier, parfois Portifer et souvent Lucantin. Ah, puis le Grand Mestre Pycelle, un assidu, lui.

— Pycelle ? Vraiment ? » Cette vieille larve branlante avait-elle lâché le lion pour la rose ? *Si c'est le cas, il s'en mordra les doigts.* « Qui d'autre ?

— L'indigène des Îles d'Été, avec son manteau en plumes. Comment ai-je pu l'omettre, avec sa peau noire comme de l'encre ? Il y en a aussi qui viennent pour faire leur cour aux cousines. Elinor est promise au petit Ambrose, mais elle adore fleureter, et Megga change de soupirant tous les quinze jours. Une fois, elle a embrassé un fouille-au-pot dans les cuisines. J'ai entendu parler de son mariage avec le frère de lady Bulwer, mais si le choix ne dépendait que d'elle, c'est Mark Mullendor qu'elle prendrait plutôt, ça, j'en suis certaine. »

Cersei se mit à rire. « Le chevalier au papillon qui a perdu un bras sur la Néra ? La belle affaire qu'une moitié d'homme !

— Elle le trouve *chou*. Elle a prié lady Margaery de l'aider à dénicher un singe pour lui.

— Un singe... » La reine en était pantoise. *Des singes et des moineaux. Le royaume est décidément en train de devenir cinglé.* « Et notre brave ser Loras ? Est-ce qu'il vient fréquemment chez sa sœur ?

— Plus que quiconque. » Taena fronça les sourcils, et un minuscule sillon se creusa entre ses yeux sombres. « Chaque matin et chaque soir, il lui rend visite, à moins que ses fonctions ne s'y opposent. Ils sont on ne peut plus attachés l'un à l'autre, ils partagent tout, absolument tout, tout et le... oh !... » Pendant un moment, la Myrienne eut l'air presque scandalisée. Puis un sourire se répandit sur ses traits. « J'ai eu une pensée très *perverse*, Votre Grâce.

— Autant la garder pour vous-même. La colline est bourrée de moineaux, et nous savons tous à quel point les moineaux abhorrent la perversité.

— Il paraît qu'ils abhorrent aussi ardemment l'eau et le savon, Votre Grâce.

— Peut-être l'excès de prières entraîne-t-il la perte de l'odorat. Il va falloir que je n'oublie pas de solliciter les lumières de Sa Sainteté Suprême sur cette question. »

En se balançant d'arrière en avant, les tentures de soie suscitaient des remous de lueurs écarlates à l'intérieur de la litière. « Orton m'a raconté que le Grand Septon n'avait pas de nom, reprit lady Taena. Est-il possible que cela soit vrai ? À Myr, tout le monde en a un…

— Oh, il en a eu un, *autrefois*. Ils font tous ça. » La reine balaya l'air d'un geste dédaigneux. « Même les septons nés de sang noble renoncent à leur patronyme pour porter seulement leur prénom dès qu'ils ont prononcé leurs vœux. Mais, pour peu que l'un d'eux se voie élever à la dignité de *Grand* Septon, il résigne jusqu'à son prénom. La Foi vous expliquera qu'il n'a plus que faire des appellations bassement humaines, car il est désormais l'incarnation des dieux.

— Comment distinguez-vous alors tel ou tel Grand Septon de tel ou tel autre ?

— Tant bien que mal. Vous êtes obligé de dire “le gros lard” ou “le prédécesseur du gros lard” ou “le vieux qui est mort pendant son sommeil”. Vous pouvez toujours vous débrouiller pour déterrer leur nom de naissance, si ça vous chante, mais, en procédant de la sorte, vous êtes sûre de les offenser. Cela leur remémore qu'ils sont issus du commun des mortels, et ils n'apprécient pas du tout.

— Messire mon époux m'a protesté que le nouvel élu avait de la saleté sous les ongles à sa naissance.

— Je l'en soupçonne également. En règle générale, Leurs Saintetés choisissent l'un des leurs, mais il y a eu des exceptions. » Le Grand Mestre Pycelle l'avait mortellement barbée avec cette interminable chronique. « Sous le règne du roi Baelor le Bienheureux fut désigné comme Grand Septon un simple tailleur de pierre. Il la travaillait si magnifiquement que Baelor décida qu'il était le Ferrant rené dans de la chair mortelle. Il ne savait ni lire ni écrire, et il n'était pas davantage capable de se rappeler les paroles des prières les plus rudimentaires. » D'aucuns affirmaient encore que la Main du Roi l'avait fait empoisonner pour débarrasser le royaume d'un pareil opprobre. « Après la mort de celui-là fut désigné, sur les instances, une fois de plus, du roi Baelor, un gamin de huit ans. Il faisait des miracles, déclara Sa Majesté, que les menottes guérisseuses elles-mêmes furent néanmoins incapables de sauver lors de son dernier jeûne. »

Lady Merryweather émit un gloussement. « Huit ans ? Mon fils pourrait bien avoir une chance d'être Grand Septon. Il a presque sept ans.

— Est-ce qu'il prie beaucoup ? demanda la reine.

— Il préfère jouer avec des épées.

— Un vrai garçon, alors. Est-il capable de nommer chacun des sept dieux ?

— Je le pense.

— Je vais devoir examiner sérieusement son cas. » Elle ne doutait pas qu'il n'y eût des quantités de marmots qui feraient plus d'honneur à la couronne de cristal que le misérable auquel Leurs Saintetés avaient eu la fantaisie de l'attribuer. *Voilà ce qui arrive lorsqu'on laisse des imbéciles et des couards se gouverner eux-mêmes. La prochaine fois, c'est moi qui leur choisirai leur maître.* Et la prochaine fois ne serait pas longue à venir, si le nouveau Grand Septon continuait à lui casser les pieds. En ce qui concernait de telles matières, Cersei Lannister se flattait de n'avoir pas grand-chose à apprendre de la Main de Baelor.

« *Libérez le passage !* » tonitruait ser Osmund Potaunoir. « *Place à Sa Grâce la reine !* »

L'allure de la litière commença à se ralentir davantage encore, ce qui signifiait forcément que l'on approchait enfin du sommet de la colline. « Vous devriez amener votre fils à la Cour, conseilla Cersei à lady Merryweather. Six ans n'est pas un âge trop tendre. Tommen a besoin de compagnons. Pourquoi votre petit garçon n'en ferait-il pas partie ? » Joffrey n'avait jamais eu d'ami intime de sa propre génération, se ressouvint-elle. *Le pauvre enfant était toujours seul. Quand j'étais toute jeune, moi, j'avais Jaime, ainsi que Melara, jusqu'à ce qu'elle tombe dans le puits.* Joff aimait beaucoup le Limier, certes, mais l'affection qu'il lui vouait n'était pas de l'amitié. Il cherchait auprès de lui le père qu'il n'avait jamais trouvé en Robert. *Un petit frère adoptif serait exactement ce qu'il faut à Tommen pour le détourner de Margaery et de ses volailles.* À la longue, ils pourraient devenir aussi proches l'un de l'autre que l'avaient été Robert et son camarade de jeu Ned Stark. *Un crétin, mais un crétin loyal. Tommen aura grand besoin d'amis loyaux qui veillent sur ses arrières.*

« Votre Grâce est trop aimable, mais Russell n'a jamais connu d'autre chez-soi que Longuetable. Je craindrais qu'il ne se sente complètement perdu dans l'immensité de cette ville.

— Au début, concéda la reine, mais il aura tôt fait de s'y accoutumer, croyez-en ma propre expérience. En apprenant que mon père me mandait à la Cour, je fondis en larmes, et Jaime entra dans une rage folle, et puis ma tante m'entraîna m'asseoir dans le Jardin de Pierre et, là, m'expliqua posément que je n'avais rien à redouter de quiconque à Port-Réal. "Tu es une lionne, avait-elle dit, et c'est toi qui feras peur à toutes les bêtes de moindre grandeur." Votre fils prendra lui aussi son courage à deux mains. Assurément, vous préféreriez vous-même l'avoir tout près, ce qui vous permettrait de le voir chaque jour, non ? Vous n'avez que lui comme enfant, n'est-ce pas ?

— Pour l'instant. Messire mon époux n'a de cesse de prier les dieux de consentir à nous accorder un autre fils, au cas où…

— Je comprends. » L'image de Joffrey se lacérant la gorge revint la hanter. Face à l'appel désespéré qu'elle avait lu dans son regard alors qu'il vivait ses derniers instants, son cœur s'était arrêté de battre, brusquement frappé par un nouveau ressouvenir ; celui d'une goutte de sang cramoisi qui crépitait au contact de la flamme d'une chandelle, tandis qu'une voix coassante parlait de couronnes et de linceuls, de mort à la merci du *valonqar*.

Dehors, ser Osmund hurlait quelque chose, et quelqu'un ripostait au même diapason. Un soubresaut secoua la litière, et elle fit halte. « Vous êtes sourds, ou quoi ? rugit Potaunoir. *Dégagez de là, bordel !* »

La reine repoussa un coin des tentures et adressa un signe à ser Meryn Trant. « Que se passe-t-il ?

— Les moineaux, Votre Grâce. » Il portait une blanche armure en écailles sous son manteau. Son heaume et son bouclier étaient suspendus à sa selle. « Ils campent dans la rue. Nous allons les en déloger.

— Faites, mais en douceur. Je ne tiens pas à me retrouver prise au piège d'une autre émeute. » Elle laissa retomber la tenture. « Ceci est absurde.

— Absurde, Votre Grâce, abonda lady Merryweather. Le Grand Septon aurait dû venir au-devant de vous. Et ces maudits moineaux…

— Il les nourrit, les dorlote, les *bénit*. Alors qu'il se refuse à bénir le roi… ! » Ladite bénédiction n'était qu'un rituel creux, elle le savait, mais les rituels et les cérémonies possédaient des pouvoirs, aux yeux des ignares. Aegon le Conquérant lui-même avait daté le début de son règne du jour où le Grand Septon l'avait oint à Villevieille. « Ce maudit prêtre va obéir, sinon, il apprendra que son état ne l'a toujours pas préservé des faiblesses humaines.

— Orton dit qu'en réalité, c'est de l'or qu'il veut. Qu'il a l'intention de différer sa bénédiction jusqu'à ce que la Couronne ait repris ses paiements.

— La Foi aura son or aussitôt que nous aurons la paix. » Septon Torbert et Septon Raynard s'étaient montrés des plus compréhensifs, face à sa détresse... Contrairement au maudit Braavien, qui avait si impitoyablement harcelé le malheureux lord Gyles qu'il l'avait contraint à s'aliter, crachant le sang à pleine toux. *Il nous fallait coûte que coûte ces bateaux*. Pour sa flotte, elle ne pouvait pas se mettre à la remorque de La Treille ; les Redwyne étaient par trop liés avec les Tyrell. Elle était obligée d'avoir des forces navales qui lui appartiennent en propre.

Les dromons qui se construisaient sur la rivière allaient justement les lui procurer. Son navire amiral plongerait deux fois plus de rames que *Le Roi Robert* n'en avait eu. Aurane Waters lui avait demandé la permission de baptiser la quadrirème *Lord Tywin*, permission qu'elle s'était fait un plaisir d'accorder. Il lui tardait d'entendre les gens accoutrer son père d'un « elle » et d'un « la ». Un autre vaisseau s'appellerait *Chère Cersei* et serait orné d'une figure de proue dorée sculptée à sa propre effigie, coiffée d'un heaume léonin, vêtue de mailles et lance au poing. *Brave Joffrey*, *Lady Joanna* et *Lionne* la suivraient en mer, ainsi que *Reine Margaery*, *Rose d'Or*, *Lord Renly*, *Lady Olenna* et *Princesse Myrcella*. Elle avait eu la sottise d'autoriser Tommen à choisir les noms de ces cinq derniers. Or, il s'était avisé de vouloir baptiser l'un d'eux *Lunarion*. Il avait fallu qu'Aurane insinue que certains ne consentiraient peut-être pas à servir à bord d'un navire équipé d'un nom de bouffon pour qu'il accepte, non sans rechigner, d'honorer plutôt sa sœur à la place.

« Si ce loqueteux de septon se figure me faire *acheter* la bénédiction de mon fils, il verra ce qu'il verra », dit-elle à Taena. Elle n'allait sûrement pas s'aplatir comme une punaise devant un ramassis de calotins.

La litière s'immobilisa derechef, mais d'une manière si subite que Cersei sursauta. « Oh, c'est horripilant ! »

Elle se pencha au-dehors une nouvelle fois et s'aperçut qu'on avait finalement atteint le sommet de la colline de Visenya. Devant se dressait la masse colossale du Grand Septuaire de Baelor, avec son dôme somptueux et ses sept tours étincelantes, mais entre la reine et les degrés de marbre du perron s'étendait une mer houleuse et brune de haillons crasseux. *Des moineaux*, songea-t-elle à la reniflée, malgré le fait qu'aucun moineau n'avait jamais dégagé d'effluves aussi pestilentiels.

Elle fut horrifiée. Qyburn avait eu beau lui rapporter maintes fois qu'ils pullulaient, entendre parler d'eux était une chose, les voir en était une autre. Ils étaient des centaines à bivouaquer sur l'esplanade, des centaines d'autres dans les jardins. La puanteur et la fumée de leurs feux de camp rendaient l'atmosphère irrespirable. Des tentes de bure et des cahutes misérables faites de terre et de bouts de bois déshonoraient la blancheur immaculée du parvis de marbre. Il s'en était agglutiné jusque sur les marches, au-dessous des portes majestueuses du Grand Septuaire.

Ser Osmund revint vers elle au trot. À ses côtés chevauchait ser Osfryd, monté sur un étalon aussi doré que son manteau. Deuxième né des trois Potaunoir, Osfryd était plus taciturne que ses frères et moins doué pour les sourires que pour les mines renfrognées. *Et plus cruel aussi, s'il faut en croire les commérages. J'aurais peut-être dû l'expédier au Mur.*

Le Grand Mestre Pycelle aurait voulu que l'on place à la tête des manteaux d'or quelqu'un d'âge plus rassis, quelqu'un de « plus aguerri, militairement parlant », et plusieurs des membres du Conseil avaient abondé dans son sens. « Ser Osfryd est bien assez aguerri », avait-elle décrété, mais sans réussir pour autant à leur clouer le bec. *Ils me jappent aux fesses comme une meute de roquets collants.* Avec Pycelle, sa patience était plus qu'à bout. Il avait même poussé la témérité jusqu'à trouver à redire à ce qu'elle envoie chercher un maître d'armes à Dorne, arguant qu'elle risquait par là d'offenser les Tyrell. « Et dans quel but vous imaginez-vous que je le *fais* ? lui avait-elle répliqué de son ton le plus méprisant.

— Je vous demande pardon, Votre Grâce, dit ser Osmund. Mon frère est en train de faire arriver des manteaux d'or supplémentaires. On va déblayer un chemin, n'ayez crainte :

— Je n'ai pas le temps. Je vais continuer à pied.

— Par pitié, Votre Grâce, non... » La main de Taena se crispa sur son bras. « Ils me font une peur affreuse. Ils sont innombrables, et tellement sales ! »

Cersei l'embrassa sur la joue. « Le lion ne redoute pas le moineau... Mais c'est gentil à vous de vous inquiéter. Je sais que vous m'aimez de tout votre cœur, ma dame. Ser Osmund, veuillez m'aider à descendre. »

Si j'avais su que j'aurais à marcher, je me serais habillée en conséquence. Elle portait une robe blanche à crevés de brocart d'or, suggestive mais sage et modeste. Cela faisait des années qu'elle ne l'avait pas mise, et elle s'y sentait un peu à l'étroit du côté de la taille. « Ser Osmund, ser Meryn, vous allez m'accompagner. Ser Osfryd, veillez à ce qu'on n'endommage pas ma litière. » Certains des moineaux avaient l'œil assez creux et des mines assez faméliques pour lui dévorer ses chevaux.

Pendant qu'elle se frayait passage à travers la cohue pouilleuse, entre leurs feux de camp, leurs charrettes et leurs abris rudimentaires, la reine fut assaillie par le souvenir d'une tout autre foule qui s'était une fois massée sur la même esplanade. Le jour de son mariage avec Robert Baratheon, des milliers de gens s'étaient déplacés pour les acclamer. Toutes les femmes portaient ce qu'elles possédaient de mieux, la moitié des hommes avaient des gosses sur leurs épaules. À sa sortie du septuaire, main dans la main avec le jeune roi, des ovations si délirantes les avaient accueillis qu'on devait les entendre jusqu'à Port-Lannis. « On vous aime bien, ma dame, lui avait soufflé Robert à l'oreille. Voyez ces sourires sur tous les visages. » Pendant cet unique et bref instant, elle s'était sentie au comble du bonheur comme épouse… Et puis son regard était tombé par hasard sur Jaime. *Non*, se souvenait-elle d'avoir pensé, *non, messire, pas sur tous.*

Plus personne ne souriait, à présent. Les regards que les moineaux fixaient sur elle étaient sombres, revêches, hostiles. *S'ils étaient de véritables moineaux, un simple cri les ferait s'envoler. Une centaine de manteaux d'or armés de bâtons, de masses et d'épées suffiraient à les disperser en l'espace de quelques secondes.* C'est ce que lord Tywin n'aurait pas manqué de faire. *Il leur serait passé sur le ventre au galop au lieu de fendre leur presse à pied.*

Lorsqu'elle constata qu'ils avaient fini par atteindre le piédestal de Baclor le Bien-Aimé, la reine eut quelque lieu de déplorer son exquise sensibilité. La gigantesque statue de marbre qui souriait avec tant de sérénité sur l'esplanade depuis cent ans se trouvait enfouie maintenant jusqu'à mi-corps dans un monceau de crânes et d'ossements. Certains des crânes arboraient encore des lambeaux de chair. Un corbeau, perché sur l'un d'eux, dégustait allégrement sa lichette parcheminée. « Que signifie ceci ? lança Cersei à la bougraille. Auriez-vous l'intention d'ensevelir le Bienheureux Baelor sous une montagne d'immondices ? »

Un individu qui n'avait qu'une jambe s'avança cahin-caha, appuyé sur une béquille de bois. « Votre Grâce, ce sont les reliques de saints hommes et de saintes femmes assassinés pour leur foi. Septons, septas, frères bruns et beiges et verts, sœurs blanches et grises et bleues. Certains ont péri pendus, d'autres éviscérés. Des septuaires ont été pillés, des vierges et des mères violées par des êtres impies et des adeptes du démon. Même des sœurs silencieuses ont été violentées. La Mère d'En Haut pousse des cris d'angoisse. C'est de tous les coins du royaume que nous avons apporté leurs restes jusqu'ici pour porter témoignage des affres de la Sainte Foi. »

Cersei sentait tous les regards s'appesantir sur elle. « Sa Majesté sera informée de ces atrocités, décréta-t-elle d'un ton solennel. Tommen partagera votre indignation. Ceci est l'ouvrage de Stannis et de sa sorcière rouge, ainsi que des barbares nordiens qui idolâtrent des arbres et des loups. » Elle éleva la voix. « *Bonnes gens, vos morts seront vengés !* »

Quelques cris d'assentiment fusèrent, mais seulement quelques-uns. « Ce que nous réclamons, dit l'unijambiste, ce n'est pas vengeance pour nos morts mais uniquement protection pour les vivants. Pour les septuaires et les lieux sacrés.

— Le Trône de Fer a le devoir de défendre la Foi, gronda une brute énorme dont le front était barbouillé d'une étoile à sept branches. Un roi qui ne protège pas son peuple n'est qu'un roi de pacotille. » Des grognements d'approbation parcoururent son entourage immédiat. Un homme eut l'impudence d'agripper le poignet de ser Meryn et de déclarer : « L'heure a sonné pour les chevaliers oints de laisser tomber leurs maîtres mondains et de défendre notre Sainte Foi. Rangez-vous à nos côtés, ser, si vous aimez les Sept !

— Lâchez-moi, lui intima ser Meryn en se dégageant sans ménagement.

— Je vous ai entendus, dit Cersei. Mon fils est jeune, mais il aime les Sept de tout son cœur. Vous pouvez compter sur sa protection comme sur la mienne. »

L'homme au front barbouillé de l'étoile ne se rasséréna pas pour si peu. « C'est le Guerrier qui nous défendra, protesta-t-il, pas ce roitelet rondouillard. »

Ser Meryn Trant porta la main à son épée, mais la reine interrompit son geste avant qu'il n'ait pu dégainer. Elle n'avait sous la main que deux chevaliers, et un océan de moineaux la cernait. Elle aperçut des bâtons et des faux, des triques et des gourdins, plusieurs haches. « Je ne tolérerai pas la moindre effusion de sang dans ce lieu sacré, ser. » *Pourquoi les hommes sont-ils si puérils ? Qu'il abatte celui-ci, et les autres nous déchiquettent morceau par morceau.* « Nous sommes tous les enfants de la Mère. Venez, Sa Sainteté Suprême nous attend. » Mais, comme elle s'aventurait à travers la foule vers le perron du septuaire, un troupeau d'hommes en armes surgit de sous le portique pour bloquer les portes. Ils étaient vêtus de mailles et de cuir bouilli, avec de-ci de-là une pièce de plates cabossée. Certains brandissaient des piques, certains avaient des épées. Davantage avaient privilégié la hache et s'étaient cousu une étoile rouge sur leur surcot blanchi. Deux eurent l'insolence de croiser leurs piques pour lui barrer le passage.

« Est-ce ainsi que vous recevez votre reine ? les interpella-t-elle. Où sont, je vous prie, Raynard et Torbert ? » Ceux-là n'étaient pas du genre à rater une seule occasion de la régaler de courbettes. Torbert en faisait toujours tout un numéro, de se prosterner à genoux pour lui lécher les pieds.

« Je ne connais pas les gens dont vous parlez, dit l'un des hommes à surcot rehaussé d'une étoile rouge, mais, s'ils appartiennent à la Foi, sans doute que les Sept avaient besoin de leurs services.

— Septon Raynard et Septon Torbert sont deux de *Leurs Saintetés*, rétorqua-t-elle, et ils seront furieux d'apprendre comment vous vous comportez envers moi. Prétendriez-vous m'interdire de pénétrer dans le saint septuaire de Baelor ?

— Votre Grâce, intervint une barbe grise aux épaules voûtées. Vous êtes ici la bienvenue, mais vos hommes doivent déposer leurs baudriers. Aucune arme n'est admise à l'intérieur, par ordre du Grand Septon.

— Les chevaliers de la Garde Royale ne se défont pas de leurs épées, pas même en présence du roi.

— Dans la demeure du roi, la loi du roi doit tenir lieu de règle, répliqua le vieil homme, mais ces lieux-ci se trouvent être la demeure des dieux. »

Le rouge lui monta aux joues. Elle n'avait qu'un mot à dire à Meryn Trant, et la barbe grise voûtée rejoignait ses dieux plus tôt qu'à son gré. *Mais pas ici. Pas maintenant.* « Attendez-moi », dit-elle sèchement aux gardes royaux. Elle gravit les marches sans escorte. Les piques se décroisèrent devant elle. Deux autres des hommes armés poussèrent de tout leur poids sur les vantaux des portes qui s'entrouvrirent avec un boucan du diable.

Dans la salle aux Lampes, Cersei tomba sur une vingtaine de septons agenouillés, mais qui n'étaient pas en prière. Équipes de seaux d'eau savonneuse, ils étaient en train de récurer le dallage. Leurs robes de bure grossière et leurs sandales l'incitèrent à les prendre pour des moineaux jusqu'à ce que l'un d'eux relève la tête. Il avait la figure aussi violacée qu'une betterave, et des ampoules éclatées lui ensanglantaient les mains. « Votre Grâce.

— Septon Raynard ? » Elle avait du mal à en croire ses yeux. « Que faites-vous là, dans cette posture ?

— Il nettoie le sol. » L'homme qui venait de prendre la parole était aussi décharné qu'un manche à balai. « Le travail est une forme de prière il ne se peut plus agréable au Ferrant. » Il se leva, sans lâcher la brosse de chiendent qu'il tenait à la main. Il avait plusieurs pouces de moins que la reine. « Votre Grâce. Nous vous attendions avec impatience. »

Sa barbe gris et brun était taillée de près, ses cheveux étaient noués sur la nuque en un sévère petit chignon. Elles avaient beau être propres, ses robes étaient non seulement râpées mais rapetassées de partout. Il avait retroussé ses manches jusqu'aux coudes pour s'adonner à sa besogne, mais, en dessous des genoux, le tissu était trempé et cochonné. Le visage était anguleux, pointu, l'œil profondément enfoncé dans l'orbite et brun comme de la crotte. *Il a les pieds nus*, s'aperçut-elle, en plein désarroi. Ils étaient hideux, au surplus, ses pieds, des machins durs comme de la corne, calleux, difformes. « C'est vous, Sa Sainteté Suprême ?

— C'est nous. »

Père, donnez-moi la force. La reine savait qu'elle devait s'agenouiller, mais le dallage était mouillé, mousseux de savon, sillonné d'eau sale, et elle n'avait aucune envie d'abîmer sa robe. Elle jeta un coup d'œil sur les vieillards qui se vautraient par terre. « Je ne vois pas mon ami Septon Torbert.

— Septon Torbert a été consigné dans une cellule de pénitence au pain et à l'eau. C'est pécher, quel qu'on soit, que d'être aussi gras lorsque la moitié du royaume se meurt de faim. »

Cersei en avait enduré plus qu'à suffisance pour une seule journée. Elle laissa transparaître sa colère. « Est-ce ainsi que vous m'accueillez ? Une brosse de ménage à la main, toute dégoulinante ? Savez-vous qui je suis ?

— Votre Grâce est la reine Régente des Sept Couronnes, lui répondit-il, mais il est écrit dans *L'Étoile à Sept Branches* que, de même que les vassaux s'inclinent devant leurs seigneurs et les seigneurs devant leurs rois, de même les rois et les reines doivent s'incliner devant les Sept Qui Sont Un. »

Prétend-il exiger par là que je m'agenouille ? Dans ce cas, il la connaissait plutôt mal. « En principe, vous auriez dû venir à ma rencontre sur le perron, vêtu de vos plus belles robes et le chef coiffé de la couronne de cristal.

— Nous ne possédons pas de couronne, Votre Grâce. »

Le froncement de ses sourcils s'accentua. « Le seigneur mon père a offert à votre prédécesseur une couronne d'une beauté rare, en cristal serti de fil d'or.

— Et pour cette offrande nous l'honorons dans nos prières, répliqua le Grand Septon, mais les pauvres ont un plus pressant besoin de nourriture dans leur ventre que notre chef d'or et de cristal. Cette couronne a été vendue. Tout comme l'ont été celles que nous conservions dans nos cryptes et toutes nos bagues, ainsi que nos robes de brocart d'or et de brocart d'argent. La laine tient aussi bien son homme au chaud. C'est dans ce but que les Sept nous ont fait présent des moutons. »

Il est complètement dément. Leurs Saintetés devaient l'être elles aussi pour avoir promu cet énergumène... Déments ou terrifiés par la vue des mendigots qui assiégeaient leurs portes. D'après les chuchoteurs de Qyburn, il ne manquait plus que neuf suffrages à Septon Luceon pour se voir élever à la dignité suprême lorsque ces mêmes portes avaient cédé, et que les moineaux s'étaient déversés dans le Grand Septuaire avec leur meneur sur les épaules et des haches au poing.

Elle attacha sur le petit homme un regard de glace. « Existe-t-il un endroit quelconque où nous puissions avoir un entretien plus confidentiel, Votre Sainteté ? »

Le Grand Septon remit sa brosse de chiendent à l'un des dignitaires qui l'avaient élu. « Si Votre Grâce veut bien daigner nous suivre ? »

Il lui fit franchir les portes intérieures qui donnaient dans le septuaire proprement dit. Leurs pas firent résonner le dallage de marbre. Des grains de poussière virevoltaient dans les flots de lumière multicolores que déversaient les verrières à résille de plomb de l'immense coupole. L'air était parfumé d'encens, et des cierges scintillaient comme des étoiles auprès des sept autels. Il en clignotait des myriades en faveur de la Mère et presque autant en faveur de la Jouvencelle, mais l'on avait largement plus qu'assez de ses dix doigts pour dénombrer ceux qui rendaient hommage à l'effigie de l'Étranger.

L'invasion des moineaux n'avait même pas épargné le temple. Une douzaine de chevaliers errants déguenillés se tenaient agenouillés devant le Guerrier, le conjurant de bénir les épées qu'ils avaient entassées à ses pieds. À l'autel de la Mère, un septon dirigeait les prières d'une centaine de moineaux dont les voix lointaines rappelaient le flux et le reflux des vagues sur le rivage. Le Grand Septon conduisit Cersei vers le coin dans lequel l'Aïeule brandissait sa lanterne. Lorsqu'il se mit à genoux devant l'autel, force fut à la reine de s'agenouiller à ses côtés. Par bonheur, ce Grand Septon-ci ne se montrait pas aussi verbeux que l'avait été le gros lard d'avant. *Je devrais savoir au moins gré de cela, je suppose.*

Sa Sainteté Suprême n'esquissa même pas le geste de se relever, sa prière achevée. Apparemment, il allait falloir subir que tout l'entretien se déroule à genoux. *Un stratagème d'homme petit*, songea-t-elle, amusée. « Sainteté Suprême, dit-elle, ces moineaux terrorisent la ville. Je veux qu'ils s'en aillent.

— Où devraient-ils aller, Votre Grâce ? »

Il y a sept enfers, n'importe lequel leur ira comme un gant. « Là d'où ils sont venus, j'imagine.

— Ils sont venus de partout. De même que le moineau est le plus humble et le plus commun des oiseaux, de même sont-ils les plus humbles et les plus communs des êtres humains. »

Pour être communs, ils le sont, nous sommes d'accord au moins sur ce point. « Avez-vous vu ce qu'ils ont fait à la statue du Bienheureux Baelor ? Ils souillent l'esplanade avec leurs chèvres et leurs porcs et leurs excréments.

— Les excréments sont plus faciles à laver que le sang, Votre Grâce. Si l'esplanade a été souillée, elle a dû sa souillure à l'exécution que l'on y a faite. »

Il ose me jeter Ned Stark à la figure ? « Nous en sommes tous marris. Emporté par la fougue de sa jeunesse, Joffrey ne mesurait pas bien la portée de ses actes. Lord Stark aurait dû être décapité ailleurs, par respect pour le Bienheureux Baelor... Mais il *était* un traître, ne l'oublions pas.

— Le roi Baelor accorda son pardon à ceux qui conspiraient contre sa personne. »

Le roi Baelor emprisonna ses propres sœurs, dont l'unique crime était d'être belles. La première fois qu'elle avait entendu raconter cette histoire, elle s'était rendue dans la chambre de ce petit monstre de Tyrion, tout bébé encore, et l'avait pincé jusqu'à ce qu'il se mette à hurler. *C'est son nez que j'aurais dû pincer, tout en lui bourrant la bouche avec ma chaussette.* Elle se força à sourire. « Le roi Tommen accordera lui aussi son pardon aux moineaux, dès l'instant où ils seront retournés chez eux.

— La plupart n'ont plus de chez eux. La souffrance sévit partout, et le chagrin, la mort. Avant de venir à Port-Réal, je m'occupais d'une cinquantaine de bourgades et de hameaux trop minuscules pour posséder un septon à eux. J'allais de l'un à l'autre pour célébrer des mariages, absoudre les pécheurs de leurs péchés, donner un nom aux nouveau-nés. Ces bourgades et hameaux n'existent plus, Votre Grâce. Les herbes et les ronces ont submergé les lieux où des jardins florissaient jadis, et des ossements jonchent le bord des chemins.

— La guerre est une chose épouvantable. Ces atrocités sont l'ouvrage des Nordiens, de lord Stannis et de ses adorateurs du démon.

— Certains de mes moineaux assurent avoir été pillés par des bandes de lions. Ils parlent aussi du

Limier, qui était l'un de vos hommes liges. À Salins, il a tué un septon d'âge vénérable et violenté une fillette de douze ans, une enfant innocente promise à la Foi. Il portait son armure quand il l'a violée, et sa cotte de mailles de fer s'est incrustée dans la chair tendre de la malheureuse et l'a déchiquetée. Son forfait perpétré, il l'a livrée à ses hommes qui lui ont tranché les tétons et le nez.

— Le roi ne saurait être tenu pour responsable des crimes commis par chacun des gens qui ont plus ou moins servi la maison Lannister. Sandor Clegane est un traître doublé d'une sombre brute. Pour quelle raison pensez-vous que je l'aie renvoyé de notre service ? Il se bat maintenant pour ce bandit de Béric Dondarrion, pas pour Sa Majesté Tommen.

— Soit. Encore convient-il de se poser la question suivante : où donc se trouvaient les chevaliers du roi pendant que se passaient ces abominations ? Jaehaerys le Conciliateur n'a-t-il pas juré sur le Trône de Fer lui-même que la Couronne protégerait et défendrait toujours la Foi ? »

Cersei n'avait pas la moindre idée de ce que Jaehaerys le Conciliateur pouvait avoir juré. « Si fait, convint-elle, et le Grand Septon le bénit et lui conféra l'onction royale. Il est de tradition que chaque nouveau Grand Septon donne au roi sa bénédiction, et cependant vous persistez à refuser d'accorder la vôtre à Sa Majesté Tommen.

— Votre Grâce fait erreur. Nous n'avons jamais refusé.

— Vous n'êtes pas venu.

— C'est la saison qui ne l'est pas encore. »

Qu'est-ce que vous êtes, un prêtre ou un marchand de quatre-saisons ? « Et que pourrais-je faire pour la... hâter ? » *S'il a le culot de mentionner l'or, je lui réglerai son affaire comme au précédent, et je couronnerai de cristal un pieux octogénaire de ma façon.*

« Le royaume foisonne de rois. Pour que la Foi puisse se permettre d'en exalter un par-dessus tous autres, notre devoir est d'acquérir des certitudes. Voilà trois cents ans, lorsque Aegon le Conquérant atterrit au bas de cette même colline-ci, le Grand Septon se claquemura dans le septuaire Étoilé de Villevieille et pria sept jours et sept nuits durant, sans prendre aucun autre aliment que du pain et de l'eau. À sa sortie, il annonça que la Foi ne s'opposerait pas au Targaryen et à ses sœurs, car l'Aïeule avait élevé sa lampe pour lui révéler l'avenir. Si Villevieille prenait les armes contre le Dragon, le feu s'abattrait sur Villevieille, et la Grand-Tour comme la Citadelle et le septuaire Étoilé seraient ravagés et détruits. Lord Hightower était un homme pieux. Eu égard à la prophétie, il laissa ses forces dans leurs foyers et ouvrit les portes de la ville lorsque Aegon survint. Et Sa Sainteté Suprême oignit celui-ci des sept huiles. À nous, son successeur, d'en agir de même. À nous de prier et jeûner.

— Sept jours et sept nuits durant ?

— Autant de temps qu'il sera nécessaire. »

Cersei fut démangée de souffleter le solennel visage du bigot. *Je pourrais t'aider à jeûner*, songea-t-elle. *Je pourrais t'enfermer dans une tour et veiller à ce que personne ne t'apporte de nourriture jusqu'à ce que les dieux se soient prononcés.* « Ces faux rois ont épousé la cause de faux dieux, lui rappela-t-elle. Le roi Tommen est le seul à défendre celle de la Foi Sacrée.

— Et des septuaires sont néanmoins mis à sac et incendiés partout. Des sœurs silencieuses ont même été violées, criant leur détresse au ciel. Votre Grâce a vu les crânes et les ossements de nos saints défunts ?

— Oui, reconnut-elle à contrecœur. Accordez à Tommen votre bénédiction, et il mettra fin à ces indignités.

— Et comment fera-t-il cela, Votre Grâce ? Enverra-t-il un chevalier parcourir les routes avec chaque frère mendiant ? Nous donnera-t-il des hommes pour préserver nos septas des loups et des lions ? »

Je ferai comme si tu n'avais pas mentionné les lions. « Le royaume est en guerre. Sa Majesté a besoin de chaque homme. » Elle n'allait sûrement pas gaspiller les forces de Tommen en leur faisant jouer les nourrices à moineaux ou garder les cons racornis d'un millier de laissées-pour-compte acariâtres. *La moitié d'entre elles prie sans doute dans l'espérance d'un ramonage bien orchestré.* « Vos moineaux sont bardés de haches et de gourdins. Qu'ils se défendent par eux-mêmes.

— Les lois du roi Maegor le leur interdisent, ainsi que Votre Grâce doit le savoir. Ce fut suite à un décret de lui que la Foi dut déposer l'épée.

— Aujourd'hui, c'est Tommen qui règne, et non Maegor. » Si elle s'en fichait, de ce que Maegor le Cruel avait décrété trois cents ans plus tôt ! *Au lieu de désarmer les fidèles, il aurait mieux fait de les utiliser tels quels pour aboutir à ses propres fins.* Elle pointa l'index vers l'autel de marbre rouge au-dessus duquel se dressait le Guerrier. « Qu'est-ce qu'il tient ?

— Une épée.

— A-t-il oublié comment on s'en sert ?

— Les lois de Maegor…

— … pourraient être abrogées. » Elle laissa l'appât en suspens, dans l'attente que le Grand Moineau morde à l'hameçon.

Il ne la dépita point. « La Foi Militante ressuscitée… Voilà la réponse qui exaucerait trois cents années de prières, Votre Grâce. Le Guerrier brandirait à nouveau sa lame étincelante et purifierait ce royaume adonné au péché de tous ses mauvais penchants. Si Sa Majesté devait me permettre de restaurer les anciens ordres bénis de l'Étoile et de l'Épée, chacune des âmes pieuses des

Sept Couronnes reconnaîtrait en Elle son authentique et légitime seigneur et maître. »

C'était du baume, d'entendre cela, mais Cersei se garda de manifester un excès d'ardeur. « Votre Sainteté Suprême a parlé tout à l'heure de rémission. En ces temps troublés, le roi Tommen vous aurait une gratitude infinie s'il vous était possible de trouver le moyen de remettre la dette de la Couronne. Il me semble me rappeler que nous sommes redevables à la Foi d'environ neuf cent mille dragons.

— Neuf cent mille six cent soixante-quatorze dragons. De l'or qui permettrait de nourrir les affamés et de reconstruire mille septuaires.

— Est-ce de l'or que vous voulez ? demanda-t-elle. Ou bien la mise au rancart de cette législation poussiéreuse de Maegor le Cruel ? »

Le Grand Septon s'accorda le temps de la réflexion. « Qu'il en soit selon vos désirs. Cette dette sera remise, et le roi Tommen obtiendra sa bénédiction. Les Fils du Guerrier m'escorteront jusqu'auprès de lui, dans la gloire éblouissante de leur foi, pendant que, renés en Pauvres Compagnons comme dans l'ancien temps, mes moineaux partiront défendre les doux et les humbles des campagnes. »

La reine se releva et lissa ses jupes. « Je ferai rédiger les documents, et Sa Majesté y apposera sa signature et le sceau royal. » S'il y avait quelque chose que Tommen adorait dans l'exercice de la royauté, c'était de jouer avec son sceau.

« Puissent les Sept sauvegarder Sa Majesté. Puisse-t-Elle régner longtemps. » Le Grand Septon joignit ses mains en posture orante et leva les yeux vers les cieux. « Et puissent les méchants trembler dorénavant ! »

Entendez-vous ça, lord Stannis ? Cersei ne put s'empêcher de sourire. Messire son père en personne n'aurait su mieux mener sa barque. D'un seul coup, d'un seul, elle venait de débarrasser Port-Réal du fléau des moineaux, de décrocher la bénédiction de Tommen et de réduire l'endettement de la Couronne de près d'un million de dragons. Son cœur nageait dans une telle allégresse qu'elle eut la complaisance de se laisser reconduire à la salle aux Lampes par le Grand Septon.

Tout en partageant son ravissement, lady Merryweather confessa n'avoir jamais entendu parler jusque-là des Fils du Guerrier ni des Pauvres Compagnons. « Leur existence est antérieure à la Conquête d'Aegon, lui expliqua la reine. Les Fils du Guerrier étaient un ordre de chevaliers qui, après s'être volontairement dépouillés de leurs terres et de leur fortune, vouaient leurs épées au service de Sa Sainteté Suprême. Quant aux Pauvres Compagnons, d'origine plus humble, mais infiniment plus nombreux, c'étaient des espèces de frères mendiants, sauf qu'au lieu de sébiles ils portaient des haches. Ils sillonnaient les routes et tenaient lieu d'escorte aux voyageurs de septuaire en septuaire et de ville en ville. Attendu que leur emblème était l'étoile à sept branches, rouge sur fond blanc, le petit peuple les désignait sous le nom d'Étoiles. Les Fils du Guerrier portaient des manteaux arc-en-ciel et, par-dessus leurs haires, des armures niellées d'argent. Un cristal en forme d'étoile était enchâssé sur le pommeau de leurs flamberges. On les appelait communément les Épées. Qualifiés tantôt de saints hommes ou d'ascètes, et tantôt de fanatiques, de sorciers, de tueurs de dragons, de chasseurs de démons, il courait mille histoires contradictoires sur leur compte. Mais elles s'accordent unanimement sur le fait qu'ils poursuivaient d'une haine implacable tous les ennemis de la Sainte Foi. »

Lady Merryweather comprit instantanément. « Des ennemis tels que lord Stannis et sa sorcière rouge, peut-être ?

— Eh bien, oui, comme par hasard, répondit Cersei en pouffant comme une gamine. Que diriez-vous d'entamer un flacon d'hypocras et de boire à la ferveur des Fils du Guerrier pendant que nous rentrons chez nous ?

— À la ferveur des Fils du Guerrier et au génie de la reine Régente. À Cersei, première du nom ! »

Celle-ci trouva l'hypocras aussi gouleyant et goûteux que sa jubilation triomphale, et elle eut presque l'impression de retraverser la ville à bord d'une litière en lévitation. Mais, au pied de la grande colline d'Aegon, son cortège tomba sur Margaery Tyrell qui rentrait avec ses cousines d'une balade à cheval. *Où que j'aille, elle me colle aux talons !* songea-t-elle, hérissée, quand elle aperçut la petite reine.

Dans le sillage de Margaery froufroutait une longue traîne de courtisans, de gardes et de serviteurs, nombre d'entre eux chargés de corbeilles de fleurs toutes fraîches. Chacune des cousines avait harponné un sigisbée ; Alyn Ambrose, le grand échalas d'écuyer auquel elle était fiancée, chevauchait avec Elinor, ser Tallad avec cette mijaurée d'Alla, le manchot Mark Mullendor avec les fous rires et les bourrelets de Megga. Les jumeaux Redwyne équipaient deux des dames de Margaery, Meredith Crane et Janna Fossovoie. Toutes les femmes avaient des fleurs dans les cheveux. Jalabhar Xho s'était mis lui aussi de la partie, tout comme ser Lambert Tournebaie, avec son ridicule bandeau sur l'œil, ainsi que le beau chanteur qui se faisait appeler le Barde Bleu.

Et, comme il va de soi qu'un chevalier de la Garde Royale doit accompagner la reinette, il va de soi que c'est le Chevalier des Fleurs. Et s'il resplendissait, ser Loras, dans sa blanche armure d'écailles niellée d'or ! Il avait beau ne plus prétendre à l'entraînement de Tommen, celui-ci passait encore beaucoup trop de temps en sa société. Chaque fois qu'il rentrait d'un après-midi perdu dans les jupons de sa petite épouse, il avait invariablement quelque nouveau conte à débiter sur tel ou tel truc que ser Loras avait dit ou fait.

Margaery les héla quand les deux colonnes se rejoignirent et vint se porter à la hauteur de la litière de la reine. Elle avait les joues toutes roses, et les boucles brunes annelées qui cascadaient librement jusqu'à ses épaules oscillaient au moindre zéphyr. « Nous sommes allés cueillir des fleurs d'automne au Bois-du-Roi », susurra-t-elle.

Je sais bien où tu te trouvais, songea Cersei. Elle n'avait qu'à se louer de ses informateurs. Ils ne lui laissaient rien ignorer des mouvements de Margaery. *Est-elle agitée, notre petite reine !* Il s'écoulait rarement plus de trois jours sans qu'elle parte cavaler. Parfois, c'était sur la route de Rosby, avec à la clef recherche de coquillages et pique-nique au bord de la mer. D'autres fois, c'était pour un après-midi de chasse au faucon sur l'autre rive de la Néra. Elle adorait aussi les promenades en bateau sur la rivière qu'elle remontait et redescendait sans but particulier. Se sentait-elle d'humeur dévote, et la voilà qui délaissait le château pour courir au Grand Septuaire de Baelor. Elle avait donné sa pratique à une douzaine de couturières différentes, jouissait d'une espèce de célébrité chez les orfèvres de la ville et s'était même singularisée par des visites au marché au poisson, près de la porte de la Gadoue, sous couleur de jeter un coup d'œil aux prises du jour. En quelque endroit qu'elle se rendît, les petites gens frétillaient d'extase, et dame Margaery se ruinait en frais d'amabilité pour attiser leurs bonnes grâces. Elle était constamment en train d'acheter des tourtes chaudes aux marchands ambulants, de prodiguer des aumônes aux pauvres et d'immobiliser sa monture pour jacasser avec de vulgaires artisans.

N'eût été que d'elle, Tommen se serait également jeté dans le tourbillon. Elle l'invitait sans relâche à se joindre à elle et à ses volailles pour ces escapades, et lui, sans relâche, harcelait sa mère pour obtenir l'autorisation de les suivre. La reine avait accordé son consentement de loin en loin, ne serait-ce que pour offrir à ser Osney le loisir de passer quelques heures supplémentaires en compagnie de Margaery. *Pour ce que ça a donné… Il m'a cruellement déçue jusqu'ici.* « Te souviens-tu du jour où ta sœur s'est embarquée pour Dorne ? avait-elle une fois demandé à son fils. Te souviens-tu des hurlements que poussait la populace sur notre passage pendant que nous retournions au château ? Des pierres qu'elle jetait, de ses imprécations ? »

Mais il était resté sourd à tout argument de bon sens, grâce à sa petite reine. « Si nous nous mêlons à eux, les gens du commun nous aimeront mieux.

— La populace aimait si bien le Grand Septon gros lard qu'elle l'a mis en pièces, tout saint homme qu'il était », lui avait-elle rappelé. Ce sans autre résultat que d'essuyer sa maussaderie. *Exactement ce que souhaite Margaery, je parie. Chaque jour et par tous les moyens, elle travaille à me le voler.* Joffrey aurait percé à jour ses agaceries d'intrigante, et il aurait su la remettre à sa place, mais Tommen était d'une inénarrable crédulité. *Elle a pigé que Joff était trop fort pour elle*, songea Cersei en repensant à la pièce d'or dénichée par Qyburn. *Pour que la maison Tyrell puisse se flatter de gouverner, il fallait qu'il soit supprimé.* Il lui revint brusquement à l'esprit que Margaery et sa mégère de grand-mère avaient autrefois conspiré de marier Sansa Stark à l'estropié de la famille, Willos. Lord Tywin avait déjoué leur manège en les devançant d'une tête au profit de Tyrion, mais elle tenait enfin là le maillon manquant. *Ils ont tous trempé dans le coup*, saisit-elle en sursaut. *Les Tyrell ont graissé la patte aux geôliers pour délivrer Tyrion, puis ils l'ont fait filer par la route de la Rose pour qu'il rejoigne son infâme épouse. À présent, tous les deux se trouvent en sécurité, cachés à Hautjardin derrière un mur de roses.*

« Votre Grâce aurait dû venir avec nous, continua de pépier la petite fourbe tandis que l'on se mettait à gravir le versant de la grande colline d'Aegon. Cela nous aurait permis de partager des heures si merveilleuses ! Les arbres sont tout atourés d'or, d'orange et de rouge, et il y a des fleurs à foison partout. Des châtaignes aussi. Nous en avons fait griller quelques-unes sur le chemin du retour.

— Je n'ai pas de temps pour me promener dans les bois et pour ramasser des fleurs, riposta Cersei. J'ai un royaume à gouverner, moi.

— Rien qu'un, Votre Grâce ? Qui gouverne donc les six autres ? » Margaery gazouilla un joli petit rire joyeux. « Vous voudrez bien me pardonner ma plaisanterie, j'espère. Je conçois de quel fardeau vous êtes accablée. Vous devriez me permettre de vous en soulager un peu. Il doit bien y avoir des choses que je pourrais faire pour vous aider. Cela ferait taire tous ces caquets sur notre prétendue rivalité dans le cœur du roi.

— On prétend cela ? » Cersei sourit. « Quelle idiotie. Jamais je ne vous ai considérée comme une rivale, ne serait-ce qu'un seul instant.

— Vous ne sauriez imaginer quel plaisir vous me faites là. » Elle n'avait apparemment pas perçu la rosserie. « Il faut absolument que vous nous accompagniez, vous et Tommen, la prochaine fois. Sa Majesté adorerait cela, je le sais. Le Barde Bleu a joué pour nous, et ser Tallad nous a montré comment on se sert d'un bâton pour se battre, à la manière des gens du commun. Et les bois sont d'une telle beauté, en automne…

— La forêt était aussi la passion de feu mon époux. » Dans les premières années de leur mariage, Robert n'arrêtait pas de la supplier de le suivre à la chasse, mais elle trouvait toujours une excuse pour se dérober. Le temps qu'il consacrait à courir derrière le gibier la laissait libre de retrouver Jaime. *Jours d'or et nuits d'argent.* C'était une danse périlleuse qu'ils avaient dansée là, sans conteste. Il y avait des yeux et des oreilles partout, dans le Donjon Rouge, et l'on ne pouvait jamais savoir avec certitude à quel moment reviendrait Robert. Mais, dans un sens, le péril n'avait rendu que plus excitantes leurs récréations. « N'empêche, il arrive parfois à la beauté de masquer un danger mortel, avertit-elle la petite reine. C'est dans les bois que Robert a perdu la vie. »

Margaery sourit à ser Loras ; un sourire délicieux de sœur, pourri de tendresse. « Votre Grâce est trop bonne de craindre pour moi, mais je puis aveuglément me reposer sur la protection de mon frère. »

Pars pour la chasse, avait enjoint Cersei plutôt deux fois qu'une à Robert. *Je puis aveuglément me reposer sur la protection de mon frère.* Elle se ressouvint de ce que Tacna lui avait susurré, tout à l'heure, et un grand éclat de rire s'échappa de ses lèvres.

« Votre Grâce rit à ravir… » Lady Margaery lui adressa un sourire interrogatif. « Nous serait-il permis d'avoir notre part de ce qui lui paraît si drôle ?

— Vous l'aurez, répondit la reine. Je vous promets que vous l'aurez. »

LE RAVISSEUR

Les tambours battaient un rythme belliqueux lorsque *Le Fer vainqueur* bondit à l'assaut, fendant de son éperon les eaux vertes écumantes. Devant, plus bas sur l'eau, le navire adverse virait de bord au même instant, flagellant la mer de toutes ses rames. Des roses flottaient sur ses pavillons ; une rose blanche frappait un écusson rouge à la proue comme à la poupe et, tout en haut du mât, une rose d'or s'épanouissait sur un champ vert gazon. *Le Fer vainqueur* en érafla si durement le flanc que la moitié de l'équipage perdit pied. Les rames craquèrent, brisées net, volèrent en éclats, musique suave aux oreilles du capitaine des pirates.

Il sauta par-dessus le bastingage et, son manteau d'or tourbillonnant derrière lui, atterrit sur le pont. Les roses blanches battirent en retraite, comme tout le monde le faisait toujours à la seule vue de Victarion Greyjoy en armure et en armes, le visage retranché derrière son heaume à la seiche. Elles avaient des épées, des piques et des haches, mais les neuf dixièmes d'entre elles ne portaient pas d'armure, et le dixième restant n'était revêtu que d'une chemise d'écailles cousues. *Ce ne sont pas là des Fer-nés*, songea Victarion. *Ils ont encore peur de se noyer.*

« Descendez-le ! gueula un type. Il est seul !

— *VENEZ !* rugit-il en retour. *Venez me tuer, si vous le pouvez !* »

Les guerriers à la rose convergèrent de toutes parts, l'acier gris au poing et la terreur au fond des yeux. Si mûre était leur peur que Victarion en perçut toute la saveur. Un moulinet de droite et de gauche lui permit de sectionner le bras de son premier adversaire à la hauteur du coude et de fendre en deux l'épaule du deuxième. Le troisième eut la sottise d'enfouir le fer de sa hache dans le pin tendre du bouclier de Victarion, qui le lui assena en pleine figure, l'expédia par terre et le tua quand il essaya de se relever. Pendant qu'il se démenait pour dégager sa hache de la cage thoracique du mort, une pique se planta entre ses omoplates. Cela lui fit l'effet qu'on venait de lui administrer une tape dans le dos. Il pivota et abattit sa hache sur la tête de l'agresseur et ressentit dans son bras la formidable progression de l'acier ravageant le heaume, le cuir chevelu et le crâne. L'homme tituba le temps d'un clin d'œil, soit tout juste celui qu'il fallut au capitaine pour délivrer sa hache avant d'envoyer le cadavre s'affaler en trébuchant comme une chiffe sur le pont, plus semblable à un ivrogne qu'à un mort.

Entre-temps, ses Fer-nés avaient à leur tour déferlé sur le navire avarié. Il entendit Wulfe-qu'une-oreille s'atteler à la besogne en poussant un hurlement, il entrevit Ragnor Pyk dans sa maille rouillée, vit Nutt le Barbier lancer une hache dont la course virevoltante finit par aboutir dans une poitrine. Lui-même tua un homme de plus, puis encore un autre. Il en aurait encore tué un troisième, n'était que Ragnor l'avait déjà devancé. « Beau coup ! » lui aboya-t-il.

Comme il se retournait en quête d'une prochaine victime pour sa hache, il repéra le capitaine ennemi de l'autre côté du pont. Tout maculé d'éclaboussures et de traînées de sang qu'était son surcot blanc, les armoiries s'y discernaient toujours, la rose blanche dans l'écusson rouge. Son bouclier portait le même emblème, sur champ blanc clos par une bordure rouge. « *Hé, toi !* cria Victarion par-dessus le carnage. *Toi de la rose ! Es-tu le sire de Bouclier du Sud ?* »

L'interpellé releva sa visière, révélant un visage imberbe. « Son fils et héritier. Ser Talbert Serry. Et toi, la seiche, qui es-tu ?

— Ta mort. » Victarion se rua vers lui.

Serry bondit à sa rencontre. Sa flamberge était de bel et bon acier forgé château, et le jeune chevalier se mit à la faire chanter sur-le-champ. Sa première botte fut basse, et la hache de Victarion la fit dévier. Sa deuxième porta de plein fouet sur le heaume avant que le capitaine de fer n'ait eu le temps de brandir son bouclier. Il répliqua par un revers de hache. Le bouclier de Serry barra le passage. Des échardes de bois volèrent, et la rose blanche se fissura tout du long en émettant un léger crissement pointu. L'épée du jouvenceau sut l'atteindre à la cuisse une fois, deux fois, trois fois successives, en glapissant contre l'acier. *Ce mioche est rapide*, s'avisa-t-il. En lui flanquant son bouclier dans la figure, il le fit reculer en titubant jusqu'au bastingage, leva sa hache et mit tout son poids derrière le coup, de manière à ouvrir Serry de l'encolure à l'aine, mais celui-ci trouva moyen de s'esquiver. Le fer de la hache fit voler des nuées d'échardes en s'enfonçant si profondément dans la rambarde que tous les efforts de Victarion pour l'en déloger furent inutiles. Le pont remua sous ses pieds, et il s'affaissa sur un genou.

Ser Talbert rejeta son bouclier brisé, et son épée fondit sur Victarion qui, en perdant l'équilibre, avait fait faire un demi-tour à son bouclier personnel, de sorte qu'il n'eut pas d'autre ressource que de cueillir la lame au creux de sa poigne. L'acier à l'écrevisse grinça salement, mais, malgré la douleur lancinante qui le fit grogner, Victarion ne lâcha pas prise. « Je suis rapide moi aussi, mon gars », déclara-t-il en lui arrachant l'épée des mains pour la balancer aussi sec dans la mer.

La stupéfaction fit s'écarquiller ser Talbert. « Mon épée… »

Victarion le saisit à la gorge avec son poing sanglant. « Va la chercher », dit-il en le faisant basculer par-dessus le plat-bord dans les flots rougis.

Cela lui valut un peu de répit pour libérer sa hache. Les roses blanches se débandaient devant la marée des Fer-nés. Certaines essayèrent de se réfugier dans les cales, pendant que d'autres demandaient quartier. Victarion sentait la chaleur du sang qui ruisselait de ses doigts sous la maille, le cuir et la plate à l'écrevisse, mais il s'en moquait comme d'une guigne. Autour du mât continuait à se battre, formés en cercle, épaule contre épaule, un groupe compact d'ennemis. *Ces quelques-là sont des hommes, au moins. Ils aimeraient mieux périr que de se rendre*. Il allait exaucer leur vœu. Il fit sonner le plat de sa hache contre son bouclier et se précipita sur eux.

Le dieu Noyé n'avait pas façonné Victarion Greyjoy pour lui permettre de s'adonner aux joutes verbales d'états généraux de la royauté, pas plus que pour affronter de vagues adversaires furtifs dans les marécages. C'était pour *ceci* qu'il l'avait fait venir au monde, pour se dresser de toute sa stature, revêtu d'acier, une hache rouge et dégouttante au poing, et pour prodiguer la mort à chaque coup porté.

Les épées le taillèrent de face et de dos, mais elles auraient pu être tout aussi bien des badines de saule, pour le mal qu'elles lui infligeaient. Aucune d'elles n'était capable de traverser la plate massive de Victarion Greyjoy, et il ne leur accorda pas le loisir d'en trouver le point faible, aux articulations, où il n'était protégé que par de la maille et du cuir. Ses assaillants eurent beau s'y mettre à trois, s'y mettre à quatre, s'y mettre à cinq, cela compta pour du beurre. Il les tua chacun à son tour, trop sûr que son armure saurait le garantir des autres. Au fur et à mesure qu'il en déquillait un, il passait sa rage sur le suivant.

Le dernier qu'il eut à affronter avait dû être forgeron ; il avait des épaules de taureau, plus musculeuses l'une que l'autre. Son armure se composait d'une coiffe de cuir bouilli et d'une brigandine cloutée. Le seul de ses coups qui porta paracheva la démolition du bouclier de Victarion, mais celui qui l'en récompensa lui fendit le crâne en deux. *Un jeu d'enfant. Que ne puis-je aussi facilement régler son compte à l'Œil-de-Choucas !* Lorsqu'il récupéra sa hache d'une saccade, la tête du forgeron explosa littéralement. Un geyser de sang, d'os et de cervelle s'éparpilla de tous côtés, le cadavre s'effondra à plat ventre dans les jambes du capitaine. *Trop tard pour demander quartier, mon vieux*, songea-t-il en se dépêtrant de son embarrassante victime.

Pour lors, le pont était tout visqueux sous ses pieds, les morts et les mourants gisaient amoncelés au petit bonheur. Il envoya baller son bouclier et se gorgea d'air. « Seigneur capitaine, entendit-il le Barbier déclarer près de lui, à nous la journée. »

Tout autour, la mer était encombrée de bateaux. Certains brûlaient, d'autres sombraient, quelques-uns surnageaient, plus ou moins en miettes. Entre les coques, l'eau faisait l'effet d'un ragoût pâteux, cloquée de cadavres, de débris de rames et d'épaves auxquels se cramponnaient des survivants. Au loin, une douzaine de vaisseaux sudiens déguerpissaient rembouquer au plus tôt la Mander. *Laissons-les se tailler*, songea Victarion, *laissons-les propager le récit de nos exploits*. Un homme qui s'enfuyait la queue entre les jambes en abandonnant le champ de bataille cessait d'être un homme.

La sueur qui avait dégouliné de son front tout au long des combats lui piquait les yeux. Après que deux de ses rameurs l'eurent aidé à délacer son heaume à la seiche pour lui permettre de s'en décoiffer, il s'épongea la figure. « Ce chevalier, maugréa-t-il, le chevalier à la rose blanche. Est-ce que l'un d'entre vous l'a repêché ? » Un fils de lord rapporterait une rançon copieuse ; payée par son père, si lord Serry lui-même en avait aujourd'hui réchappé ; par son suzerain de Hautjardin, dans le cas contraire.

Mais aucun d'eux ne savait ce qu'il était advenu de ser Talbert après son largage par-dessus bord. Il s'était noyé, selon toute probabilité. « Puisse-t-il festoyer comme il s'est battu dans les demeures liquides du dieu Noyé. » Les habitants des îles Bouclier avaient beau se qualifier de marins, la mer leur inspirait une telle trouille qu'ils ne s'aventuraient au combat qu'armés à la légère pour ne pas risquer de se noyer. Le petit Serry s'était révélé tout autre. *Un brave*, songea Victarion. *Presque digne d'être un Fer-né*.

Après avoir donné le bateau capturé à Ragnor Pyk et désigné une douzaine d'hommes pour lui servir d'équipage, il regrimpa à bord de son *Fer vainqueur*. « Fais dépouiller les prisonniers de leurs armes et de leurs armures et panser leurs plaies, commanda-t-il à Nutt le Barbier. Les mourants, tu les largues à la baille. S'il en est qui implorent miséricorde, tu leur tranches d'abord la gorge. » Il n'éprouvait que mépris pour ceux de cet acabit ; mieux valait se noyer dans l'eau de mer que dans son propre sang. « Je veux le compte des bateaux que nous avons conquis et de tous les chevaliers et nobliaux que nous détenons. Je veux aussi leurs pavillons. » Un de ces jours, il les suspendrait dans sa grande salle, de manière qu'ils lui remémorent, quand il serait devenu un vieillard débile, chacun des ennemis qu'il avait tués lorsqu'il était jeune et vigoureux.

« Ce sera fait. » Nutt s'épanouit. « Une victoire magnifique qu'on vient de remporter là. »

Ouais, songea-t-il, *une victoire magnifique pour l'Œil-de-Choucas et ses magiciens*. C'était de nouveau le nom de son frère que les autres capitaines allaient braire quand la nouvelle parviendrait à Bouclier de Chêne. Euron les avait embobelinés avec sa langue pateline et son œil enjôleur, et il les avait attachés à sa cause avec le butin de cinquante contrées lointaines ; or et argent, armures somptueuses, sabres courbes à pommeau doré, poignards en acier valyrien, peaux de tigre rayées et peaux de chat mouchetées, manticores en jade et sphinx antiques de Valyria, coffres de noix muscade, de clous de girofle et de safran, défenses d'ivoire et dents de licorne, plumes vertes et orange et jaunes des Îles d'Été, ballots de soieries fines et de samits moirés… Mais qu'était-ce pourtant que tout cela ? Babioles, fariboles ! comparé à ce qui venait juste d'avoir lieu. *Et, maintenant qu'il les enivre de conquête, ils sont à lui pour tout de bon*, songea-t-il. Il jugeait quand même la pilule un peu amère à avaler… *Cette victoire-ci m'est due tout entière, à moi, pas à lui. Où se trouvait-il, je vous prie, lui ? À Bouclier de Chêne, à se prélasser dans un château. Il m'a déjà volé mon épouse, il m'a déjà volé mon trône, et voilà qu'il me vole à présent ma gloire*.

L'obéissance, Victarion Greyjoy en avait acquis le sens tout naturellement ; il était né dedans. Ayant grandi jusqu'à l'âge adulte à l'ombre de ses frères, il s'était fait un devoir de s'aligner sur chacun des faits et gestes de Balon. Lorsque celui-ci avait eu des fils, par la suite, il s'était tout doucement habitué à l'idée qu'il lui faudrait un jour également ployer le genou devant celui d'entre eux qui succéderait à son père sur le Trône de Grès. Seulement, voilà, le dieu Noyé s'était plu depuis lors à convoquer Balon et ses fils au sein de ses demeures liquides, et il était impossible à Victarion d'accoler à Euron le terme de « roi » sans avoir dans la gorge un relent de bile.

Le vent fraîchissait, et il avait une soif atroce. La bataille lui donnait toujours ce désir de vin. Une fois Nutt mis en possession des soins du pont, il descendit dans sa cabine exiguë de la poupe et y trouva la noiraude mouillée et d'attaque ; peut-être qu'elle aussi, les combats lui avaient échauffé le sang. Il la prit à deux reprises, presque coup sur coup. Quand ils en eurent terminé, elle avait les seins, les cuisses et le ventre barbouillés de sang, mais c'était de son sang à lui, du sang de sa paume blessée. Aussi entreprit-elle immédiatement de nettoyer la plaie avec du vinaigre bouilli.

« Le plan était bon, ça, je le lui accorde, dit-il pendant qu'elle s'agenouillait près de lui. La Mander nous est ouverte, désormais, comme elle l'était autrefois. » C'était une rivière paresseuse, large et lente et traîtresse, parsemée d'écueils et de bancs de sable. La plupart des bâtiments de navigation hauturière n'osaient pas s'y aventurer par-delà Hautjardin, mais, vu leur faible tirant d'eau, les boutres, eux, pouvaient se permettre de la remonter jusqu'à Pont-l'Amer. Dans les anciens temps, les Fer-nés n'avaient pas craint de la sillonner pour en piller les rives, ainsi que celles de ses affluents… Jusqu'à ce que les rois à la main verte se mêlent d'armer les pêcheurs des quatre petites îles plantées au large de son embouchure et les baptisent ses boucliers.

Deux mille ans avaient eu beau s'écouler depuis, des barbes grises continuaient à monter leur veille immémoriale dans les tours de guet plantées tout le long de leurs côtes escarpées. À peine l'un de ces vieillards entr'apercevait-il des boutres qu'il allumait aussitôt son feu d'alarme et que l'appel bondissait de colline en colline et d'île en île : *Gare ! Ennemis ! Pillards ! Pillards !* Et il suffisait aux populations de voir s'élever les flammes sur les hauteurs pour abandonner sur-le-champ qui sa charrue, qui ses filets de pêche et pour empoigner haches et épées, pendant que chacun de leurs seigneurs et maîtres sortait en trombe de son château, suivi de ses hommes d'armes et de ses chevaliers. Les cors de guerre se faisaient écho par-dessus les flots, de Bouclier Vert à Bouclier Gris, de Bouclier de Chêne à Bouclier du Sud, et, tout le long des grèves, les bateaux dévalaient les plans inclinés moussus de leurs remises de pierre et, toutes rames déployées, fonçaient par les détroits, tel un essaim de guêpes, verrouiller la nasse de la Mander et harceler vers l'amont, traquer les flibustiers jusqu'à ce que mort s'ensuive.

Sur l'ordre d'Euron, Torwold Dent-brune et le Rameur Rouge s'étaient engagés dans la rivière avec une douzaine de boutres de course, à seule fin que les divers seigneurs des Boucliers se lancent en force à leurs trousses. Tant et si bien que, lorsque le gros de sa flotte était survenu, les îles elles-mêmes n'étaient plus défendues que par quelques poignées de combattants. Les Fer-nés avaient mis à profit la marée du soir pour surgir, de manière que les barbes grises, éblouies par l'embrasement du crépuscule, ne les repèrent que lorsqu'il serait trop tard. Ils avaient le vent en poupe, comme ils n'avaient pas cessé de l'avoir – phénomène des plus singuliers –, depuis leur appareillage de Vieux Wyk. Il se chuchotait d'ailleurs à bord de tous les bateaux que les magiciens d'Euron y étaient un peu beaucoup pour quelque chose, et que le Choucas apaisait le dieu des Tornades par des sacrifices sanglants. Sans cela, comment aurait-il eu l'audace, dites, de pousser si avant vers l'ouest, au lieu de longer la ligne des côtes, ainsi que cela se pratiquait toujours ?

Après avoir échoué leurs boutres sur les plages de galets, les Fer-nés s'étaient éparpillés dans les ombres violettes du crépuscule, l'acier miroitant au poing. À cette heure, les feux de vigie flambaient de toutes parts sur les hauteurs, mais sans rallier grand monde, et pour cause. La chute de Bouclier Gris, de Bouclier Vert et de Bouclier du Sud avait précédé le lever du soleil. Bouclier de Chêne avait tenu une demi-journée de plus. Et, lorsque les insulaires avaient finalement renoncé à pourchasser Torwold et le Rameur Rouge vers l'amont et viré de bord pour rentrer chez eux, qu'est-ce qui les attendait, stupeur, à l'embouchure de la Mander ? La flotte de Fer tout entière…

« Tout s'est passé comme il l'avait prédit, confessa Victarion, tandis que la noiraude lui bandait la main. Ses magiciens devaient l'avoir vu. » Il s'en trouvait trois, à bord du *Silence*, lui avait, tout bas, soufflé Quellon Humble. Des types étranges et formidables, que c'était, mais que le Choucas n'en avait pas moins réduits en esclavage. « Ça ne l'empêche pas d'avoir encore besoin de moi pour livrer ses batailles, spécifia-t-il. Les magiciens, c'est bien joli et tout et tout, peut-être, mais les batailles, ça se gagne avec du sang et de l'acier. » Le vinaigre sur sa blessure rendait la douleur plus lancinante que jamais. Il repoussa la femme et serra son poing d'un air menaçant. « Apporte-moi du vin. »

Il but dans le noir, tout en ruminant sa rancœur. *Si ce n'est pas de ma propre main que je porte le coup fatal, suis-je quand même un fratricide ?* Il n'avait peur de personne au monde, mais encourir la malédiction du dieu Noyé, cela méritait réflexion. *Si c'est un autre qui le frappe sur mon ordre, est-ce que son sang me souillera quand même les mains ?* Aeron Tifs-Trempes aurait su répondre, mais il se trouvait quelque part dans les Îles de Fer, espérant toujours soulever ses compatriotes contre leur nouveau-couronné de roi. *La hache de Nutt le Barbier peut raser un homme à vingt pas de distance. Et pas un seul des bâtards de métis d'Euron ne serait capable de tenir tête à Wulfe-qu'une-oreille ou à Andrik l'Insouriant. N'importe lequel des trois pourrait faire ça.* Mais il ne le savait que trop, ce que *peut* faire un homme et ce qu'il *veut* faire sont deux choses distinctes.

« C'est sur nous tous que les blasphèmes d'Euron vont attirer la colère du dieu Noyé, avait prophétisé Aeron, à Vieux Wyk. Nous devons lui barrer la route, frère. Nous sommes toujours le sang de Balon, n'est-ce pas ?

— Lui aussi, avait objecté Victarion. Bien que cela ne me plaise pas plus qu'à toi, le roi, c'est lui. Ce sont tes états généraux de la royauté qui l'ont fait tel, et c'est toi-même qui as posé sur sa tête la couronne de bois flotté !

— Si j'ai posé moi-même la couronne sur sa tête, avait riposté le prêtre, les cheveux dégouttants de varech, c'est avec joie que je la lui arracherai pour t'en couronner à sa place. Nul autre que toi n'est assez fort pour le combattre.

— C'est au dieu Noyé qu'il a dû son élévation, s'était alors plaint Victarion. Que le dieu Noyé se charge de le jeter bas. »

Cette réponse lui avait valu un regard torve d'Aeron, le fameux regard qui rendait l'eau des puits saumâtre et les femmes stériles. « Ce n'est pas le dieu qui s'est exprimé là. Il est notoire que des sorciers putrides et des magiciens se trouvent sous la coupe d'Euron, à bord de ce bateau rouge qu'il a. C'est eux qui nous ont empêchés d'écouter la mer en tramant dans le sein des nôtres une diablerie de leur façon. Les capitaines et les rois s'étaient laissé soûler par tous ces babillages de dragons.

— Soûler, c'est le mot. Et épouvanter, en plus, par ce maudit cor. Tu as entendu le son qu'il produisait. Mais tout cela ne change rien. Euron est notre roi.

— Pas le mien, déclara le prêtre. Le dieu Noyé seconde les intrépides, pas les peureux qui courent se tapir à fond de cale aussitôt que la tempête commence à menacer. Si tu ne veux bouger ni pied ni patte, toi, pour chasser l'Œil-de-Choucas du Trône de Grès, alors, c'est moi qui me verrai forcé d'assumer ce devoir moi-même.

— Comment ? Tu n'as ni bateaux ni épées...

— J'ai ma voix, répliqua Tifs-Trempes, et j'ai le dieu de mon côté. Mienne est la puissance de la mer, et une puissance telle que le Choucas ne saurait se flatter de lui tenir tête. La houle peut bien se briser contre une montagne, elle n'en vient pas moins, lame après lame, l'assaillir et, finalement, là où se dressait autrefois la montagne, il ne subsiste plus que des galets. Et bientôt, les galets eux-mêmes sont balayés et vont tapisser le fond de la mer pour l'éternité.

— Des galets ? grommela Victarion. Tu es fou, si tu te figures entraîner la chute du Choucas par des prêchi-prêcha de vagues et de galets.

— Les vagues seront les Fer-nés, annonça le prêtre. Pas les grands et la noblaille, mais les gens simples, pêcheurs de la mer et cultivateurs de la terre. Ce sont les capitaines et les rois qui ont hissé Euron sur le trône, mais ce sont les gens du commun qui l'en précipiteront. J'irai à Grand Wyk, à Harloi, à Orkmont, à Pyk même. Dans chaque ville et dans chaque village retentiront mes paroles. *Aucun impie ne siégera jamais sur le Trône de Grès.* » Et, là-dessus, il avait secoué sa tignasse en signe de véhémente dénégation puis s'était enfoncé dans la nuit. Au lever du soleil, le lendemain, Aeron Greyjoy s'était déjà volatilisé de Vieux Wyk. Ses noyés eux-mêmes ignoraient où il était passé. Aussitôt informé de cette disparition, l'Œil-de-Choucas n'avait, d'après la rumeur, fait qu'en rire.

Seulement, le prêtre avait eu beau quitter la place, n'importe, ses sinistres avertissements planaient toujours dans l'air. Victarion se surprit à remâcher aussi les paroles de Baelor Noirmarées. « *Balon était fou, Aeron est encore plus fou, et Euron est le plus fou de tous.* » Bien résolu à refuser de reconnaître Euron pour son souverain, le jeune lord avait essayé de prendre le large après les états généraux de la royauté pour retourner chez lui, mais la flotte de Fer bloquait toujours la sortie de la baie, tant était profondément enracinée l'habitude de l'obéissance en Victarion Greyjoy, si révulsé qu'il fût de voir le Choucas porter la couronne de bois flotté. Son *Oiseau de nuit* saisi, Noirmarées avait été enchaîné, livré au roi, qui l'avait fait débiter par les muets et les métis du *Silence* en sept morceaux, ce pour repaître équitablement chacun des dieux des contrées vertes qu'il idolâtrait.

En récompense d'un service aussi loyal, son royal frère l'avait gratifié, lui, de la noiraude, enlevée à quelque négrier en route pour Lys. « Je n'ai pas envie de tes restes », s'était dédaigneusement rebiffé Victarion, quitte à céder devant l'assurance qu'on la tuerait s'il ne la prenait pas. Mis à part le fait qu'on lui avait arraché la langue, elle était intacte, et belle par-dessus le marché. Quoique aussi brune de peau que du teck huilé, elle lui rappelait brusquement parfois, quand il la regardait, la première femme que son frère lui avait donnée pour faire de lui un homme.

Il voulut se servir d'elle une nouvelle fois, mais s'en révéla incapable. « Va me chercher une autre gourde de vin, lui ordonna-t-il, et puis ouste. » Lorsqu'elle reparut avec du rouge aigrelet, il rafla la gourde et préféra, tout compte fait, remonter sur le pont respirer l'air salubre de la mer. Après avoir descendu la moitié du vin, il en versa l'autre moitié dans les flots pour tous les morts de la journée.

Le Fer vainqueur s'attarda des heures devant l'embouchure de la Mander. Tandis que la plus grande partie de la flotte de Fer appareillait pour Bouclier de Chêne, Victarion conservait à proximité comme arrière-garde *Le Chagrin*, le *Lord Dagon, La Bise de Fer* et *La Terreur des vierges.* Tout en repêchant des survivants, ils regardèrent lentement couler *La Poigne*, entraînée vers le fond par l'épave qu'elle avait éperonnée. Elle venait finalement de s'engloutir quand le capitaine reçut le rapport qu'il avait réclamé. Le chiffre de ses pertes s'élevait à six bâtiments, celui de ses prisonniers à quatre-vingt-six. « Parfait, dit-il à Nutt. Aux rames. Nous rentrons à Houëttlord. »

Ses rameurs s'attelèrent à la nage pour gagner Bouclier de Chêne, et lui-même redescendit dans l'entrepont. « Je pourrais le tuer, confia-t-il à la noiraude. Seulement, c'est un abominable péché que de tuer son roi, et un plus abominable encore que de tuer son frère. » Il se renfrogna. « Asha aurait dû me donner sa voix. » Par quelle aberration avait-elle pu se bercer si peu que ce soit qu'elle gagnerait à sa cause les capitaines et les rois, elle et ses galets, ses navets et ses pignes de pin ? *Le sang de Balon a beau couler dans ses veines, elle n'est jamais qu'une femme.* Elle s'était enfuie, après les états généraux de la royauté. La nuit même où l'on avait placé la couronne de bois flotté sur la tête d'Euron, elle et son équipage s'étaient évaporés. Dans le tréfonds de Victarion, quelque chose se réjouissait malgré tout qu'elle l'ait fait. *Si elle garde un semblant de jugeote, elle épousera quelque seigneur du Nord et vivra avec lui dans son château, loin de la mer et de l'Œil-de-Choucas.*

« Houëttlord, messire capitaine ! » cria l'un de ses hommes d'équipage.

Il se leva. Le vin avait émoussé la douleur de sa main. En définitive, il aurait peut-être laissé le mestre de lord Houëtt visiter la plaie, si le bonhomme n'avait été tué. Lorsqu'il regagna le pont, *Le Fer vainqueur* était en train de contourner un cap. La vue du château, carré en surplomb de la rade, lui rappela Lordsport, sauf que la ville était ici deux fois plus importante. Une vingtaine de boutres croisaient au large, et sur leurs voiles, au gré du vent, se tortillait la seiche d'or. Des centaines d'autres étaient échoués sur la plage ou amarrés aux appontements qui bordaient le havre. À la queue leu leu contre un quai de pierre s'alignaient trois gros cargos et une douzaine de plus petits sur lesquels on était en train d'embarquer vivres et butin. Victarion commanda de mouiller l'ancre. « Faites apprêter une chaloupe. »

Ce qu'il y avait de plus étrange, à l'approche de la ville, c'était sa quiétude. La plupart des boutiques et des maisons avaient été pillées, comme l'attestaient leurs portes défoncées, leurs volets fracassés, mais on n'avait incendié que le septuaire. Les rues étaient jonchées de cadavres, chacun desservi par sa menue volée de corbeaux charognards. Une bande de rescapés s'affairait là-dedans, d'un air morne, à chasser les oiseaux noirs et à jeter les morts à l'arrière d'une charrette en vue de leur enterrement. Cette perspective emplit Victarion de dégoût. Aucun fils authentique de la mer n'avait envie de pourrir dans la glaise. Car comment, dès lors, retrouver jamais les demeures liquides du dieu Noyé pour boire et festoyer éternellement ?

Le Silence se trouvait parmi les navires qu'ils dépassèrent. Le regard de Victarion fut attiré par sa figure de proue, la jouvencelle en fer dépourvue de bouche, échevelée par le vent, qui tendait le bras. Ses yeux de nacre lui firent l'effet de le suivre. *Elle avait une bouche, comme n'importe quelle autre femme, jusqu'à ce que l'Œil-de-Choucas la lui ait cousue.*

Ils étaient sur le point d'accoster lorsqu'il avisa une file de femmes et d'enfants que l'on faisait monter sur l'un des gros cargos. Certains avaient les mains ligotées derrière le dos, et tous avaient un nœud coulant de chanvre autour du cou. « Qui sont ces gens-là ? demanda-t-il aux hommes qui les aidèrent à arrimer la chaloupe.

— Des veuves et des orphelins. Ils doivent être vendus comme esclaves.

— Vendus ? » Il n'y avait pas d'esclaves, dans les Îles de Fer, uniquement des serfs. Un serf était certes voué à la domesticité, mais il n'avait rien d'un bien-fonds. Ses enfants naissaient libres, à condition d'être donnés au dieu Noyé. Et il ne pouvait pas plus être question de l'acheter que de le vendre à prix d'or. Ou bien l'on payait les serfs au fer-prix, ou bien l'on n'en avait aucun. « Ils devraient être serfs, ou bien femmes-sel, protesta-t-il.

— C'est par décret du roi, reprit leur informateur.

— Les forts ont toujours pris aux faibles, fit Nutt le Barbier. Esclaves ou serfs, qu'est-ce que ça peut foutre ? Leurs hommes n'ont pas été capables de les défendre, alors, ils sont à nous, maintenant, pour en faire ce qu'on voudra. »

C'est contraire à l'Antique Voie, lui aurait-il été facile de répliquer, mais il n'en eut pas le temps. Sa victoire l'avait précédé, et l'on s'agglutinait autour de lui pour le couvrir de félicitations. Il se laissa flagorner jusqu'à ce que quelqu'un se mette à vanter l'audace d'Euron. « C'est une fameuse audace, en effet, que de naviguer hors de la vue des terres, afin d'éviter que la nouvelle de notre arrivée n'atteigne ces îles avant nous, grommela-t-il, mais traverser la moitié du monde pour aller chercher des dragons, ça, c'est quelque chose d'autre. » Sans attendre qu'on lui réponde, il fendit la presse à coups d'épaules et monta tout de suite au fort.

Le château de lord Houëtt était petit mais solide, avec des murailles épaisses et des portes de chêne cloutées qui évoquaient les armes ancestrales de sa maison, un écusson de chêne clouté de fer sur un champ d'ondoiements bleus et blancs. Mais c'était la seiche de la maison

Greyjoy qui flottait désormais sur les tours à toiture verte, et ils trouvèrent les grandes portes ravagées par les flammes et démantibulées. Les chemins de ronde étaient arpentés par des Fer-nés munis de piques et de haches, ainsi que par quelques-uns des métis d'Euron.

Dans la cour, Victarion tomba sur Gorold Bonfrère et le vieux Timbal en train de discuter à voix basse avec Rodrik Harloi. À leur vue, Nutt le Barbier lâcha un ululement. « Bouquineur, apostropha-t-il ce dernier, d'où vous vient cette mine si longue ? Du vent, vos appréhensions, des clous ! À nous la journée, à nous le gros lot ! »

La bouche de lord Rodrik se pinça. « Ces cailloux, tu veux dire ? Mets-les tous les quatre dans le même sac, et tu n'as pas l'équivalent d'Harloi. Nous avons gagné de la pierraille, quelques arbres et l'hostilité de la maison Tyrell.

— Les roses ? » Nutt éclata de rire. « Quelle rose peut mettre à mal les seiches des abysses ? Nous leur avons piqué leurs boucliers, nous les leur avons réduits en charpie. Qui va les protéger, dorénavant, hein ?

— Hautjardin, répliqua le Bouquineur. Le Bief ne va pas tarder à se rassembler comme un seul homme contre nous, Barbier, et alors tu risques d'apprendre que certaines roses ont des épines d'acier. »

Timbal acquiesça d'un hochement, la main posée sur la poignée de sa Pluie Pourpre. « Lord Tarly porte la prestigieuse Corvenin, forgée en acier valyrien, et on le trouve toujours à l'avant-garde de lord Tyrell. »

La convoitise embrasa Victarion. « Qu'il vienne. Je m'adjugerai son épée, comme ton propre aïeul s'est adjugé Pluie Pourpre. Qu'ils viennent tous, et qu'ils amènent aussi les Lannister. Un lion peut se montrer quelque peu dangereux sur le plancher des vaches, mais c'est la seiche qui règne sans partage, en mer. » Il donnerait volontiers la moitié de ses dents pour avoir l'occasion d'éprouver sa hache face au Régicide ou au Chevalier des Fleurs. Ça, c'était le genre de bataille auquel il s'entendait. Si le meurtrier d'un membre de sa famille faisait figure de maudit aux yeux des dieux comme des hommes, le guerrier, lui, ne s'attirait jamais qu'honneur et vénération.

« N'ayez crainte, lord Capitaine, affirma le Bouquineur. Ils viendront. Sa Majesté le souhaite. Sans cela, pourquoi nous aurait-Elle commandé de laisser s'envoler les corbeaux d'Houëtt ?

— Vous bouquinez trop, et vous vous battez trop peu, fit Nutt. Votre sang, c'est que du lait. »

Le Bouquineur affecta de n'avoir pas entendu.

On banquetait déjà avec entrain lorsque Victarion pénétra dans la grande salle. Les tables étaient bondées de Fer-nés qui buvaient, gueulaient, se flanquaient des bourrades en fanfaronnant à qui mieux mieux sur la quantité d'ennemis qu'ils avaient liquidés, sur les prouesses qu'ils avaient accomplies, sur les prises qu'ils avaient réalisées. Beaucoup s'étaient parés des fruits de leurs pillages. Lucas Morru Main-gauche et Quellon Humble avaient déchiré les tapisseries suspendues aux murs pour s'en goupiller des manteaux. Germund Botley portait un collier de perles et de grenats sur son corselet de plates dorées Lannister. Andrik l'Insouriant tituba dans le coin, une femme sous chaque bras ; tout en persistant à ne pas sourire, il avait les doigts surchargés de bagues. Au lieu de plonger leurs pattes dans des tranchoirs creux de pain plus que rassis, c'était devant des plats d'argent massif que s'empiffraient les capitaines.

Nutt le Barbier se rembrunit, rageur, en promenant son regard à la ronde. « Pendant que messire Euron nous bazarde affronter la flotte ennemie, sa fine équipe personnelle se farcit les châteaux, les villages et s'agriffe toutes les femmes et tout le butin. Et nous, il nous laisse quoi ?

— La gloire.

— C'est bien bon, la gloire, riposta Nutt, mais l'or, c'est meilleur. »

Victarion haussa les épaules. « L'Œil-de-Choucas jure que nous aurons tout Westeros à nous. La Treille, Villevieille, Hautjardin… C'est là que tu le trouveras, ton or. Mais trêve de bavardages. J'ai faim, moi. »

Il aurait pu invoquer le droit de son sang pour réclamer un siège sur l'estrade, mais il ne se souciait pas de souper en compagnie d'Euron et de ses créatures. Aussi préféra-t-il jeter son dévolu sur une place libre aux côtés de Ralf le Boiteux, capitaine du *Lord Quellon*. « Une formidable victoire, lord Capitaine, dit celui-ci. Une victoire qui mérite une seigneurie. Qu'elle devrait vous valoir une île. »

Lord Victarion. Mouais… Pourquoi non ? À défaut du Trône de Grès, ce serait toujours quelque chose.

Hotho Harloi se trouvait de l'autre côté de la table, en train de s'acharner sur un os. Il le rejeta, se pencha en avant. « Bouclier Gris doit être attribué au Chevalier. Mon cousin. Vous étiez au courant ?

— Non. » Son regard se porta vers le bord opposé de la salle, où ser Harras Harloi sirotait du vin dans une coupe d'or ; un grand pendard à longue figure austère. « Pourquoi diantre Euron lui donnerait-il une île, à lui justement ? »

Hotho tendit sa coupe vide, et une jeune femme livide en robe de velours bleu rehaussée de dentelle d'or la lui remplit. « Le Chevalier s'est emparé de Grimston tout seul. Il a planté son étendard au pied du château et défié les Grimm en duel. Un s'est présenté, puis un autre, et encore un autre. Il les a tous tués… Enfin, presque, il y en a deux qui ont demandé grâce. Après la déconfiture du septième homme, le septon de lord Grimm a décidé que les dieux s'étaient prononcés, et il a rendu la place. »

Hotho se mit à rire. « Il sera le seigneur et maître de Bouclier Gris, et grand bien lui fasse. Maintenant qu'il a débarrassé le plancher, l'héritier du Bouquineur, c'est moi. » Il se frappa la poitrine avec sa coupe. « Hotho le Bossu, sire de Harloi.

— Sept, vous dites… ? » Victarion se demanda comment se comporterait Crépuscule en face de sa propre hache. Il n'avait jamais affronté d'acier valyrien, mais il avait à plus d'une reprise écrasé Harras Harloi du temps où ils étaient des jeunots tous les deux. À cette époque-là, l'autre était intimement lié avec le fils aîné de Balon, Rodrik, qui avait trouvé la mort sous les murailles de Salvemer.

La chère était succulente, le vin de derrière les fagots. Il y eut du bœuf rôti, saignant, d'un goût rare, ainsi que des canards farcis et de pleines corbeilles de crabes tout frais. Le capitaine ne se fit pas faute de remarquer que les bonnes femmes qui assuraient le service étaient vêtues de fins lainages et de luxueux velours. Il les prit pour des souillons nippées avec les frusques de lady Houëtt et de ses dames jusqu'à ce qu'Hotho le détrompe : *c'étaient* lady Houëtt et ses dames. Le Choucas trouvait ça marrant, de leur faire jouer les boniches et les échansons. Elles étaient huit en tout : belle encore, même si la maturité l'avait dotée d'un peu trop d'embonpoint, Sa Seigneurie elle-même, et le restant plus jeune, âgé de vingt-cinq à dix ans, ses sept filles et belles-filles.

Quant à lord Houëtt, il occupait sa place habituelle sur l'estrade, affublé de ses plus beaux atours armoriés. On lui avait attaché les bras et les jambes à son fauteuil et fourré dans la bouche un plantureux radis blanc pour l'empêcher de piper mot, mais ce sans qu'il risque de perdre une miette ni du spectacle ni des conversations. Euron s'était arrogé la place d'honneur à la droite du maître de céans. Sur ses genoux se trouvait une jolie greluche potelée de dix-sept à dix-huit ans qui, pieds nus, passablement dépoitraillée, lui avait mis les bras autour du cou. « Et ça, c'est qui ? » s'enquit Victarion auprès de ses voisins.

« La fille bâtarde de milord ! s'esclaffa Hotho. Avant que le Choucas s'empare du château, son rôle était de passer les plats aux autres, et elle prenait ses repas avec la domesticité. »

Euron pressa ses lèvres bleues sur la gorge de sa conquête qui se mit à glousser puis lui chuchota quelque chose à l'oreille. Avec un sourire, il lui embrassa de nouveau la gorge. Tous ses baisers avaient laissé des marques rouges sur la blancheur de la peau ; elles formaient comme une guirlande de roses autour des épaules et du col. Un nouveau chuchotage à l'oreille le fit cette fois carrément éclater de rire, puis il martela la table avec sa coupe pour réclamer le silence. « Gentes dames, cria-t-il à ses aristocratiques servantes, Falia s'inquiète pour vos belles robes. Elle ne voudrait pas qu'elles soient maculées de vin, de graisse et d'empreintes crasseuses de doigts baladeurs, puisque je lui ai promis de la laisser choisir sa garde-robe personnelle parmi les vôtres après le festin. Aussi feriez-vous mieux de vous déshabiller. »

La grande salle fut balayée par des rugissements hilares, et le visage de lord Houëtt s'empourpra si fort que Victarion crut qu'il allait avoir une attaque d'apoplexie. Quant aux interpellées, que pouvaient-elles faire d'autre qu'obtempérer ? La plus jeune versa quelques larmes, mais sa mère la réconforta et l'aida à se délacer dans le dos. Après quoi, elles continuèrent à se déplacer le long des tables avec des flacons de vin pour remplir chacune des coupes vides qui se tendaient, bref à servir comme auparavant, sauf qu'elles le faisaient désormais à poil.

Il humilie Houëtt comme il m'a moi-même humilié jadis, songea le capitaine en se remémorant les sanglots éperdus de sa femme pendant qu'il la rossait à mort. Les insulaires des quatre Boucliers se mariaient souvent en circuit fermé, savait-il, exactement comme le faisaient les Fer-nés. L'une de ces servantes à poil se trouvait peut-être bien être l'épouse de ser Talbert Serry. C'était une chose que de tuer un ennemi, c'en était une autre que de le déshonorer. Victarion serra violemment le poing. Le sang qui imbibait le bandage de sa blessure lui suinta entre les doigts.

Là-bas, sur l'estrade, Euron repoussa la petite garce pour grimper sur la table. Les capitaines se mirent à marteler la leur avec leurs coupes et à taper des pieds. « *EU-RON !* hurlaient-ils en cadence, *EU-RON ! EU-RON ! EU-RON !* » C'était une récidive des états généraux de la royauté.

« J'ai juré de vous donner Westeros, dit l'Œil-de-Choucas lorsque le tapage se fut éteint, et vous en avez un premier avant-goût ici. Une bouchée, pas plus… Mais, avant la tombée de la nuit, nous nous en mettrons jusque-là ! » Le long des murs, les torches flamboyaient, et il flamboyait lui aussi, les lèvres bleues, l'œil bleu, et tout et tout. « Ce que la seiche attrape, la seiche ne le lâche pas. Ces îles nous appartenaient, jadis, et elles nous appartiennent à nouveau, maintenant. Mais nous avons besoin d'hommes solides pour les tenir. Aussi, levez-vous, ser Harras Harloi, sire de Bouclier Gris. » Le Chevalier se mit debout, une main sur le pommeau en pierre de lune de Crépuscule. « Levez-vous, Andrik l'Insouriant, sire de Bouclier du Sud. » Andrik se débarrassa de ses femmes et bondit sur ses pieds, telle une montagne surgissant soudain de la mer. « Levez-vous, Maron Volmark, sire de Bouclier Vert. » Imberbe puceau de seize ans, Volmark s'exécuta d'un air hésitant, l'air tout craché du sire des lapins. « Et levez-vous, Nutt le Barbier, sire de Bouclier de Chêne. »

Les yeux de Nutt prirent une expression méfiante, comme s'il redoutait d'être en butte à quelque cruelle plaisanterie. « Un sire ? » croassa-t-il.

Victarion s'était attendu à ce que l'Œil-de-Choucas lordifie ses propres créatures, Maindepierre et le Rameur Rouge et Lucas Morru Main-gauche. *L'intérêt bien compris d'un roi est de se montrer libéral*, essaya-t-il de se persuader, mais une autre voix susurra : *les cadeaux d'Euron sont empoisonnés*. Il retourna la chose dans sa tête, et l'évidence lui creva les yeux. *Le Chevalier était l'héritier désigné du Bouquineur, et Andrik l'Insouriant le vigoureux bras droit de Dunstan Timbal. Volmark n'est encore qu'un petit pataud, mais il a par sa mère du sang d'Harren le Noir. Et pour ce qui est du Barbier…*

Il lui empoigna l'avant-bras. « Refuse-lui ! »

Nutt le dévisagea comme s'il était devenu fou. « Lui refuser ? Des terres et une seigneurie ? C'est *vous* qui me ferez lord ? » Il se dégagea d'une saccade et se dressa, enivré par les ovations.

Et maintenant, ce sont mes hommes qu'il me vole, songea Victarion.

Le roi Euron héla lady Houëtt pour se faire verser une nouvelle coupe de vin qu'il brandit ensuite vers le ciel. « Capitaines et rois, levez vos coupes en l'honneur des seigneurs et maîtres des quatre Boucliers ! » Victarion but comme le reste de l'assistance. *Il n'est pas de vin plus exquis que le vin pris à l'ennemi.* Quelqu'un lui avait dit cela, une fois. Son père, ou bien son frère Balon. *Un jour, c'est ton vin à toi que je boirai, Choucas, et je te prendrai tout ce qui te tient le plus à cœur.* Si tant était qu'il y eût au monde quoi que ce fût qui lui tînt à cœur…

« Dès demain, nous nous apprêtons pour un nouvel appareillage, disait cependant Euron. Remplissez nos barils d'eau de source fraîche, emportez chaque tonneau de bœuf et chaque sac de grain disponibles et autant de chèvres et de moutons qu'il nous est possible d'en embarquer. Les blessés qui sont encore assez en forme pour ramer rameront. Les autres resteront ici, pour aider leurs nouveaux seigneurs à tenir ces îles. Torwold et le Rameur Rouge seront bientôt de retour avec des vivres supplémentaires. Nos ponts pueront la porcherie et le poulailler durant notre voyage vers l'est, mais nous reviendrons avec des dragons.

— *Quand ça ?* » La voix était celle de lord Rodrik. « Quand reviendrons-nous, sire ? Dans un an ? Dans trois ans ? Dans cinq ? Vos dragons se trouvent à un monde d'ici, et l'automne est sur nous. » Le Bouquineur s'avança, sondant tous les hasards de l'aventure. « Des galères gardent la passe Redwyne. Les côtes de Dorne sont sèches et désolées, quatre cents lieues de tourbillons, de falaises et de hauts-fonds sournois, et pour ainsi dire pas de point d'accostage sûr nulle part. Au-delà, les Degrés de Pierre pour perspective, avec leurs tempêtes et leurs nids de pirates lysiens et myriens. Qu'un millier de navires mettent à la voile, et il se peut que trois centaines atteignent la rive opposée du détroit... Et puis après ? Lys ne va pas nous accueillir à bras ouverts, et Volantis pas davantage. Où trouverez-vous des vivres et de l'eau pour vous réapprovisionner ? La première tornade venue nous éparpillera aux quatre coins de l'univers. »

Un sourire se dessina sur les lèvres bleues d'Euron. « La tornade, c'est *moi*, messire. La première venue comme la dernière. *Le Silence* a connu sous ma conduite de plus longs périples que celui-ci, et d'infiniment plus hasardeux. L'auriez-vous oublié ? J'ai sillonné la mer Fumeuse et vu Valyria. »

Chacun des hommes présents savait que le Fléau gouvernait toujours Valyria. La mer elle-même y bouillait et fumait, et la terre ferme grouillait de démons. On disait qu'il suffisait à un navigateur de ne serait-ce qu'entr'apercevoir les épouvantables montagnes de Valyria se lever au-dessus des vagues pour goûter aussitôt une mort terrible, et cependant l'Œil-de-Choucas s'était rendu là-bas, et il en était revenu.

« Vraiment ? » lui demanda le Bouquineur avec une inénarrable suavité.

Le sourire bleu d'Euron se dissipa. « Bouquineur, laissa-t-il tomber au milieu du silence, vous feriez bien de garder votre nez dans vos livres. »

Le malaise de l'auditoire était si palpable que Victarion se jucha sur ses pieds. « Frère, tonna-t-il, vous n'avez pas répondu aux questions d'Harloi. »

Euron haussa les épaules. « Le prix des esclaves est en train de grimper. Nous vendrons les nôtres à Lys et à Volantis. Ça, plus le butin que nous avons fait ici, nous procurera suffisamment d'or pour acheter des provisions.

— Serions-nous des négriers, maintenant ? s'enquit le Bouquineur. Et à quelles fins ? Des dragons que personne ici n'a jamais vus ? Irons-nous jusqu'aux extrémités de l'univers traquer la chimère de va savoir quel matelot soûl ? »

Ses paroles suscitèrent des grommellements approbateurs. « La baie des Serfs est trop loin ! cria Ralf le Boiteux.

— Et trop près de Valyria ! hurla Quellon Humble.

— On est aux portes de Hautjardin, reprit Fralegg le Fort. Moi, les dragons, je dis qu'on a qu'à se les chercher ici. Des ceusses en *or* ! »

Alvyn Aigu l'appuya : « Pour quoi faire qu'on irait courir le monde, quand on a la Mander juste sous le nez ? »

Ralf le Rouge de Maisonpierre se dressa d'un bond. « Villevieille est plus riche, et La Treille encore plus riche. La flotte de Redwyne est partie au diable. Nous n'avons qu'à tendre la main pour cueillir le fruit le plus pulpeux de Westeros.

— Un fruit ? » L'œil du roi paraissait à présent plutôt noir que bleu. « Il n'y a qu'un pleutre pour dérober un fruit quand il lui serait possible de s'emparer du verger.

— C'est La Treille que nous voulons ! » riposta Ralf le Rouge, et d'autres reprirent son cri. L'Œil-de-Choucas laissa les vociférations déferler sur lui, puis il sauta à bas de la table, empoigna le bras de sa gaupe et, l'entraînant à sa suite, quitta les lieux.

Détalé comme un clébard. L'emprise d'Euron sur le Trône de Grès paraissait tout à coup moins inébranlable que trois minutes avant. *Ils ne le suivront pas à la baie des Serfs. Ils ne sont peut-être pas aussi chiens couchants et cinglés que je l'avais redouté*. Le lord Capitaine en éprouva une telle jubilation qu'il se sentit le besoin de l'écluser. Il vida une coupe avec le Barbier, manière de lui montrer qu'il ne lui gardait pas rancune pour sa seigneurie, même s'il la devait à la générosité du Choucas.

À l'extérieur, le soleil se coucha, les ténèbres s'appesantirent sur les remparts mais, dedans, la flamme rougeoyante des torches faisait régner un demi-jour orange, et leur fumée qui s'amoncelait sous les poutres formait comme un nuage gris. Des hommes soûls comme des grives se mirent à danser la danse du doigt. Vint un moment où Lucas Morru Main-gauche décida qu'il avait envie de s'envoyer l'une des filles de lord Houëtt, et il la prit sur une table pendant que ses sœurs sanglotaient, en larmes.

Victarion sentit une main lui tapoter l'épaule. L'un des bâtards métis d'Euron se tenait derrière lui, un mouflet de dix ans, le cheveu laineux, la peau couleur de bourbier. « Mon père veut paroles avec vous. »

Victarion se leva en chancelant. Il avait beau être un colosse et pouvoir se permettre sa contenance de pinard, n'empêche qu'il avait trop bu. *Je l'ai rossée à mort de mes propres mains*, songea-t-il, *mais c'est l'Œil-de-Choucas qui l'a tuée quand il se l'est farcie. Je n'avais pas le choix.* Il sortit de la salle sur les talons du négrillon et gravit à sa suite un escalier de pierre en colimaçon. Au fur et à mesure qu'ils montaient, le vacarme de viol et de ribouldingue se faisait moins assourdissant, puis plus rien d'autre ne s'entendit que le crissement des bottes sur les marches.

L'Œil-de-Choucas avait fait main basse sur la chambre à coucher de lord Houëtt comme sur sa fille naturelle. Quand le capitaine entra, la petite gueuse était recroquevillée sur le pieu, complètement à poil, et ronflotait tout bas. Euron se tenait près de la fenêtre, une coupe d'argent à la main. Il portait le manteau de zibeline qu'il avait fauché à Noirmarées, son bandeau de cuir rouge sur l'œil et rien d'autre. « Quand j'étais gamin, j'ai rêvé que je savais voler, fit-il tout de go. À mon réveil, j'en étais incapable… à ce que prétendit du moins le mestre. Mais s'il en avait menti ? »

La pièce empestait le vin, le sang et le foutre, mais Victarion perçut tout de même le parfum de la mer qui pénétrait par la fenêtre ouverte. L'air froid et chargé de sel l'aida à se clarifier les idées. « Qu'est-ce que tu veux dire ? »

Euron se retourna pour lui faire face, ses lèvres d'un bleu d'ecchymose retroussées en un demi-sourire. « Peut-être que nous pouvons voler. Tous tant que nous sommes. Comment le saurions-nous jamais avec certitude, à moins de nous précipiter dans le vide, du haut d'une tour ? » Une brusque bourrasque entrée par la fenêtre agita son manteau de zibeline. Il y avait quelque chose d'obscène et de maléfique dans sa nudité. « Nul ne peut savoir de quoi il est véritablement capable, à moins d'oser se précipiter dans le vide.

— Il y a une fenêtre. Saute. » Victarion n'avait pas de patience pour ces foutaises. Sa main blessée le tourmentait. « Qu'est-ce que tu veux ?

— Le monde. » La lueur du feu scintilla dans l'œil d'Euron. *Son œil enjoué.* « Que te dirait de prendre une coupe du vin de lord Houëtt ? Il n'est pas de vin plus exquis que le vin pris à un ennemi battu.

— Non. » Victarion détourna son regard. « Couvre-toi. »

Euron s'assit puis, d'un geste sec, tira sur son manteau pour camoufler ses parties intimes. « J'avais oublié combien ils sont tapageurs et mesquins, mes Fer-nés. Je souhaiterais leur apporter des dragons, et qu'est-ce qu'ils me réclament à cor et à cri ? Des raisins !

— Les raisins, ça existe en vrai. On peut se goberger de raisins. Leur jus est sucré, et ils font du vin. Qu'est-ce que ça fait, les dragons ?

— Mal. » L'Œil-de-Choucas se mit à siroter sa coupe d'argent. « Un jour, il m'est arrivé de tenir un œuf de dragon dans cette même main-ci, frère. Un magicien de Myr me jura ses grands dieux qu'il le ferait éclore si je lui laissais un an et lui donnais tout l'or qu'il exigeait. Quand j'en ai eu marre de ses subterfuges, je l'ai zigouillé. Pendant qu'il regardait ses tripes lui glisser entre les doigts, il a dit : "*Mais ça ne fait pas un an.*" » Il éclata de rire. « Cragorn est mort, tu sais.

— Qui ça ?

— Le type qui a sonné ma trompe de dragon. Quand le mestre l'a ouvert, il avait les poumons tout carbonisés et noirs comme de la suie. »

Victarion frissonna. « Montre-moi cet œuf de dragon.

— Je l'ai balancé à la mer, dans un de mes accès d'humeur noire. » Euron haussa les épaules. « L'idée me vient, au fait, que le Bouquineur ne se trompait pas. Une flotte trop importante ne réussirait jamais à rester groupée sur une pareille distance. Le voyage est trop long, trop périlleux. Il n'y a que la fine fleur de nos navires et de nos équipages qui puisse espérer cingler jusqu'à la baie des Serfs et revenir. La flotte de Fer. »

La flotte de Fer est à moi, songea Victarion, mais il ne dit rien.

Le Choucas emplit deux coupes d'un vin noir bizarre et qui coulait gluant comme du miel. « Bois avec moi, frère. Goûte-moi ça. » Il lui tendit l'une des coupes.

Le capitaine prit celle qu'Euron ne lui avait pas offerte et en flaira le contenu d'un air soupçonneux. Vu de près, le liquide était plutôt bleu que noir. Il était épais et huileux, et il exhalait une odeur semblable à celle de la chair putréfiée. Victarion tâta d'une menue gorgée qu'il recracha immédiatement. « Dégueulasse. Tu cherches à m'empoisonner ?

— Je cherche à t'ouvrir les yeux. » Euron avala une bonne lampée de sa propre coupe et sourit. « *Ombre-du-soir*, le vin des conjurateurs. J'en ai découvert un baril après la capture de certaine galéasse de Qarth à bord de laquelle se trouvaient également du girofle et de la muscade, quarante ballots de soie verte et quatre conjurateurs qui racontaient une histoire plutôt curieuse. L'un d'eux s'étant permis de me menacer, je l'ai tué puis l'ai fait bouffer aux trois autres. Ils refusèrent d'abord de toucher à la bidoche de leur petit pote mais, quand ils eurent suffisamment faim, leur cœur se ravisa. Les hommes sont de la viande. »

Balon était fou, Aeron est encore plus fou, et Euron est le plus fou de tous. Victarion tournait les talons pour se retirer quand Euron reprit : « Un roi doit avoir une épouse qui lui donne des héritiers. Frère, j'ai besoin de toi. Consens-tu à partir pour la baie des Serfs et à m'en ramener ma bien-aimée ? »

Une bien-aimée, j'en ai eu une, autrefois, moi aussi. Les poings de Victarion se crispèrent, et une goutte de sang s'aplatit par terre avec un *flop* presque imperceptible. *Je devrais te réduire en chair à pâté et te fourguer à bouffer aux crabes, comme elle, pareil !* « Tu as déjà des fils, répliqua-t-il.

— Des bâtards métis de bas étage, nés de putains et de pleurnicheuses.

— Ils sont issus de ton propre corps.

— Le contenu de mon pot de chambre l'est tout autant. Aucun d'eux n'est propre à occuper le Trône de Grès, moins encore le Trône de Fer. Non, pour faire un héritier qui soit digne de lui, ce qu'il me faut, c'est une femme toute différente. Lorsque la seiche épousera le dragon, frère, le monde entier aura tout intérêt à faire gaffe.

— Quel dragon ? questionna Victarion en fronçant les sourcils.

— La dernière de sa lignée. On dit qu'elle est la plus belle femme de l'univers. Elle a des cheveux d'argent doré, et ses yeux sont des améthystes… Mais rien ne t'oblige à m'en croire sur parole, frère. Pars pour la baie des Serfs, contemple cette beauté, et ramène-la-moi.

— Pourquoi me faudrait-il faire une chose pareille ? demanda Victarion.

— Par amour. Par devoir. Parce que ton roi l'ordonne. » Euron se mit à glousser. « Et pour le Trône de Grès. Il sera tien, sitôt que j'aurai fait valoir mes droits sur le Trône de Fer. Tu m'y succéderas comme j'y ai succédé à Balon… Et comme tes propres fils légitimes t'y succéderont un jour. »

Mes propres fils… Mais, pour avoir un fils légitime, il fallait d'abord avoir une épouse. Et Victarion n'avait pas de veine avec les épouses. *Les cadeaux d'Euron sont empoisonnés*, se rappela-t-il, *mais, tout compte fait…*

« À toi de choisir, frère. Vis serf ou meurs roi. As-tu l'audace de voler ? À moins de te précipiter dans le vide, tu ne le sauras jamais. »

L'œil enjoué d'Euron étincela de goguenardise. « Mais peut-être est-ce trop te demander ? C'est une chose épouvantable que de courir les mers par-delà Valyria.

— Je pourrais mener la flotte de Fer jusqu'en enfer, si besoin était. » Quand Victarion rouvrit sa main, la paume était toute rouge de sang. « J'irai à la baie des Serfs, ouais. Je trouverai cette femme dragon, et je la ramènerai. » *Mais pas pour toi. Puisque tu m'as volé ma femme et me l'as dévastée, c'est moi qui aurai la tienne. La plus belle femme de l'univers… pour moi !*

JAIME

On avait recommencé à cultiver la campagne, dans les environs de Darry. La charrue avait retourné les champs incendiés, et les patrouilleurs de ser Addam rapportaient avoir vu des femmes arracher la mauvaise herbe dans les sillons, tandis qu'un attelage de bœufs défrichait une nouvelle pièce de terre à la lisière d'un bois voisin. Une douzaine d'hommes barbus munis de haches montaient la garde auprès de ceux qui travaillaient.

Quand Jaime et sa colonne atteignirent le château, tout ce petit monde avait filé se réfugier à l'intérieur des murs. Ils s'y heurtèrent à des portes closes, exactement comme à Harrenhal. *Un accueil plutôt frais, de la part de mon propre sang…*

« Sonnez du cor », commanda-t-il. Ser Kennos de Kayce décrocha la Trompe de Sarocq et la fit retentir. Tout en attendant qu'on réponde à l'appel, Jaime examina la bannière écarlate et brun qui flottait sur la barbacane de son cousin. D'évidence, Lancel s'était payé la fantaisie d'écarteler le lion Lannister avec le laboureur Darry. Jaime vit du reste en cela comme dans le choix de l'épouse la main de son oncle. La maison Darry gouvernait le coin depuis l'époque où les Andals avaient triomphé des Premiers Hommes. Ser Kevan s'était sans doute avisé que son fils aurait moins de mal à s'imposer si les paysans voyaient en lui le continuateur de l'ancienne lignée par le biais légitime de son mariage plutôt que par l'arbitraire d'un décret royal. *Kevan devrait être la Main de Tommen. Harys Swyft n'est qu'un crapaud, et ma sœur qu'une gourde, si telle n'est son opinion.*

Les portes s'ouvrirent avec lenteur. « Mon jeune cousin n'aura pas assez de place pour héberger un millier d'hommes, dit Jaime au Sanglier. Nous établirons notre campement sous le rempart ouest. Je veux des fossés et des pieux à la périphérie. Des bandes de hors-la-loi rôdent encore dans ces parages.

— Il faudrait être dingue pour s'attaquer à une troupe aussi imposante que la nôtre.

— Dingue ou affamé. » Aussi longtemps qu'il ne serait pas mieux fixé sur le compte et les forces réelles de ces malandrins, il n'allait sûrement pas s'amuser à négliger ses défenses. « Des fossés et des pieux », répéta-t-il, avant d'éperonner Honneur pour franchir la porte. À ses côtés chevauchaient ser Dermot, avec la bannière cerf-et-lion du roi, et ser Hugo Vance, avec la blanche bannière de la Garde Royale. Il avait confié à Ronnet le Rouge la mission d'escorter Wylis Manderly jusqu'à Viergétang puis de veiller à l'embarquer pour Blancport, mission qui lui épargnait désormais le désagrément de sa vue.

Pia chevauchait derrière, en compagnie de ses écuyers, montée sur le hongre que Becq avait déniché pour elle. « Il a l'air d'un jouet, ce château », l'entendit-il s'étonner. *Elle n'a jamais connu d'autre demeure qu'Harrenhal*, se rappela-t-il. *Tous les autres châteaux du royaume lui feront fatalement l'effet de n'être que des miniatures, à l'exception du Roc.*

Josmyn Dombecq était en train de dire la même chose. « Vous devez vous garder d'en juger d'après Harrenhal. Harren le Noir avait la folie des grandeurs. » Pia reçut la leçon avec autant de solennité qu'une loupiotte de cinq ans morigénée par sa septa. *C'est tout ce qu'elle est, une petite fille dans un corps de femme, apeurée, ravagée.* Becq s'était entiché d'elle, cependant. Jaime subodorait qu'il n'avait jamais pratiqué de femme, et Pia demeurait encore assez mignonne, en tout cas tant qu'elle n'ouvrait pas la bouche. *Il n'y aurait pas de mal à ce qu'il couche avec elle, je suppose, dans la mesure où elle serait consentante.*

L'un des hommes de la Montagne avait tenté de la violer, à Harrenhal, et il avait eu l'air honnêtement suffoqué quand Jaime avait donné l'ordre à ser Ilyn Payne de le raccourcir. « Mais je me la suis déjà envoyée avant, et pas qu'un coup, dix ! s'acharnait-il à rouspéter pendant qu'on le forçait à s'agenouiller. Dix coups, m'sire ! Tous, même, qu'on se l'est envoyée tout plein ! » Quand le bourreau lui avait présenté la tête, Pia n'en avait pas moins souri de toutes ses dents brisées.

Darry avait à maintes reprises changé de mains pendant les combats, et son château avait été incendié une fois et mis à sac au moins deux, mais Lancel n'avait manifestement pas lambiné beaucoup pour remettre les choses en ordre. Replacées depuis peu sur leurs gonds, les portes du château étaient faites en planches de chêne brut renforcées de clous de fer. On était en train de construire des écuries neuves à l'emplacement des anciennes, envolées en fumée. Les marches d'accès au donjon avaient été renouvelées, ainsi que les volets de pas mal de fenêtres. Des pierres noircies signalaient encore les endroits qu'avaient léchés les flammes, mais le temps et la pluie finiraient à la longue par estomper ces traces elles-mêmes.

À l'intérieur de l'enceinte, des arbalétriers arpentaient les chemins de ronde, certains vêtus du manteau écarlate et coiffés du heaume au lion, d'autres aux couleurs, bleu et gris, de la maison Frey. Pendant que Jaime traversait la cour au petit trot, des poulets détalèrent devant les sabots d'Honneur, des moutons se mirent à bêler, des paysans le considérèrent d'un œil rechigné. *Des paysans armés*, ne manqua-t-il pas de remarquer. Certains avaient des faux, certains des bâtons, certains des houes cruellement affûtées en pointe. Il y avait des haches aussi, bien ostensibles, et il repéra plusieurs individus barbus qui arboraient, cousue sur leur tunique crasseuse et mitée, une étoile rouge à sept branches. *Encore des putains de moineaux. D'où peuvent-ils bien venir ?*

De son oncle Kevan, il ne vit pas trace. Ni de Lancel. Seul un mestre sortit pour l'accueillir, mollets maigres fouettés par une robe grise. « Lord Commandant, c'est bien de l'honneur pour Darry que cette... cette visite inopinée. Vous devrez pardonner notre surprise. On nous avait donné à entendre que vous aviez Vivesaigues pour destination.

— Darry se trouvait sur ma route », mentit Jaime. *Vivesaigues tiendra le coup*. Et s'il advenait que le siège soit terminé avant qu'il n'arrive devant la place, eh bien, tant mieux, cela le dispenserait d'avoir à prendre les armes contre la maison Tully.

Il mit pied à terre et remit Honneur entre les mains d'un petit palefrenier. « Je trouverai mon oncle ici ? » Il ne se donna pas la peine de le nommer. Ser Kevan était le seul oncle qui lui restât, le dernier fils encore en vie de Tytos Lannister.

« Non, messire. Ser Kevan a pris congé de nous après le mariage. » Le mestre tirailla sur sa chaîne comme si elle était devenue brusquement trop étroite pour son cou. « Je sais que lord Lancel se fera un plaisir de vous voir, vous et... et tous vos preux chevaliers. Encore que, je le confesse avec chagrin, Darry ne soit pas en mesure d'en nourrir autant.

— Nous avons nos provisions. Vous êtes... ?

— Mestre Ottomore, s'il plaît à Votre Seigneurie. Lady Amerei désirait vous accueillir en personne, mais elle est en train de veiller à ce que l'on apprête un festin en votre honneur. Son espoir est que vous-même et vos principaux chevaliers et officiers daigniez vous joindre à nous ce soir.

— Un repas chaud serait le très bien venu. Ces derniers jours ont été froids et humides. » Un coup d'œil lui suffit pour passer en revue la cour et les moineaux barbus. *Il y en a trop. Et trop de Frey aussi.* « Où trouverai-je Durepierre ?

— On nous a signalé la présence de hors-la-loi au-delà du Trident. Ser Harwyn a pris cinq chevaliers et vingt archers pour aller leur régler leur compte.

— Et lord Lancel ?

— Il est en train de prier. Sa Seigneurie nous a donné l'ordre de ne jamais le déranger pendant ses prières. »

Ser Bonifer et lui s'entendraient à merveille. « Très bien. » Il aurait largement le temps de causer plus tard avec son cousin. « Conduisez-moi à mes appartements, puis faites-m'y monter de quoi prendre un bain.

— S'il plaît à messire, nous vous avons installé dans le manoir du Laboureur. Je vais vous y mener.

— Je connais le chemin. » Les lieux ne lui étaient nullement étrangers. Il y avait déjà été hébergé deux fois avec Cersei, la première en se rendant à Winterfell à la suite de Robert, et la seconde lors de leur retour à Port-Réal. Malgré ses dimensions modestes de château ordinaire, la demeure était plus vaste qu'une auberge, et elle se prêtait à de bonnes parties de chasse le long de la rivière. Robert Baratheon ne s'était jamais fait scrupule d'abuser de l'hospitalité de ses sujets.

Le manoir était à peu près tel que dans ses souvenirs. « Les murs sont encore nus, fit-il observer pendant que le mestre lui faisait emprunter une galerie.

— Lord Lancel espère les orner un jour de tapisseries, répondit Ottomore. Des scènes de piété et de dévotion. »

Piété et dévotion. Il parvint de justesse à réprimer son envie de rire. Les murs étaient déjà nus, lors de sa première visite. Tyrion avait attiré son attention sur les carrés de pierre plus sombre qui trahissaient la suppression de tentures installées là depuis une éternité. Il avait été aussi facile à ser Raymun de les faire décrocher dare-dare qu'impossible d'effacer les indices de leur présence antérieure. En glissant une poignée de cerfs à l'un des domestiques, le Lutin avait fini par se procurer la clef de la cave où les disparues avaient été planquées. Et de quel air épanoui il les avait montrées à Jaime à la lumière d'une chandelle ! C'étaient les portraits tissés de la dynastie Targaryen, depuis le premier Aegon jusqu'au deuxième Aenys. « Si j'en jase à Robert, c'est *moi* qu'il fera sire de Darry, peut-être », s'était gondolé le nain.

Mestre Ottomore emmena Jaime au dernier étage. « Je me plais à penser que vous serez bien ici, messire. Il y a là des lieux d'aisances, quand la nature le réclame. Votre fenêtre donne sur le bois sacré. La chambre à coucher n'est séparée de celle de notre dame que par un cabinet de service.

— C'étaient les appartements personnels de lord Darry.

— En effet, messire.

— Mon cousin est trop aimable. Il n'entrait pas dans mes intentions de l'expulser de chez lui.

— Lord Lancel ne couche qu'au septuaire. »

Coucher avec la Mère et la Jouvencelle, alors qu'il n'a qu'à passer la porte pour rejoindre sa chaufferette ? Jaime ne savait trop s'il fallait en rire ou en pleurer. *Peut-être prie-t-il d'arriver à bander ?* À Port-Réal, le bruit avait couru que ses blessures l'avaient rendu impuissant. *N'empêche, il devrait avoir assez de bon sens pour tenter le coup*. La mainmise du cousin sur ses nouveaux domaines resterait précaire aussi longtemps qu'il n'aurait pas fricoté un fils à sa demi-Darry d'épouse. Jaime commençait à se repentir de la foucade qui l'avait poussé à venir. Il remercia Ottomore de son obligeance, lui rafraîchit la mémoire à propos du bain et le fit reconduire par Becq.

La chambre à coucher seigneuriale avait changé depuis sa dernière visite, et pas à son avantage. Les beaux tapis de Myr qui l'ornaient jadis étaient désormais supplantés par une vieille jonchée moisie, et tout le mobilier était neuf et de facture pour le moins rustique. Du temps de ser Raymun Darry, le lit était assez vaste pour dormir à six, il avait des draperies de velours brun et des montants en bois de chêne sculptés de pampres et de feuillages ; celui de Lancel se réduisait à une méchante paillasse bouchonnée que l'on avait eu l'idée saugrenue de placer sous la fenêtre, de sorte que la première lueur du jour ne manquerait assurément pas de le réveiller. L'autre avait été brûlé, sans doute, ou démoli, voire volé, mais tout de même…

Quand survint la baignoire, Petit-Lou Piper débotta Jaime et l'aida à ôter sa main d'or. Becq et Garrett charrièrent l'eau, et Pia lui trouva quelque chose de propre à se mettre pour le souper. Tout en secouant son doublet, elle lui décocha un coup d'œil timide. Sa robe de bure brune ne laissait que trop deviner la courbe de ses hanches et la rondeur de sa poitrine, et Jaime en fut gêné. Il se rappela ce qu'elle lui avait chuchoté à Harrenhal, la nuit où Qyburn l'avait envoyée se glisser dans son lit. *Y a des fois qu'avec certains types*, avait-elle dit, *je ferme les yeux pour me figurer que c'est toi que j'ai, dessus moi*.

Il éprouva un véritable soulagement lorsqu'il y eut suffisamment d'eau dans la baignoire pour lui permettre de dissimuler son érection. Pendant qu'il s'allongeait dans l'eau fumante, le souvenir lui revint d'un autre bain, celui qu'il avait pris avec Brienne. Fiévreux et affaibli comme il l'était par l'hémorragie, la chaleur lui avait si fort tourné la tête qu'il s'était surpris à dire des choses qu'il aurait mieux fait de garder pour lui. Maintenant, il ne pouvait plus invoquer une pareille excuse. *Souviens-toi de tes vœux. Pia convient mieux au pieu de Tyrion qu'au tien.* « Va me chercher du savon et une brosse bien dure, dit-il à Becq. Pia, tu peux nous laisser.

— Ouais, m'sire. Merci, m'sire. » Elle avait parlé derrière sa main, de manière à cacher sa bouche édentée.

« Tu as envie d'elle ? » demanda Jaime à Becq après qu'elle fut sortie.

L'écuyer devint rouge comme une betterave.

« Si elle veut de toi, prends-la. Elle t'enseignera quelques petits trucs dont tu découvriras l'utilité pendant ta nuit de noces, j'en suis convaincu, et tu ne cours pas grand risque d'en avoir un bâtard. » Elle avait ouvert ses cuisses à la moitié de l'armée de Père sans jamais se faire engrosser ; elle était stérile, selon toute probabilité. « Mais, si tu couches avec elle, montre-toi gentil.

— Gentil, messire ? Comment... Comment est-ce que je... ?

— Des mots tendres. Des attouchements délicats. Tu ne comptes évidemment pas l'épouser, mais tant que vous êtes au lit, traite-la comme tu traiterais ta femme. »

Le gamin hocha la tête. « Messire, je... Où est-ce que je la prendrais ? Il n'y a jamais un endroit pour... pour...

— Pour être seuls ? » Jaime lui adressa un grand sourire. « Le souper va durer des heures. La paille a l'air bouchonnée, mais ça devrait aller. »

Becq ouvrit des yeux larges comme des soucoupes. « Le lit de Sa Seigneurie ?

— Tu te sentiras lord toi-même, après coup, si Pia connaît son affaire. » *Et il faut bien que cette misérable paillasse serve tout de même à quelqu'un.*

Lorsqu'il descendit festoyer, le soir, Jaime Lannister portait un doublet de velours rouge à crevés de brocart, et une chaîne d'or constellée de diamants noirs. Il s'était également équipé de sa main d'or, fourbie et lustrée à vous éblouir. Ses blancs auraient été déplacés dans cette maison. Si ses devoirs l'appelaient à Vivesaigues, c'était une nécessité beaucoup plus obscure qui justifiait sa présence ici.

C'était par pure courtoisie qu'on qualifiait de *grande* la grande salle de Darry. Des tables à tréteaux la bondaient d'un mur à l'autre, et les poutres de la charpente étaient noires de fumée. On avait installé Jaime sur l'estrade, à la droite du fauteuil vacant de Lancel. « Mon cousin ne soupera pas avec nous ? demanda-t-il en s'asseyant.

— Mon seigneur et maître préfère jeûner, répondit lady Amerei. La disparition du Grand Septon l'a rendu malade de chagrin. » Avec ses jambes longues et son sein girond, c'était un morceau friand d'à peu près dix-huit ans, qui semblait péter la santé ; toutefois, son museau pincé, dépourvu de menton, rappela à Jaime celui de feu son impleurable cousin Cleos, qui avait toujours eu plus ou moins la mine d'une fouine.

En train de jeûner ? Il est encore plus maboul que je ne le soupçonnais. Au lieu de se faire crever de faim, Lancel aurait été mieux inspiré de bourrer à mort sa petite veuve pour tâcher d'engendrer un héritier à faciès fouinard. Jaime se demanda ce que ser Kevan aurait trouvé à dire de cette frénésie de ferveur toute neuve. Se pouvait-il que tel eût été le motif de son départ brusqué ?

Tout en se gorgeant de soupe de haricots au lard, lady Amerei lui conta que son premier mari avait été tué par ser Gregor Clegane, alors que les Frey se battaient encore pour Robb Stark. « Je l'ai supplié de ne pas partir, mais mon Pat était, oh ! tellement – *mais tellement* – brave, et il a juré qu'il n'y avait que lui qui puisse tuer ce monstre. Il voulait se faire un nom prestigieux. »

Comme nous tous. « Du temps où j'étais écuyer, je me promettais d'être celui qui tuerait le Chevalier Badin.

— Le Chevalier Badin ? » Elle était paumée, manifestement. « C'était qui ? »

La Montagne de mes vertes années personnelles. Moitié moins colossal mais deux fois plus fou.

« Un hors-la-loi, mort depuis longtemps. Personne dont Votre Seigneurie ait à s'inquiéter. »

Les lèvres d'Amerei se mirent à trembler. Des larmes s'échappèrent de ses yeux marron.

« Il faut pardonner à ma fille », intervint une femme mûre. Lady Amerei avait amené à Darry une vingtaine de Frey ; une sœur, un oncle, un demi-oncle, divers cousins… et sa mère, née Darry. « Elle pleure encore son père.

— Des hors-la-loi l'ont *assassiné* ! hoqueta lady Amerei. Père était seulement allé payer la rançon de Petyr Boutonneux. Il leur a apporté l'or qu'ils réclamaient, mais ils l'ont suspendu tout de même.

— *Pendu*, Ami. Ton père n'était pas une tapisserie. » Lady Mariya s'adressa de nouveau à Jaime. « Je crois savoir que vous l'avez connu, ser.

— Nous avons été écuyers ensemble, à Crakehall, dans le temps. » Il n'était pas tenté d'aller jusqu'à prétendre qu'ils s'y étaient liés d'amitié. Quand Jaime était arrivé au château, Merrett Frey en était la sale petite brute et toisait de son haut tous les garçons plus jeunes. *Et puis il a tenté de m'en faire baver.* « Il était… très costaud. » C'était l'unique éloge que le défunt fût susceptible de lui inspirer. Il était lent, balourd, stupide, mais costaud, ça, il l'était, indubitablement.

« Vous avez combattu côte à côte la Fraternité Bois-du-Roi, renifla lady Amerei. Père me racontait des tas d'anecdotes. »

Voire père était un vantard et un menteur fieffé, vous voulez dire. « Oui. » Les contributions majeures de Merrett à la lutte avaient consisté à se faire filer la vérole par une traînée de camp puis à se faire capturer par Wenda Faonblanc, la reine des bandits, qui lui avait brûlé le cul de son emblème personnel avant de le restituer contre rançon à Sumner Crakehall. Il avait été hors d'état de s'asseoir pendant une quinzaine, mais Jaime doutait que l'application du fer rouge lui eût autant cuit que les potées de merde que lui avaient fait avaler à son retour ses petits copains écuyers. *Il n'est pas de créatures plus cruelles au monde que les gamins.* Il glissa sa main d'or autour du pied de sa coupe et la leva. « À la mémoire de Merrett », dit-il. Il était moins ardu de boire à ce fantoche que de parler de lui.

Après le toast, lady Amerei s'arrêta de pleurer, et la conversation de table dévia vers les loups, ceux de l'espèce à quatre pattes. Ser Danwell Frey affirma que même son grand-père ne se souvenait pas d'en avoir jamais vu autant pulluler dans la région. « Ils n'ont plus aucune peur des hommes. Des meutes entières se sont attaquées à notre train de bagages pendant que nous descendions des Jumeaux ici. Il a fallu que nos archers en emplument une douzaine avant que les autres ne prennent la fuite. » Ser Addam Marpheux confessa que leur propre colonne s'était trouvée confrontée à des incidents similaires en remontant, elle, de Port-Réal.

Jaime concentra son attention sur les mets placés devant lui, tout en déchiquetant des morceaux de pain avec sa main gauche et en tâtonnant de la droite pour attraper son vin. Il observa ser Addam faire du charme à sa jeune voisine, regarda Steffon Swyft relivrer la bataille de Port-Réal avec du pain, des carottes et des noix. Ser Kennos attira une servante sur ses genoux et la pressa de caresser sa trompe, pendant que ser Dermot régalait quelques écuyers d'histoires de chevaliers errants dans le Bois-la-Pluie. Plus loin vers le bas de la table, Hugo Vance avait fermé les yeux. *En train de remâcher les mystères de l'existence*, songea Jaime. *Ou de piquer un roupillon entre deux plats*. Il se tourna finalement vers lady Mariya. « Les hors-la-loi qui ont assassiné votre époux, ils appartenaient à la clique de lord Béric ?

— C'est ce que nous avons pensé, tout d'abord. » Malgré ses cheveux grisonnants, elle était encore une belle femme. « À leur départ de Vieilles-Pierres, les meurtriers se sont séparés. Lord Vyprin a suivi la piste d'une bande jusqu'à La Halle-au-foin puis a perdu ses traces. Avec des veneurs et des limiers, Walder le Noir est entré dans Sorcefangier derrière la seconde. Les manants ont commencé par nier l'avoir vue passer, mais un interrogatoire sévère leur a finalement fait chanter une autre chanson. Ils ont parlé d'un borgne et d'un individu vêtu d'un manteau jaune, ainsi que d'une femme, emmitouflée dans une pèlerine dont le capuchon dissimulait ses traits.

— Une femme ? » Il se serait attendu à ce que sa mésaventure avec la Faonblanc ait appris à Merrett à garder ses distances avec les hors-la-loi femelles. « Il y en avait une, aussi, dans la Fraternité Bois-du-Roi.

— Je sais. » *Comment ne saurais-je pas*, suggérait l'intonation, *quand elle avait imprimé sa marque indélébile sur mon mari ?* « La Faonblanc était jeune et belle, à ce que l'on assure. Cette femme encapuchonnée n'est ni l'un ni l'autre. Les manants se sont figuré nous faire accroire qu'elle avait le visage lacéré et couturé de cicatrices, et que son regard était terrifiant. Ils affirment que c'était elle, le chef des hors-la-loi.

— Leur chef ? » Jaime trouvait cela dur à gober. « Béric Dondarrion et le prêtre rouge…

— … n'ont pas été vus. » Elle venait d'en parler comme d'un fait irréfutable.

« Dondarrion est mort, intervint le Sanglier. La Montagne lui a planté un poignard dans l'œil, nous avons parmi nous des témoins de première main.

— Ce n'est que l'une des versions de l'histoire, objecta ser Addam Marpheux. D'aucuns vous assureront qu'il est impossible de tuer lord Béric.

— Ser Harwyn dit que tout ça, c'est des menteries. » Lady Amerei enroula l'une de ses tresses autour de son doigt. « Il m'a promis la tête de lord Béric. Il est extrêmement galant. » Elle rougissait sous ses larmes.

Jaime repensa à la tête qu'il avait offerte à Pia. Ce fut tout juste s'il n'entendit pas pouffer son petit frère. *Qu'est-ce qu'il en est jamais sorti, d'offrir des fleurs à une femme ?* aurait pu demander Tyrion. En tout cas, pour rendre pleinement justice à Harwyn Quetsch, Jaime n'aurait pas eu non plus l'embarras du choix des qualificatifs, mais *galant* n'aurait pas fait partie du lot. Les frères de Quetsch étaient de grands gaillards bien en chair, à nuque épaisse et face rougeaude ; exubérants, robustes, prompts à rigoler, prompts à la colère, prompts à pardonner. Harwyn était une tout autre variété de Quetsch, lui : taciturne et l'œil dur, vindicatif à mort… et mortel, avec sa masse au poing. Un type à qui donner le commandement d'une garnison, mais sûrement pas un type à aimer. *Quoique*… Jaime lorgna du côté de lady Amerei.

Les serviteurs apportaient le plat de poisson, un brochet de rivière cuit à l'étouffée dans une croûte de fines herbes et de noix pilées. La gente dame de Lancel y goûta, approuva puis donna l'ordre de servir Jaime en premier. Tandis que l'on déposait sa portion devant lui, elle se pencha par-dessus le vide marital pour toucher sa main d'or. « *Vous*, vous réussiriez à tuer lord Béric, ser Jaime. Vous avez bien tué le Chevalier Blondin… De grâce, messire, je vous en conjure, restez, et aidez-nous à nous débarrasser de lord Béric et du Limier. » Ses doigts pâles lui caressaient ses doigts d'or.

Elle s'imagine que je le sens ? « C'est l'Épée du Matin qui a tué le Chevalier *Badin*, rectifia-t-il, ma dame. Ser Arthur Dayne, un bien meilleur chevalier que moi. » Jaime retira ses doigts d'or et s'adressa une fois de plus à lady Mariya. « Jusqu'où Walder le Noir a-t-il suivi la piste de cette femme encapuchonnée et de ses hommes ?

— Ses limiers les ont à nouveau flairés au nord de Sorcefangier, répondit-elle. Il jure qu'il n'avait pas plus d'une demi-journée de retard sur eux quand ils se sont évaporés dans le Neck.

— Laissons-les y pourrir, déclara allégrement ser Kennos. Si les dieux daignent avoir quelque bienveillance, ils iront s'embourber dans des sables mouvants ou se feront déglutir par des lézards-lions.

— À moins qu'ils ne soient recueillis par des mangegrenouilles, dit ser Danwell Frey. Je serais étonné que ça gêne les gens des paluds, d'abriter des hors-la-loi.

— Que ne sont-ils les seuls ! soupira lady Mariya. Certains des seigneurs riverains sont eux aussi cul et chemise avec les hommes de lord Béric.

— Les gens du peuple également, renifla sa fille. Ser Harwyn dit qu'ils les cachent et les nourrissent, et que, quand lui leur demande où ils sont allés, ils lui répondent par des menteries. Ils osent *mentir* à leurs propres lords !

— Faites-leur arracher la langue, préconisa le Sanglier.

— Bonne chance, alors, pour en obtenir des réponses, fit Jaime. Si vous souhaitez qu'ils vous épaulent, il faut vous faire aimer d'eux. C'est de cette manière qu'Arthur Dayne a procédé, lorsque nous nous battions contre la Fraternité Bois-du-Roi. Il payait aux petites gens les vivres que nous mangions, il transmettait leurs doléances au roi Aerys, il développait les pâturages autour des villages, il obtint même en leur faveur le droit de couper un certain nombre d'arbres chaque année et d'abattre en automne quelques-uns des daims royaux. Alors que les habitants de la forêt avaient compté sur Tignac pour les défendre, ser Arthur fit plus pour eux que la Fraternité n'aurait jamais pu se flatter de faire, et il nous les rallia. Après cela, le reste alla tout seul.

— Le lord Commandant vient de faire entendre la voix de la sagesse, dit lady Mariya. Nous ne serons jamais débarrassés de ces hors-la-loi tant que les petites gens n'en viendront pas à chérir Lancel autant qu'ils chérissaient par le passé mon père et mon grand-père. »

Jaime posa les yeux sur la place vide de son cousin. *Reste que ce n'est pas en priant que Lancel s'attirera leur affection.*

Lady Amerei fit une moue. « Ser Jaime, je vous en supplie, ne nous abandonnez pas. Mon seigneur et maître a besoin de vous, et moi de même. Nous vivons des temps si abominables ! Il y a des nuits où j'ai tellement peur que c'est à peine si je parviens à fermer un œil.

— Ma place est auprès du roi, ma dame.

— C'est moi qui viendrai, proposa le Sanglier. Dès que nous en aurons terminé avec Vivesaigues. Je vais avoir des démangeaisons de nouveaux combats. Non que Béric Dondarrion soit susceptible de m'en fournir un de sérieux. Je garde de lui des souvenirs de tournoi. Un beau garçon avec un joli manteau, c'était. Frivole et malhabile.

— C'est qu'il n'était pas encore mort, signala le jeune ser Arbois Frey. La mort l'a métamorphosé, s'il faut en croire le petit peuple. Il est possible de le tuer, mais il ne restera pas mort. Comment faire pour affronter un homme pareil ? Et il y a aussi le Limier. Il a tué vingt hommes à Salins. »

Le Sanglier s'esclaffa. « Vingt aubergistes gras à lard, peut-être ! Vingt loufiats qui compissaient leurs braies !

Vingt frères mendigots armés de leurs sébiles ! Pas vingt chevaliers, de toute façon. Pas *moi*.

— Il y a un chevalier, à Salins, maintint ser Arbois. Il est resté planqué derrière ses remparts pendant que Clegane et ses chiens enragés dévastaient sa ville. Vous n'avez pas vu ce qu'ils y ont fait, ser. Moi si. Quand la nouvelle est arrivée aux Jumeaux, on s'est dépêchés de descendre, moi et Harys Foin et son frère Donnel, escortés par une cinquantaine d'hommes d'armes et d'archers. Nous pensions que c'était un coup de lord Béric, et nous espérions retrouver sa piste. Tout ce qui subsiste de Salins, c'est le château, et le vieux ser Quincy, tellement terrifié qu'il n'a pas voulu nous ouvrir ses portes et ne nous a répondu qu'en gueulant du haut de ses fortifications. Rien d'autre, à part ça, que des os et des cendres. Le Limier a passé les maisons à la torche et la population au fil de l'épée puis s'est tiré en rigolant. Les femmes… Vous ne croiriez pas ce qu'il a fait subir à certaines des femmes. Je n'en parlerai pas à table. Moi, ça m'a rendu malade, de voir ça.

— J'ai pleuré, quand je l'ai appris », dit lady Amerei.

Jaime sirota son vin. « Qu'est-ce qui vous permet d'affirmer que c'était le Limier ? » Ce qu'on décrivait ressemblait plus à la manière de Gregor qu'à celle de Sandor. Sandor était la dureté, la brutalité mêmes, oui, mais le véritable monstre de la maison Clegane, c'était son colosse de frère.

« Il a été vu, répondit ser Arbois. Ce heaume qu'il a n'est pas facile à confondre ni à oublier, et il y a eu quelques survivants pour raconter les choses. La petite qu'il a violée, des gamins qui s'étaient cachés, une femme que nous avons retrouvée coincée sous une poutre calcinée, les pêcheurs qui, de leurs barques, avaient assisté à la boucherie…

— Ne traite pas cela de boucherie, le reprit doucement lady Mariya. C'est faire insulte aux honnêtes bouchers de partout. Les horreurs de Salins ont été l'ouvrage de bêtes fauves déguisées en êtres humains. »

Cette époque est propice aux bêtes, réfléchit Jaime, *lions et loups, chiens furieux, corbeaux et charognards.*

« De la méchante ouvrage. » Le Sanglier remplit sa coupe derechef. « Lady Mariya, lady Amerei, sachez-le, votre détresse me bouleverse. Vous avez ma parole qu'une fois tombé Vivesaigues je reviendrai traquer le Limier, et que je le tuerai pour vous. Les chiens ne me font pas peur. »

Celui-ci devrait te faire peur. Les deux adversaires éventuels pouvaient bien être de taille et de puissance analogues, Sandor Clegane était beaucoup plus rapide, et il se battait avec une férocité qui ne laisserait à ce matamore de Lyle Crakehall aucune chance de succès…

Lady Amerei n'en fut pas moins transportée. « Vous êtes un authentique chevalier, ser Lyle, que de secourir une dame dans la détresse. »

Au moins ne s'est-elle pas donné du « damoiselle ». Jaime tendit la main vers sa coupe et la renversa. La nappe de lin se gorgea de vin. Tandis que la tache rouge s'élargissait, les convives affectèrent avec un bel ensemble ne s'être avisés de rien. *Courtoisie de table haute*, se dit-il, mais sans lui trouver qu'un arrière-goût de pitié. Il se leva brusquement. « Ma dame. Veuillez m'excuser. »

Lady Amerei prit un air affligé. « Vous nous quitteriez ? Mais on doit encore servir de la venaison, et puis des chapons farcis de poireaux et de champignons…

— Succulents, sans doute, mais je ne saurais avaler une bouchée de plus. Il me faut absolument voir mon cousin. » Il s'inclina et les abandonna à leur gourmandise.

On mangeait aussi dans la cour. Frigorifiés par la nuit tombante, les moineaux s'étaient amassés autour d'une douzaine de feux pour se chauffer les mains, tout en regardant de dodues saucisses crachoter et grésiller sur les flammes. Ils devaient être une centaine. *Des bouches inutiles.* Jaime se demanda de quelles réserves de saucisses disposait Lancel et comment il comptait s'y prendre pour nourrir les moineaux quand elles seraient épuisées. *Ils en seront réduits à bouffer des rats, cet hiver, à moins qu'il ne leur soit possible d'engranger encore une récolte.* Mais, si tard en automne, les chances d'une nouvelle récolte étaient plutôt minces…

Il découvrit le septuaire au fond du poste intérieur du château ; un édifice aveugle, heptagonal, à moitié en planches, couvert d'un toit de tuiles et muni de portes de bois sculpté. Sur ses marches étaient accroupis trois moineaux. Ils se levèrent à l'approche de Jaime. « Ousque v's allez, m'sire ? » demanda l'un d'eux. C'était le plus petit, mais sa barbe était la plus grande.

« Dedans.

— Sa Seigneurie est à ses prières.

— Sa Seigneurie est mon cousin.

— Ben, alors, m'sire, dit l'un des autres, un chauve énorme avec une étoile à sept branches peinte au-dessus d'un œil, ça vous f'ra peine, ennuyer vot'cousin p'ant qu'y prie.

— Lord Lancel est en train de demander au Père d'En Haut de guider ses pas », déclara le troisième, imberbe, lui. Jaime l'aurait pris pour un garçon, si sa voix n'avait été celle d'une femme, vêtue de hardes informes et d'une chemise de mailles rouillées. « Il est en train de prier pour les âmes du Grand Septon et de tous les autres qui sont morts.

— Ils seront toujours morts demain, lui rétorqua Jaime. Le Père d'En Haut a plus de temps devant lui que moi. Vous savez qui je suis ?

— Quèqu'lord, dit le grand diable à l'œil étoilé.

— Quèqu'manchot, dit le petit à la longue barbe.

— Le Régicide, dit la femme, mais nous ne sommes pas des rois, seulement des Pauvres Compagnons, et vous ne pouvez pas entrer, sauf si Sa Seigneurie vous en donne en personne l'autorisation. » Sans s'émouvoir, elle fit mine de soupeser un épieu, et le petit leva une hache.

Les portes s'ouvrirent derrière eux. « Laissez paisiblement passer mon cousin, amis, ordonna Lancel d'une voix douce. Je m'attendais à sa visite. »

Les moineaux s'écartèrent.

Lancel semblait avoir encore maigri depuis Port-Réal. Il allait pieds nus et portait une tunique unie de lainage brut et grossier qui lui donnait la dégaine d'un mendiant plutôt que d'un lord. Il s'était fait raser tout le sommet du crâne comme un œuf, mais sa barbe avait un peu poussé. Parler de duvet de pêche aurait été injurieux pour la pêche. Ses vagues picots clairsemés formaient un contraste bizarroïde avec les cheveux blancs qui lui entouraient les oreilles.

« Cousin, l'interpella Jaime quand ils se retrouvèrent seul à seul dans le septuaire, aurais-tu perdu ton putain d'esprit ?

— Je préfère dire que j'ai trouvé ma foi.

— Où est ton père ?

— Parti. Nous nous sommes disputés. » Lancel s'agenouilla devant l'autel de son autre père. « Consentirais-tu à prier avec moi, Jaime ?

— Si je prie gentiment, est-ce que le Père me procurera une nouvelle main ?

— Non. Mais le Guerrier te donnera du courage, le Ferrant te prêtera des forces, et l'Aïeule te dotera de sagesse.

— C'est d'une main que j'ai besoin. » Les sept dieux se dressaient au-dessus des autels sculptés, la lueur des cierges faisait miroiter le bois sombre. Un vague parfum flottait dans l'atmosphère. « Tu couches ici ?

— Je fais mon lit chaque nuit au pied d'un autel différent, et les Sept m'envoient des visions. »

Des visions, Baelor le Bienheureux en avait eu lui aussi, jadis. *Surtout pendant qu'il jeûnait.* « Depuis combien de temps n'as-tu pas mangé ?

— Ma foi est tout l'aliment qu'il me faut.

— La foi est comme la bouillie d'avoine. Meilleure avec du lait et du miel.

— J'ai rêvé que tu allais venir. Dans mon rêve, tu savais ce que j'avais fait. En quoi consistait mon péché. Tu me tuais pour m'en punir.

— Tu es mieux parti pour te tuer toi-même avec tout ce jeûne. Baelor le Bienheureux ne se complaisait-il pas à jeûner sur un cercueil ?

— Nos vies ne sont que flammes de chandelle, est-il écrit dans *L'Étoile à Sept Branches*. La mort n'est jamais loin en ce bas monde, et sept enfers attendent les pécheurs qui ne se repentent pas de leurs péchés. Prie avec moi, Jaime.

— Si je le fais, accepteras-tu de manger une écuellée de bouillie d'avoine ? » N'ayant pas obtenu de réponse, il soupira. « Tu devrais dormir avec ta femme, pas avec la Jouvencelle. Il te faut un fils avec du sang Darry dans les veines si tu veux conserver ce château.

— Un ramassis de pierres froides. Je ne l'ai jamais demandé. Je n'en ai jamais eu envie. Je n'ai jamais eu qu'une envie… » Lancel frissonna. « Les dieux m'aient en leur sainte garde, mais j'ai eu envie d'être toi. »

Jaime ne put s'empêcher de rire. « Mieux vaut moi que le Bienheureux Baelor ! Darry a besoin d'un lion, cousinet. Et ta petite Frey tout autant. Elle mouille chaque fois que quelqu'un mentionne Durepierre. Si elle n'a pas encore couché avec lui, elle le fera bientôt.

— Si elle l'aime, je leur souhaite joie l'un de l'autre.

— Un lion ne devrait pas porter des cornes. Tu as pris la petite pour épouse.

— J'ai prononcé des phrases, et je lui ai donné un manteau rouge, mais dans le seul et unique but de complaire à Père. Le mariage requiert une consommation. Le roi Baelor se vit dans l'obligation d'épouser sa sœur Daena, mais ils ne vécurent jamais comme mari et femme, et il l'écarta de sa personne, sitôt couronné.

— Le royaume aurait été mieux servi s'il avait fermé les yeux et l'avait baisée. Je connais assez d'histoire pour savoir cela. De toute manière, tu ne cours pas grand risque d'être jamais pris pour Baelor le Bienheureux.

— Non, concéda Lancel. C'était une âme rare, pure, valeureuse et innocente, intouchée par les innombrables malignités du monde. Moi, je suis un pécheur, avec tant et plus à expier. »

Jaime lui posa sa main valide sur l'épaule. « Que sais-tu du péché, cousinet ? J'ai tué mon roi.

— Le preux tue avec une épée, le pleutre avec une gourde de vin. Nous sommes tous deux des régicides, ser.

— Robert n'était pas un roi digne de ce nom. D'aucuns pourraient même dire qu'un cerf est la proie naturelle d'un lion. » Il sentait les os pointer sous la peau de Lancel… et quelque chose de plus. Il y avait une haire sous la tunique. « Quel autre crime as-tu donc perpétré, qui requière tellement d'expiation ? Dis-moi. »

Son cousin baissa la tête, les joues ruisselantes de larmes.

Ces larmes étaient à elles seules la réponse dont Jaime ressentait la nécessité. « Tu as tué le roi, articula-t-il, et puis tu as baisé la reine.

— Je n'ai jamais…

— … couché avec ma sœur bien-aimée ? » *Dis-le. Dis-le !*

« Jamais répandu ma semence en… dans son…

— … con ? suggéra Jaime.

— … sein, termina Lancel. Il n'y a félonie que si l'on termine à l'intérieur. Je l'ai réconfortée, après la mort du roi. Tu étais prisonnier, ton père en campagne, et ton frère… elle avait peur de lui, et à juste titre. Il m'a obligé à la trahir.

— Ah bon ? » *Lancel et ser Osmund et combien d'autres encore ? Pour ce qui est de Lunarion, ne s'agissait-il vraiment que d'une raillerie* ? « Est-ce que tu l'as prise de force ?

— *Non !* Je l'aimais. Je voulais la protéger. »

Tu avais envie d'être moi. Ses doigts fantômes le démangeaient. Le jour où sa sœur était venue à la tour de la Blanche Épée l'adjurer de renoncer à ses vœux, elle s'était mise à rire après avoir essuyé son refus et s'était vantée de lui avoir menti mille fois. Il n'avait vu là qu'une tentative maladroite pour le blesser comme lui-même venait de la blesser. *Peut-être est-ce la seule chose véridique qu'elle m'ait jamais dite.*

« Ne pense pas de mal de la reine, plaida Lancel. Toute chair est faible, Jaime. De notre péché n'est résulté aucun dommage. Aucun… aucun bâtard.

— Non. Les bâtards se font rarement sur la peau du ventre. » Il se demanda quelle serait la réaction de son cousin s'il s'amusait à lui confesser ses propres péchés, les trois félonies que Cersei avait baptisées Joffrey, Tommen et Myrcella.

« J'en ai beaucoup voulu à Sa Grâce après la bataille, mais le Grand Septon m'a dit que je devais lui pardonner.

— Parce que tu as confessé tes péchés à Sa Sainteté Suprême, hein ?

— Il a prié pour moi quand j'ai été blessé. C'était un homme de bien. »

Et c'est un homme mort. Les cloches ont sonné pour lui. Il se demanda si Lancel avait la moindre idée du résultat que ses confidences avaient entraîné. « Lancel, tu es un putain de dément.

— Vous n'avez pas tort, ser, répondit Lancel, mais ma démence est désormais derrière moi. J'ai demandé au Père d'En Haut de me montrer la route, et il l'a fait. Je vais renoncer à ma seigneurie et à mon épouse. Durepierre est le bienvenu pour les deux, s'il lui plaît. Demain, je retournerai à Port-Réal, et je consacrerai solennellement mon épée au service du Grand Septon et des Sept. Je suis résolu à prononcer mes vœux et à me joindre aux Fils du Guerrier. »

Il délirait... « Les Fils du Guerrier ont été abolis voilà trois cents ans.

— Le nouveau Grand Septon vient de les rétablir. Il a lancé un appel aux chevaliers dignes de ce nom pour qu'ils vouent leur existence et leur épée au service des Sept. Les Pauvres Compagnons doivent être eux aussi restaurés.

— Pourquoi le Trône de Fer autoriserait-il cela ? » L'un des rois Targaryen du début de la dynastie s'était battu des années durant pour supprimer les deux ordres militaires, se rappelait-il, mais il ne savait plus lequel. Maegor, peut-être, ou bien le premier Jaehaerys. *Tyrion l'aurait su.*

« Sa Sainteté Suprême écrit que le roi Tommen a donné son assentiment. Je te montrerai la lettre, si tu le souhaites.

— Même si c'est vrai... Tu es un lion du Roc, un *lord*. Tu as une épouse, un château, des domaines à défendre, des populations à protéger. Si les dieux se révèlent bienveillants, tu auras des fils de ton propre sang pour te succéder. Pourquoi rejetterais-tu tout cela pour... pour je ne sais quels vœux ?

— Pourquoi l'as-tu fait, toi ? » lui demanda Lancel d'une voix douce.

Pour l'honneur, aurait pu répondre Jaime. *Pour la gloire.* Mais ç'aurait été mentir. L'honneur et la gloire avaient bien joué un rôle, là-dedans, mais c'est essentiellement pour Cersei qu'il l'avait fait. Un rire s'échappa de ses lèvres. « C'est le Grand Septon que tu files rejoindre, ou ma sœur bien-aimée ? Prie pour elle, cousinet. Prie *dur*.

— Prieras-tu avec moi, Jaime ? »

Il promena son regard à la ronde sur le septuaire et regarda les dieux. La Mère, source inépuisable de miséricorde. Le Père, sévère dans ses jugements. Le Guerrier, la main sur son épée. L'Étranger, plongé dans l'ombre, sa figure à demi humaine enfouie sous la coule d'une pèlerine. *Je m'étais toujours figuré que j'étais le Guerrier, et que Cersei était la Jouvencelle, mais elle a été tout du long l'Étranger, me dérobant son vrai visage en le dissimulant.* « Prie à ma place, si ça te chante. J'ai oublié toutes les paroles. »

Les moineaux voletaient toujours sur les marches lorsqu'il ressortit dans la nuit. « Merci, leur dit-il. Je me sens tellement plus saint, maintenant. »

Puis il partit à la recherche de ser Ilyn et d'une paire d'épées.

La cour du château foisonnait d'yeux et d'oreilles. Pour leur échapper, ils se réfugièrent dans le bois sacré de Darry. Il n'y avait pas de moineaux, là, rien que des arbres dépouillés, lugubres, avec leurs branches noires qui griffaient le ciel. Un tapis de feuilles mortes crissait sous leurs pieds.

« Vous voyez cette fenêtre, ser ? » Jaime se servit d'une épée pour la désigner. « C'était la chambre à coucher de Raymun Darry. Celle qu'a occupée le roi Robert, à notre retour de Winterfell. La fille de Ned Stark s'était enfuie, après l'agression de sa louve contre Joff, vous vous souvenez sûrement. Ma sœur voulait qu'on lui tranche une main. Le vieux châtiment pour avoir frappé une personne de sang royal. Robert lui a dit qu'elle était cruelle et folle. Ils se sont bagarrés la moitié de la nuit… Enfin, Cersei se bagarrait, et Robert picolait. Il était minuit passé quand la reine m'a fait mander dans l'appartement. Ivre mort, le roi ronflait, vautré sur les tapis de Myr. J'ai demandé à ma sœur si elle voulait que je le foute au pieu. Elle m'a dit que c'était elle que je devrais y foutre, et elle s'est débarrassée de sa robe d'un simple haussement d'épaules. Je l'ai baisée là, sur le lit de Raymun Darry, après avoir enjambé Sa Royale Majesté. Si Robert s'était réveillé, je l'aurais tué sur-le-champ. Il n'aurait pas été le premier roi à périr sous mon épée… Mais vous connaissez cette histoire-là, n'est-ce pas ? » Il cingla une branche d'arbre et la brisa net. « Pendant que je la tringlais, Cersei s'est mise à crier : "Je *veux* !" Je me suis figuré que c'était de moi qu'elle parlait, mais c'était la petite Stark qu'elle voulait, morte ou mutilée. » *Ce que me fait faire l'amour, quand même*… « C'est uniquement par hasard que les propres gens de Stark ont retrouvé la gosse avant moi. Si j'étais tombé sur elle le premier… »

À la lumière de la torche, les marques laissées par la petite vérole sur le visage de ser Ilyn se creusaient comme autant de trous noirs, aussi ténébreux que l'âme de Jaime. Le bourreau fit entendre son espèce de clapotement sec.

C'est de moi qu'il rigole, saisit subitement Jaime Lannister. « D'après ce que je comprends, ma sœur, hein ? toi aussi, tu te l'es farcie, bougre de tronche vérolée, cracha-t-il. Eh bien, ferme ta putain de gueule et tue-moi, si tu peux ! »

À paraître prochainement, chez le même éditeur, *Un festin pour les corbeaux*, tome 12 du *Trône de fer*.

REMERCIEMENTS

Un mal de chien, voilà ce que m'a donné ce *Feast for crows*[1].

Il me faut une fois de plus exprimer ma gratitude et mes remerciements aux âmes indéfectibles qui ont veillé sur la publication : Nita Taublib, Joy Chamberlain, Jane Johnson, et tout particulièrement à Anne Lesley Groell pour ses conseils, sa bonne humeur et son indulgence.

Merci également à mes lecteurs, pour la gentillesse réconfortante de tous leurs e-mails. Un cimier de heaume spécial pour Lodey des Trois Poings, pour Pod le Lapin démoniaque, pour les Rois Futiles Trebla et Daj, pour la délicieuse Caresse du Mur, pour Lannister le Tueur d'écureuils, et pour tous les autres membres de la Fraternité sans Bannières, cette compagnie d'ivrognes à moitié cinglés qui, constituée de preux chevaliers et d'aimables dames, donnent les meilleures réceptions que connaisse la Worldcon[2], année après année après année. Et qu'il me soit permis de faire aussi sonner une fanfare en l'honneur d'Elio et de Linda qui semblent mieux connaître que moi les Sept Couronnes et qui m'aident à poursuivre mon chemin tout droit sans discontinuer. Leur site web Westeros et tout ce qui s'y raccorde m'émerveillent en faisant ma joie.

Et merci à Walter Jon Williams de me piloter au travers de nouvelles mers salées, à Sage Walker pour les sangsues, les fiè-

1. Dont *Les Sables de Dorne* est le deuxième volume en français (*N.d.É.*).
2. Abréviation pour World [Science Fiction] Con[vention*(s)*], rencontre(s) annuelle(s) de la World Science Fiction Society, société/club littéraire indépendante qui décerne les prix « Hugo ». C'est aussi l'occasion pour les fans du monde entier de se rencontrer (*N.d.T.*).

vres et les os brisés, à Pati Nagle pour HTML et les boucliers qu'on y voit tournoyer, ainsi que pour sa promptitude à mettre mes nouvelles à jour, à Melinda Snodgrass et Daniel Abraham pour les services qu'ils me rendent et qui, véritablement, font mieux que surpasser et que dépasser les obligations de leur tâche. C'est grâce au coup de pouce de mes amis que je me tire de la mienne.

Il n'y a pas de mots pour rendre pleine justice à Parris, qui s'est trouvée là, les bons comme les mauvais jours, pendant que je m'échinais sur mes garces de pages. La seule chose à dire est que, sans elle, je serais dans l'incapacité de chanter ma Chanson de la Glace et du Feu.

Le Nord
– Château
– Ville
– Château en ruine
– Bourg
Les Crocgivre
La Forêt Hantée
LE MUR
LA GRÈVE GLACÉE
Tour Ombreuse
Château noir
Fort levant
Reine Couronne
LE DON
BAIE DES PHOQUES
Skagos
BAIE DES GLACES
Ile-aux-Ours
Atre-lès-Confins
Ultime
Karhold
Presqu'île de Merdragon
Motte-la-Forêt
Bois-aux-Loups
Fort-Terreur
N
Winterfell
Route Royale
Blanchedague
Quart-Torrhen
Les Roches
LES TERTRES
LES RUS
Blanceport
La Veuve
FJORD DE PIQUESEL
Moat Cailin
Baie d'Enfer
LE NECK
LA MORSURE
Pouce-Flint
Galet
Les Piz
Cap Kraken
Falaises de Flint
Griseaux
Les Trois Sœurs
LES DOIGTS
Iles de Fer
Les Jumeaux
Vieux Wyk
Cap des Aigles
Salvemer
Grand Wyk
Baie du Fer-né
Harloi
Verfurque
Les Eyrié
La Porte Sanglante
VAL D'ARRYN
Vieilles-Pierres
Bleufurque
Culbute
Ruffurque
Carte par James Sinclair

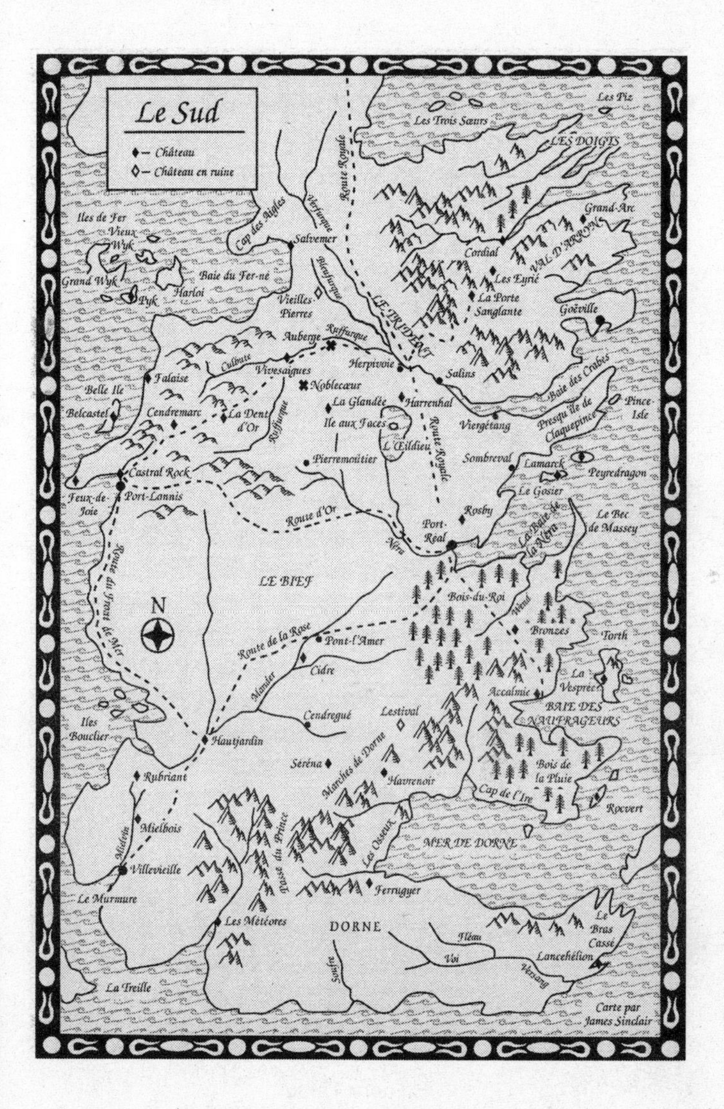

Le Sud
Château
Château en ruine
Les Piz
Les Trois Sœurs
LES DOIGTS
Grand-Arc
VAL D'ARRYN
Cordial
Les Eyrié
La Porte
Sanglante
Goëville
Iles de Fer
Vieux Wyk
Grand Wyk
Pyk
Harloi
Baie du Fer-né
Cap des Aigles
Salvemer
Route Royale
Vieilles-Pierres
LE TRIDENT
Auberge
Ruffurque
Culbute
Vivesaigues
Herpivoie
Salins
Falaise
Noblecœur
Belle Ile
Belcastel
Cendremarc
La Dent d'Or
La Glandée
Harrenhal
Ile aux Faces
L'Œildieu
Viergétang
Baie des Crabes
Presqu'île de Claquepince
Pince-Isle
Pierremoûtier
Sombreval
Lamarck
Peyredragon
Castral Rock
Port-Lannis
Feux-de-Joie
Le Gosier
Route d'Or
Rosby
Port-Réal
La Baie de la Néra
Le Bec de Massey
Néra
Route du Front de Mer
LE BIEF
N
Bois-du-Roi
Route de la Rose
Pont-l'Amer
Cidre
Bronzes
Torth
La Vesprée
Mander
Accalmie
BAIE DES NAUFRAGEURS
Iles Bouclier
Cendregué
Lestival
Hautjardin
Séréna
Marches de Dorne
Havrenoir
Bois de la Pluie
Rubriant
Cap de l'Ire
Rocvert
Mielbois
Passe du Prince
Les Osseux
MER DE DORNE
Villevieille
Le Murmure
Ferrugyer
Les Météores
DORNE
Fléau
Voi
Le Bras Cassé
Lancehélion
La Treille
Carte par
James Sinclair

8495

Composition Nord Compo
Achevé d'imprimer en France (La Flèche)
par CPI Brodard et Taupin
le 29 décembre 2008 - 50689
Dépôt légal décembre 2008 - EAN 9782290002971
1er dépôt légal dans la collection : octobre 2007

Éditions J'ai lu
87, quai Panhard-et-Levassor, 75013 Paris
Diffusion France et étranger : Flammarion